KB143202

셰익스피어 희극

로맨스 너머 세상 이야기

셰익스피어 희극
로맨스 너머 세상 이야기

김문규 지음

도서출판 동인

차례

서문 • 7

제1장 『**한여름 밤의 꿈**』 아방가르드의 꿈과 대중극장의 한계 • 19

제2장 『**베니스의 상인**』 경제 논리와 경제윤리의 문제 • 45

제3장 『**헛소동**』 속지 않는 자가 속는 법 • 83

제4장 『**좋으실 대로**』 경제적 교환의 이상과 동화적 해결의 문제 • 115

제5장 『**십이야**』 환관 만들기와 관료주의 풍자 • 143

제6장 『**윈저의 즐거운 아내들**』
신흥 부르주아 사모님들의 즐거움, 그리고 그 영악한 이면 • 173

제7장 『**겨울 이야기**』
다시 희극으로, 그리고 겨울 이야기, 속의 겨울 이야기 • 203

- 참고문헌 • 235
- 찾아보기 • 247

서문

셰익스피어의 작품 세계에서 희극은 상대적으로 가볍고 덜 중요한 장르로 평가받는 경향이 있다. 그러나 편수로는 희극이 비극을 능가하는데, 순수 희극으로 분류되는 작품만도 비극과 마찬가지로 열 편 정도에 이른다. 희극 중에서도 초기 습작기를 거쳐 셰익스피어가 비극을 본격적으로 시도할 무렵에 쓰인 것들은 희극으로서 최고 수준에 도달한 것으로 평가된다. 이 시기에 셰익스피어는 선남선녀의 로맨스와 결혼의 해피엔드를 핵심으로 하는 소위 로맨틱 코미디, 혹은 낭만 희극을 자신 특유의 희극 장르로서 확립한다. 오늘날 우리가 줄여서 '로코'라고 부르는 전형적인 희극 형식과 문법이 셰익스피어에 의해 확립된 것이다.

사랑의 열정이야말로 인간 모두에게 해당하는 보편적 현상임을 노래한 르네상스 시대의 수많은 예술가 가운데서, 셰익스피어는 개개인의 다양한 사연과 도덕적 수준의 차이를 섬세하고 다양한 뉘앙스로 표현함으로써 근대적 사랑의 이념 확립에 결정적으로 기여했다(Heller 265-270).

셰익스피어는 특히 낭만 희극들을 통해 다양한 방식으로, 다양한 재미를 주면서 근대적 사랑의 이념을 제시한다. 하지만 근대적 사랑의 이념은 인간과 세상에 대한 깊은 성찰을 바탕으로 제시되는 것이기에, 낭만 희극은 심각한 사회적 갈등을 다룬 사회극이나 문제극의 성격을 띠기도 한다. 이는 셰익스피어가 본격적으로 비극을 시도할 무렵 쓰인 희극들이 인간과 세상을 바라보는 비극의 문제의식을 공유하기 때문이다.

문학사가 A. 하우저는 셰익스피어 적 형식의 전제조건이 "현실 정치의 기본체험에서, 곧 순순한 이념은 이 지상에서 실현될 수가 없고 따라서 이념의 순수성이 현실에 희생되거나 아니면 현실은 이념의 영향을 받지 않는다는 경험으로부터 생겨났다"(180)라고 파악한다. 그리고 셰익스피어는 비극 장르에서 그러한 영혼의 갈등을 표현하기 위해 "갈등의 불가피성과 갈등의 종국적인 해결 불가능성, 그리고 주인공의 도덕적 승리"(181)라는 모티브를 채택했다고 분석한다. 셰익스피어의 희극은 비극과 마찬가지로 불가피한 세상사의 갈등을 다루되 죽음을 맞이하는 사람 없이 그것들이 해결되어 보다 나은 세상이 도래할 전망을 제시한다. A. 하우저가 말하는 이념의 순수성이 현실에 희생되거나 현실은 이념의 영향을 받지 않는다는 경험을 바탕으로 희극에서는 이념의 순수성이 현실에 희생되지 않고 타협될 여지를 상상하거나 아니면 있는 그대로의 현실을 받아들이고 그 가운데서 최선의 법칙을 찾는 것을 대안으로 제시한다. 전자의 경우 인간의 한계를 넘어선 초자연적인 힘이나 섭리의 개입으로 심각한 갈등이 해결되는 동화나 판타지가 되기도 한다. 현실의 난제가 신기하게 기적적으로 해결됨으로써 한순간 유토피아에 대한 갈망을 충족시키기도 한다. 그러나 최종 해피엔드가 모든 사람을 만족시키는 것이 될 수 없고 해피엔드에서 소외되는 사람과 여전히 해결되지 않은 문제들이 있을 수밖에 없다는 후자의 전망이 동시에 제시되기도 한다.

결국 희극은 세상사의 갈등은 불가피하지만 해결되는 것은 해결되고 안 되는 것은 안 되는 대로 세상은 살아갈 만하고 인생은 아름답다고 이야기하는 셈이다. 슬라보예 지젝에 의하면 희극은 생 자체의 영광을 찬미하는 장르이다, 그 생이 평범하고 기회주의적이며, 세속적이고 현세적일지라도(128). 한마디로 삶은 덧없지만 엄숙하고 찬란하기도 하다는 것을 일깨워준다. 그런 인간사 가운데 생이 아름답다고 찬미할 수 있게 해주는 대표적인 것이 바로 청춘남녀의 로맨스와 결혼일 것이다. 인생의 절정을 구가하는 로맨스와 결혼은 당사자인 청춘남녀는 물론, 그들의 로맨스에 장애가 되는 기성세대조차 생의 기쁨과 재생의 기운을 느끼게 한다. 그러나 셰익스피어의 낭만 희극 형식은 젊은 남녀의 로맨스를 결혼의 문턱에서 끝나도록 배치함으로써 로맨스의 향유와 제도와 관습으로서의 결혼 간의 이분법을 현실의 한계로 수용하게 만든다. 결혼은 한 세대가 끝나고 새로운 세대가 시작되는 것이며, 청춘의 로맨스와는 다른 차원의 삶이 기다리고 있다. 그래서 청춘남녀의 에로틱한 욕망은 생의 아름다움, 생의 절정을 구가한 뒤, 결혼으로 귀결되기 위해서 관습과 제도로 대변되는 사회적 요구와 일정하게 타협해야 한다. 이는 청춘남녀 개개인이 사랑의 주체로 정립되는 순간이 곧 사회의 책임 있는 일원이 되도록 대타자에 의해 호명되는 순간임을 의미한다. 그리하여 셰익스피어 낭만 희극에서는 선남선녀의 로맨스와 결혼이 공동체를 구성하고 있는 본질적 요소의 균형에 변화를 가져오는 계기가 되고 공동체는 그 결혼이 야기하는 변화를 즐겁게 수용하는 패턴을 취한다.

우리가 사랑을 유한하고 일시적인 대상을 다른 무엇보다도 소중하고 의미 있는 대상으로 특권화하여 거기에 삶 전부를 집중시키는 일로 정의할 수 있다면 이런 근대적 사랑의 이념은 아마도 르네상스 시대 셰익스피어와 더불어 본격적으로 시작되었다고 해도 과언이 아닐 것이다. 셰익스피어는 주로 낭만 희극을 통해서 합리적 설명이 불가능한 첫눈에 반하는 사랑, 사랑의 변덕, 그리고 그런 사랑의 최종적 보상과 상호동등성의 성취를 그림으로써, 보다 주체적이며 바람직한 인간관계를 실현할 수 있게 하는 낭만적 사랑의 이념을 제시하고 있다. 그러나 그런 사랑의 이념이 실현되는 이상적 세계는 한순간의 가능성으로 암시될 뿐, 낭만 희극들은 각기 다른 방식과 내용으로 이상은 현실에서 이루어질 수 없거나 현실은 이상에 영향을 받지 않는다는 정치적 현실주의로의 복귀를 암시되기도 한다. 이상적인 세상은 없으며 기회주의적이고, 평범하며, 세속적인 생이 우리를 기다리고 있다는 것을 일깨우는 것이다. 그런 맥락에서 셰익스피어는 낭만적 사랑의 이념을 찬미하면서도 그것이 한낮 이데올로기로 전락할 가능성도 경고하고 있다.

셰익스피어 극에서 그려진 낭만적 사랑은 거의 예외 없이 '첫눈'에 반하는 사랑이다. 셰익스피어가 한결같이 이런 사랑을 그리는 이유는 무엇보다도 지참금 협상으로 이루어지는 중매 결혼의 관행이 인간 해방의 보편적 열정이라는 사랑의 이념과 거리가 멀기에 그것을 타파하기 위해서일 것이다. 한편 당시 상류층 남성들 사회에서 유행했던 소위 '궁정 풍' 사랑을, 일종의 유행으로 사랑을 과잉 소비하는 문화적 퇴행

현상으로 간주하고, 그들이 표방하는 '첫눈'을 갑작스러운 질병이나 징후로서 희화화하기 위한 목적도 있을 것이다.

셰익스피어와 마찬가지로 '첫눈'에 반하는 것을 낭만적 사랑의 속성으로 간주하는 앤서니 기든스(Anthony Giddens)에 의하면, "'첫눈'이란 의사소통적 몸짓이며 타자의 특성에 대한 직관적 포착이다. 그것은 어떤 이의 삶을 이른바 완성시켜줄 수 있을 그 어떤 다른 이에 대한 매혹의 과정인 것이다"(85). 셰익스피어의 낭만 희극에서는 '첫눈'에 반하는 사랑, 즉 다른 이를 매혹하는 과정은 결혼으로 귀결되는 과정인데, 그 과정은 일종의 통과의례의 성격을 띤다. 셰익스피어가 통과의례를 위해 사용하는 전형적인 희극 문법이 바로 정체성 오인과 그에 따른 사랑의 변덕에 관한 시험이다. 낭만적 사랑의 이념이 기회주의적이고, 평범하며, 세속적인 세상에서 실현되기 위해서는, 즉 기든스가 정의하는 '첫눈'에 반하는 사랑이 제도와 관습으로서의 결혼과 조화를 이루려면 인간의 불완전함, 특히 감각과 인식의 불완전함에서 비롯되는 다양한 시행착오를 겪어야만 한다. 그렇게 감각과 인식이 불완전한 인간들이 잘못 보거나 잘못 듣는 사태가 바로 희극의 플롯을 작동시킨다. 그리하여 우여곡절을 겪으면서 청춘남녀 당사자는 물론 그들을 지켜보는 사람들도 '첫눈'에 반한다는 것이 도무지 합리적으로 설명이 되지 않는 기이한 경험이요 현상임을 느끼게 된다.

주로 여성이 남장함으로써 발생하는 정체성 오인은 또 다른 정체성을 발견함으로써 원래의 정체성이 다른 정체성으로 보완되고 통합되는 혼란의 과정인데 이 과정을 겪어야 상호동등성에 바탕을 둔 결혼이 이루어진다. 그 혼란의 과정에서 첫눈에 반한 상대가 과연 유일한 특권적 존재인지 다른 사람으로 대체 가능한 존재인지 시험당하기도 한다. 가령 『좋으실 대로』(*As You Like It*)에서는 남성으로 변장한 여주인공이 다시 원래의 자신을 연기하는 이중의 기만 상황이 연출되어, 진실은 부정의 부정으로 드러날 수 있음을 예시하기도 한다. 그런가 하면 『십이야』(*The Twelfth Night*)에서는 남녀 쌍둥이를 등장시켜 여성의 남장이 야기할 수 있는 성 정체성 오인의 극한을 제시하기도 한다. 그러나 여성의 남장을 이용하여 정체성 오인을 유발하는 수법은 여성 역을 남성이 연기했던 당대 극장의 조건에 기인하는 것으로서, 여성 역할을 하는 남성 연기자에게 원래의 남성 역할을 하게 함으로써 부자연스러운 역할 연기에 숨통을 틔워주려는 배려였다고 볼 수 있을 것이다. 그렇기에 낭만 희극의 이런 문법은 지나치게 작위적이어서 오늘날 관객들에게는 별로 와닿지 않을 것이다.

희극의 세계에는 비단 변장으로 인한 정체성 기만이 아니더라도 속고 속이는 액션이 넘쳐난다. 겉 다르고 속 다른 것이 세상의 본질일진대 자신을 지키기 위해서 때로는 남을 기만해야 한다. 비극에서는 기만은 결국 생을 파괴하고 죽음을 가져오는 악한 행위인 경우가 대부분이지만 기회주의적이고, 평범하며, 세속적인 생을 긍정하는 희극에서는 도덕적 판단을 유보하게 하거나 무의미하게 하는 기만들이 많이 있다. 그런 경우 속이는 사람들은 심각한 도덕적 갈등이나 죄책감을 느끼지 않는다. 가령 『헛소동』(*Much Ado About Nothing*)에서 사랑하는 남녀들을 맺어주기 위해 집단으로 행하는 선의의 기만이 대표적이다. 그런 경우 기만을 통해 공동체의 선을 달성할 수 있다면, 즉 기만으로 현실의 난제를 해결할 수 있다면, 기만은 이상에 맞지 않는 현실에서 최선을 도출하는 방책으로 받아들여진다. 이는 목적이 옳으면 어떤 수단도 강구될 수 있다는 소위 마키아벨리즘의 세계이기도 하다. 그렇게 해서 이루어지는 해피엔드는 최대 다수의 최대 행복을 지향한다는 점에서 공리주의적이기도 하다. 그러나 그런 해피엔드에도 불구하고 해피엔드에 포함되지 않는 사람이 존재하고 여전히 해결되지 않는 문제가 남아 있다.

희극의 해피엔드로부터 소외되어 해결되지 않는 문제들과 함께 던져지는 존재들은 이상적인 세상은 없으며, 로맨틱한 사랑의 찬미도 환상이며 허구일 수 있음을 환기하는 역할을 한다. 거의 모든 낭만 희극에 등장하는 이런 인물들은 자신들의 탐욕과 어리석음으로 인해 웃음거리가 되는 대가를 치른다. 『윈저의 즐거운 아내들』(*The Merry Wives of Windsor*)의 폴스타프(Falstaff)는 그런 자신의 운명을 받아들임으로써 웃음의 공동체의 일원이 되기도 하지만, 『십이야』의 말볼리오(Malvolio) 같은 경우 당한 만큼 갚아주겠다는 복수의 다짐과 함께 퇴장하기도 한다. 『헛소동』의 돈 존(Don John) 같은 경우는 공동체의 죄를 대신 뒤집어쓰고 퇴장하기도 한다. 이런 인물들은 공통적으로 공동체의 부정적 요소들이 투사되는 대상이 된다. 가장 문제가 되는 경우는 『베니스의 상인』(*The Merchant of Venice*)의 샤일록(Shylock)인데, 그는 공동체가 반드시 패배시켜야 할 적으로 규정되어 그에 합당한 처벌을 받고 퇴장함으로써 그를 배제해야 성립되는 해피엔드의 정당성을 의문시하게 한다.

청춘남녀의 로맨스가 결혼으로 끝나는 해피엔드는 그럼에도 불구하고 바람직한 인간관계가 실현될 수 있는 세상을 제시하지만, 동시에 낭만적 사랑의 이념 또한 이데올로기일 수 있음을 암시하기도 한다. 이해관계의 추구가 세상의 본질이 된 자본주의 시대에 낭만적 사랑의 이념이 어떻게 전유될 수 있는지를 성찰하는 시선이 사랑의 찬미 속에 같이 깃들어 있는 것이다. 무엇보다도 사랑과 결혼조차 점차 완전히 물신주의에 따라 침윤되는 근대 자본주의 사회에서는, 돈보다 사랑이라는 결혼의 이상이 물신숭배와 상업주의를 한층 더 철저하고 교묘하게 관철하기 위한 이데올로기로 기능하기 쉽다. 사실 낭만적 사랑의 이상과 서사는 근대 자본주의의 발흥과 더불어 착상되었고, 자본주의가 심화할수록 더욱더 절실한 이상과 서사로 뿌리내렸다. 그런 만큼, 낭만적 사랑의 이념은 자본주의가 심화할수록, 물신숭배에 젖어들수록 사람들이 더욱더 상투적으로 표방하는 이념이나 환상이 되기 쉽다. 달리 말하자면 낭만적 사랑의 이상은 그 이상이 비현실적이라는 것을 너무나 잘 아는 사람들이 그 정반대의 현실을 살아가는 데 필요한 자기기만의 환상인지도 모른다. 이런 전망은 본론에서 다룰 『베니스의 상인』, 『윈저의 즐거운 아내들』, 『헛소동』, 그리고 『좋으실 대로』 같은 작품에서 확인할 수 있다.

그래서 셰익스피어의 낭만 희극은 선남선녀의 로맨스 너머의 세상 이야기를 읽도록 초대한다. 이는 로맨스의 찬란한 전경 뒤의 얼룩진 배경을 같이 보아야만 로맨스의 찬란한 색조가 제대로 보인다는 것을 의미한다. 본론에서 다룰 일곱 편의 희극은 로맨스와 결혼의 해피엔드를 그리면서 이상에 맞지 않는 세상사의 다양한 갈등과 문제의 해결에 대한 전망을 암시한다. 본론에서 다룰 셰익스피어의 대표적인 희극들은 각기 청춘남녀의 로맨스가 성, 권력, 재산, 신분 등을 둘러싼 사회적 갈등과 얽힐 수밖에 없는 세상사를 그리고 있다. 그중 『한여름 밤의 꿈』 (*A Midsummer Night's Dream*), 『베니스의 상인』, 『헛소동』, 『좋으실 대로』,

『십이야』 다섯 편은 낭만 희극으로 분류되고, 『윈저의 즐거운 아내들』은 로맨틱하기보다 풍자적 희극으로, 그리고 마지막으로 다룰 『겨울 이야기』(*The Winter's Tale*)는 후기 로맨스 혹은 희비극으로 분류된다. 지금까지의 문제 제기를 바탕으로 셰익스피어의 희극들이 전개하는 로맨스 너머 다채로운 세상 이야기들에 대한 분석이 다음과 같이 전개될 것이다.

『한여름 밤의 꿈』을 다룬 제1장에서는 이 희극이 대귀족의 결혼 축하용으로 쓰인 극이지만, 꿈이라는 소재를 빌려 제도와 관습으로서의 결혼에 속박되지 않으려는 에로틱한 욕망의 일탈을 도발적이지 않게 그리고 있음을 분석한다. 그러나 꿈과 현실이 구분되지 않는 숲에서 정체성 혼란을 겪은 끝에 원래의 짝을 찾는 젊은 남녀의 로맨스에 초점을 맞추기보다는, 결혼 축하 극을 쓰는 셰익스피어의 사의식이 투영된 극중극 상연 에피소드를 중심으로, 초현실적 소재를 재현해보려는 아방가르드(Avant-Garde) 작가의 포부와 권위가 모든 공연을 주관하고 감독할 수 있는 군주의 권위에 포섭되는 문제를 주로 다룰 것이다.

『베니스의 상인』을 다룬 제2장에서는 이 극이 오늘날 글로벌 자본주의 시대의 도래를 예견하는 작품으로 읽힐 수 있다는 것을 입증한다. 특히 '인육 계약'과 샤일록 재판을 중심으로 글로벌 자본주의 세상에도 유효한 경제 논리와 그에 수반되는 윤리의 문제를 읽으려 한다. 그리고 극 중 인물들의 관계나 행태를 나타내기 위해 반복적으로 쓰이는 단어인 '본드'(bond), '벤처'(venture), '해저드'(hazard) 등이 작금의 자본주의 시대의 키워드에 해당하는 만큼, 이 극은 도래할 자본주의 시대가 경제 논리 중에서 투기나 사기와 같은 부정적 논리가 만만찮게 지배할 가능성을 우회적으로 암시하고 있음을 밝힐 것이다.

『헛소동』을 다룬 제3장에서는 이 희극이 남녀관계의 본질 자체에 집중함으로써 남녀의 연애 심리를 심층적으로 파고들어 다른 어떤 희극보다 젠더(gender) 갈등을 부각하는 양상을 분석한다. 그리고 헛소동이라는 셰익스피어 희극 가운데 가장 허무주의적 타이틀에 걸맞게 속고 속이는 액션으로 일관한 끝에 결혼의 해피엔드를 유보함으로써 극은 남녀의 로맨스와 사랑에 대해 가장 망상 없는 전망을 전개하고 있음을 다룰 것이다. 하지만 동시에 사랑에 관한 한 속지 않는 자가 속는 법이라는 유쾌한 역설의 묘미를 느끼게 해준다는 것을 제시할 것이다.

『좋으실 대로』를 다룬 제4장에서는 가장 동화 같은 이야기를 전개하는 이 극이 당대에 폭넓게 시행되었던 인클로저(enclosure) 운동에 따른 신분과 재산의 변동, 그에 따른 사회적 유동성의 증가를 세상 이야기의 배경으로 하고 있음을 밝힌다. 주인공 남녀의 로맨스가 결혼으로 맺어지는 과정에서 제시되는 아득한 옛 농업 공동체의 이상은 바야흐로 교환가치가 지배하는 타락한 현세의 대안으로 제시되지만, 증여와 보답을 통한 상호수혜가 실현되는 동화 같은 해피엔드가 이데올로기로 작용할 수 있음을 밝힌다.

『십이야』를 다룬 제5장에서는 쌍둥이 남매의 성 정체성을 둘러싼 소동 끝에 결혼의 해피엔드가 도출되는 주 플롯보다 더 인기가 있었던 보조 플롯인 소위, '말볼리오' 이야기를 중점적으로 분석한다. 이 이야기에는 사회적 유동성에 따른 불안과 갈등이 투영되어 있는데, 말볼리오를 시대착오적인 환관처럼 만드는 일련의 장난이 당시 신흥 관료들로서 세를 확장하고 있었던 청교도들의 관료주의에 대한 불만을 해소하는 축제로 기능한다는 것을 다룰 것이다. 말볼리오 이야기는 당대의 청교도 관료들을 풍자하는 내용이지만 일과 법, 그리고 사적 소유에 매인 채 살아가는 오늘날 관료 형 인간에 대한 풍자로도 유효함을 다룰 것이다.

『윈저의 즐거운 아내들』을 다룬 제6장에서는 셰익스피어 희극 중 단일한 계급, 즉 신흥 시민계급 공동체를 다룬 이 희극이 공동체의 영악한 아내들이 중심이 되어 공동체가 외부 침입자 폴스타프의 허황된 탐욕을 응징하는 에피소드들을 통해 부르주아적 삶의 토대인 재산 소유, 여성 소유, 그리고 도둑맞는 것에 대한 두려움을 풍자하고 있음을 다룰 것이다. 그에 상응하여 선남선녀의 결혼으로 마무리되는 해피엔드 역시 그런 윈저 사회의 본질을 변화시킬 수 있는 대안적 가치나 전망을 내포하고 있기보다는 윈저의 부르주아적 체제를 정당화하고 강화하는 판타지를 제공할 뿐이라는 것을 제시할 것이다.

『겨울 이야기』를 다룰 마지막 장에서는 비극을 다 쓴 후 셰익스피어가 희극으로 복귀하면서 삶에 대해 어떤 전망을 제시하고 있는지 살펴볼 것이다. 인생의 봄과 겨울까지 겪은 후 도달하는 해피엔드는 이전 낭만 희극의 해피엔드와 분명 달라져서, 인간의 영성을 회복하는 종교의 차원에 가까워졌다는 것을 밝힐 것이다. 무엇보다도 이 극이 겨울 이야기 속의 겨울 이야기의 구조를 취하는 것은 위대한 남성 극작가가 제대로 된 창작물로 대접받지 못했던 여인네들의 겨울 이야기를 전유하려 하면서 그 한계를 인정했기 때문이라는 점을 분석할 것이다.

제1장

『한여름 밤의 꿈』 아방가르드의 꿈과 대중극장의 한계

나는 가장 희한한 환영을 보았어. 나는 꿈을 꾸었는데, 사람의 지혜로는 그게 무슨 꿈인지 말을 못 해. 이 꿈을 해몽하려 드는 사람은 노새나 다름없어. (4.1.200-202)

1

『한여름 밤의 꿈』(1595-1596)은 셰익스피어가 당대 어느 대귀족의 혼례를 축하하기 위해 쓴 것으로 알려져 왔다(Brooks xxxiv-xxxl). 그래서 이 극은 결혼을 떠나서는 생각할 수 없는 극으로 간주하였고, 많은 공연과 비평적 논의 역시 극 중 젊은 연인들의 로맨스와 결혼 에피소드를 중심으로 사랑과 결혼의 본질에 초점을 맞추어 왔다. 그러다 보니 아테네 시민들이 군주 테세우스(Theseus)를 비롯한 두 쌍의 젊은 귀족의 혼례를 축하하는 연극 상연의 에피소드는, 소위 낭만 희극의 주제와 직접 관련이 없는 부분으로 간주되어 청소년용 문고판 등에서는 아예 생략

해버리기도 한다. 그러나 아테네 시민들의 연극 상연 플롯은 시민 중 일원인 보텀(Bottom)이 요정 퍽(Puck)에 의해 노새로 변신하여 요정의 여왕 티타니어(Titania)의 구애를 받는 에피소드에서 요정 이야기와 연결되어 극을 절정에 이르게 한다. 그뿐만 아니라 혼례 축하 극의 상연은 공동체적 축제로 기능하면서 극의 대미를 장식한다.

이렇듯 결코 가볍지 않은 비중으로 다루어진 극중극 상연의 에피소드에는 애초 혼례 축하용으로 알려진 본 극의 상연과 관련된 제반 문제들이 투영되어 있기에 일종의 메타드라마(metadrama)로 기능한다고 볼 수 있다. 꿈이라는 타이틀이 말해주듯, 극중극을 품고 있는 극 전체가 또 다른 극중극으로 설정되는 만큼, 이 극은 셰익스피어 극 가운데서도 메타드라마적 성격이 가장 강한 극이라고 볼 수 있다. 몬트로스(Louise Monstrose)는 극의 메타드라마적 관심이 바로 군주에 의인화된 국가가 가진 도구적 이성의 권위와 공적이고 직업적인 극장이 구사하는 상상의 권위 간의 구분과 관계라고 분석한다(190-192). 사실 군주와 귀족 관객들을 위해 혼례 축하 극을 쓰는 대중극장의 작가로서는 두 권위 간의 갈등과 긴장을 느끼기 마련인데, 이 글은 셰익스피어가 그런 긴장과 갈등을 아방가르드 극작가로서의 꿈과 상업극장의 현실적 한계를 통해서 전개하고 있음을 분석하고자 한다.

보텀이 노새로 변해 요정 여왕의 구애를 받는 장면은 셰익스피어 희극 가운데서 가장 환상적인 장면에 해당한다고 볼 수 있는데, 이 장면에는 무엇보다도 초현실의 재현이라는 소위 아방가르드 극작가의 문제의식이 함축되어 있다. 초현실적 비전을 현실로 기억하면서도 그것을 재현하는 것은 불가능하며, 재현하려는 시도는 바보짓이라고 말하는 보텀의 독특한 인식론적 혼란에는 곧, 초현실적 비전을 깨어있는 의식으로 재현하려는 셰익스피어의 소위 아방가르드 예술가로서의 곤경이 투영되어 있다. 그래서 이 글은 우선 소위 '보텀의 꿈'이 곧 아방가르드 극작가로서 셰익스피어의 꿈에 해당한다는 것을 살펴볼 것이다.

보텀의 꿈은 미지의 꿈으로 남는 가운데, 그와 그의 동료들이 아마추어로서 일종의 아방가르드적 공연을 하게 되지만 귀족 관객들의 몰이해에 직면하게 된다. 하지만 이것이 웃기는 퍼포먼스로서나마 인정되는 것을 패러디하는 설정을 통해, 다음으로는 셰익스피어가 대중극장의 연극적 실험의 현실적 성과와 한계를 짚어보고 있음을 분석하고자 한다.

마지막으로 셰익스피어가 요정 퍽이 극 전체를 한 편의 꿈으로 간주하라고 권하는 에필로그를 통해 자신이 작업에 대해 어떤 성찰을 하는지를 살펴볼 것이다.

2

아테네의 창시자에 해당하는 테세우스는 아마존의 여왕 히폴리타(Hippolyta)를 무력으로 정복하여 왕비로 맞이하면서 성대한 혼례식을 준비한다. 성스러운 혼례와 황홀한 초야를 기다리는 새신랑의 조바심은 인지상정이겠지만 테세우스는 달이 천천히 바뀌는 것에 대해, "나의 욕망을 질질 끌어 풀 죽게 하는구려, 마치 젊은이의 재산을 오랫동안 축내는 계모나 미망인처럼 말입니다"(1.1.4-6)라며 불평한다. 그의 욕망과 돈의 비유는 시적 경지와는 거리가 멀 뿐 아니라 기이하게 느껴질 정도인데(Belsey 102-103), 이런 비유에는 그가 아테네를 통치하는 기조가 담겨있다. 자신의 혼례를 맞아 작금 그의 기조는 아테네 전체에 활기찬 기운을 불어넣음으로써 밤이 지배하는 시간의 우울한 기운을 물리치는 것이다.

> 가시오, 필로스트레이트 경
> 아테네 젊은이들의 흥을 한껏 돋우시오.
> 신명 나는 씩씩하고 쾌활한 기운을 일깨우시오.
> 우울한 기운은 장례식에나 맞는 법.
> 창백한 달은 우리의 혼례잔치에는 맞지 않소. (1.1.12-15)

아울러 신부인 히폴리타에게도 사랑을 얻기까지 "내가 검으로 구애했지만, 이제는 축하연이나 경축행렬 그리고 주연을 베푸는 다른 기조로 구애하겠노라"(1.1.18-19)로 선언한다. 테세우스가 자신의 혼례를 맞이하여 공동체 전체를 즐겁게 하려는 프로그램을 기획하는 것은 일종의 포퓰리즘에 해당한다고 볼 수 있는데, 아테네 시민들은 무엇보다도 그런 기획에 포함된 경제적 보상에 끌려 혼례 축하 공연에 참여하게 된다.

테세우스가 다스리는 아테네가 경제활동이 활발한 도시임을 나타내는 듯, 그의 혼례를 축하하는 공연에 참여하는 시민들은 목수, 소목장이, 직조공, 대장장이, 땜장이, 그리고 양복장이 등 대표적인 도시의 전문직업인이다. 그들은 아테네의 신화적 궁정과는 대조적으로 물질적 욕구와 경제적 활동이 지배하는 현실 세계를 대변함으로써 관객들에게 당대 영국의 실제를 반영하고 있다고 느끼게 한다. 그러나 어쨌든 그들은 그들만의 민중 축제가 아닌 일종의 관 주도 축제에 참여하는 만큼, 공연 준비 단계에서부터 본 공연에 이르기까지 검열을 의식하고 내면화하는 모습을 보여주게 된다.

그들이 연극 연습을 위해 처음으로 모였을 때, 연출 역을 담당하는 목수 퀸스(Quince)는 직조공 보텀이 공연할 원작이 무슨 내용이냐고 묻자, 우리 연극은 "가장 개탄스러운 희극이자 가장 잔인한 피라무스와 디스비의 죽음"(2.1.9-10)이라고 소개한다. 『피라무스와 디스비』(*Pyramus and Thisbe*)는 애절한 사랑의 비극으로 알려졌지만, 그들에게는 그런 사랑의 신화가 터무니없는 허구로 느껴지기에 나름대로 기존 내용을 재해석한 색다른 공연을 시도하려 한다. 하지만 그들은 또한 경제적 보상을 염두에 두고 철저히 군주와 귀족 관객들의 취향을 고려함으로써 그들의 공연은 그 내용을 종잡기 힘든 우스꽝스러운 퍼포먼스가 되고 만다.

보텀 일행은 특히 귀족 여성 관객들 앞에서 끔찍한 자살 장면을 연기하는 것이나 무시무시한 사자 역을 하는 것이 틀림없이 숙녀들을 놀라게 할 것이라고 주장하면서, 실제가 아니고 연기라는 것을 숙녀들이 알 수 있도록 배우 아무개가 하는 연기라는 것을 알려주는 프롤로그를 덧붙이고자 한다. 연출을 담당하는 퀸스는 그 외에 "방으로 달빛을 비추게 하는"(3.1.36) 문제에 대해 초롱과 가시덤불을 가지고 입장하는 것으로 해결책을 도출한다. 이렇듯 그들의 재현은 상상으로 공감할 여지를 주지 않는 물질적, 기계적 재생산을 지향하게 된다.

그러나 인간과 동물은 물론 무생물까지도 다 재현할 수 있으리라 자신하던 보텀은 노새로 변신하여 요정들의 세계와 조우하게 됨으로써 재현이 불가능한 초현실, 혹은 환영의 경지를 경험하게 된다. 보텀은 연극 연습 도중 무슨 소리를 듣고 숲으로 들어갔다가 요정 퍽에 의해 노새 머리를 한 괴물로 변신하게 되는데, 보텀 일행의 연극 연습을 지켜보던 퍽은 그들의 엉성한 연기를 얕잡아 보면서 "이유만 주어지면 나는 관객일 수도 있고 배우일 수도 있지"(3.1.62-63)라며 자신이야말로 다양한 역을 자유자재로 소화할 수 있는 최고의 배우임을 뽐낸다. 그는 요정 왕 오베론(Oberon)의 수하로서 그의 명을 집행하는 가운데 숲으로 들어온 인간들을 마음대로 조종하는 역할을 즐긴다. 오베론은 퍽에게 사랑의 즙을 바르고 잠든 티타니어가 깨어나자마자 바로 눈에 보이는 짐승을 맹목적으로 사랑하게 만들라고 명했는데, 퍽은 그때까지 보텀 일행의 연극 연습을 지켜보다가 보텀이 티타니어의 처소 근처로 오자 보텀을 다른 짐승이 아닌 노새로 변신시킨 것이다. '노새'(ass)가 또한 바보를 의미하기에 퍽은 보텀의 속성을 바보로 파악하고 노새로 변신시킨 것으로 볼 수 있다.

그리하여 보텀이 노새 머리를 하고 나타나자 동료들은 "너는 변신했어"(3.1.98)라고 외치고는 혼비백산하여 달아난다. 하지만 보텀은 동료들이 장난을 치는 것으로 간주하고 자신은 그런 장난에 겁먹지 않았음을 보여주기 위해 노래를 시작한다. 바로 이때 깨어난 티타니어는 눈과 귀가 그대의 노래와 자태에 홀딱 반했다고 하면서, "그리고 그대의 아름다운 미덕의 힘이 아마도 첫눈에 나를 감동하게 해 그대를 사랑한다고 맹세하게 하는가 봐요"(3.1.118-119)라고 구애한다. 그러자 보텀은 "아씨, 그렇게 말하는 것을 보니 내 생각에는 분별력이 없으신가 봐요. 그리고 사실을 말하자면 요즈음에는 분별력과 사랑이 별로 사이가 안 좋기는 하지만요"(3.1.119-121)라고 답한다. 보텀은 노새 머리가 어울리는 바보

역이지만 이 대목에서는 군주 테세우스를 방불케 하는 담론을 구사한다.

아름다운 요정 여왕이 맹목적으로 노새 머리를 한 괴물을 성적으로 탐하는 이 장면에 대해 코트(Jan Kott) 같은 평자는 이 장면은 강력한 성적 일탈의 상상을 유발한다고 주장하기도 한다(179-183). 아름다운 요정 여왕의 맹목적 구애만으로 성적 상상력이 자극될 수도 있겠지만 정작 보텀 자신은 성적 욕망에 무감하여 결코 성적으로 반응하지 않기에 둘의 관계를 성적 관계로 규정하는 것은 무리라고 볼 수 있다. 보텀은 마치 기사도의 화신인 것처럼 티타니어의 맹목적인 성적 유혹을 이용하지 않음으로써 인간의 위엄을 보여주기도 한다. 극의 원전에 해당하는 오비드(Ovid)의 『변신 이야기』(*The Metamorphoses*)에 이미 존재의 층위를 달리 하는 신과 인간의 사랑이 그려져 있지만, 거기에서의 인간은 신들의 알 수 없는 변덕의 대상일 뿐이다. 반면 이 극에서 평범한 인간 보텀은 존재의 층위를 달리하는 요정 여왕의 일방적 욕망의 대상으로 전락하지 않고 대등하게 소통함으로써 주체적인 인간상을 구현한다.

티타니어는 또 사랑을 나누기 위해 보텀을 처소로 데려가면서 달님을 비롯한 모든 꽃도 "강요된 정조를 개탄하면서"(3.1.77), 울고 있는 것처럼 보인다고 하는데, '강요된 정조'는 그녀가 오베론으로부터 정조를 지킬 것을 강요받는다는 의미일 수도 있지만, 반대로 보텀이 강제적으로 정조를 빼앗긴다는 것을 의미할 수도 있다. 이에 대해서는 "이 장면 또한 강간이다. 왜냐하면 오베론이 티타니어로 하여금 그녀 자신의 것이 아닌 성적 욕망에 복종하도록 하기 때문이다"(212)라는 레빈(Laura Levine)의 해석이 설득력이 있어 보인다.

그처럼 요정들이 결코 선하지 않은 동기로 보텀을 변신시키고 유혹하는 반면, 그에 맞서 인간의 선한 심성을 대변하는 듯한 보텀은 어떤 환경에서도 공황 상태에 빠지는 것을 거부하면서 자신을 지킬 수 있는 영웅의 면모마저 보여준다(Bloom 152). 그는 티타니어의 명으로 자신에게 시중을 드는 요정들을 결코 함부로 대하지 않는다. 그는 네 명의 요정인, 거미집, 나방, 겨자씨, 콩깍지 각자에게 그가 아는 인간의 지식을 바탕으로 공손하게 부탁을 한다. 가령 그는 거미집과는 “거미집 님, 앞으로 더 친해지길 바랍니다. 만약 손을 베이면 감히 그대를 찾을게요”(3.1.160-161)라는 식으로 대화한다. 보텀은 티타니어에게 기사도를 발휘하듯이 요정들에게도 점잖고 요령 있게 조그만 호의에도 감사하는 매너를 보여준다. 그럼으로써 그는 마치 궁정 귀족들의 매너를 전유하는 것처럼 보인다. 그런 후 두 사람은 이내 잠이 들기에 그들 간의 사랑의 실제는 관객의 상상에 맡겨질 뿐이다.

그들이 잠들자 오베론이 등장하여 “오늘 밤의 사건들에 대해서는 그저 심하게 뒤숭숭한 꿈으로 생각하라”(4.1.65-66)라며, 관객들이 상상하는 성적 일탈은 당사자들의 꿈과 환영에서 일어난 것임을 암시한다. 그런 후 그가 티타니어를 깨웠을 때, 그녀는 “나의 오베론 님, 내가 무슨 환영을 본 거지! 노새와 사랑에 빠진 것 같아요”(4.1.72-73)라 외치고는, 보텀을 보자 “아 지금 그 형상을 보니 내 눈에는 혐오스럽기 짝이 없네요”(4.1.75-76)라며 후회한다. 티타니어가 인간과 짐승을 구분하지 못했던 것을 토로하는 것은 보텀의 변신이 보텀 자신에게 일어난 이상으로 그녀에게도 발생한 일이라고 볼 수 있다(Uman 89-90).

한편 보텀은 그냥 숲에 버려진 채 있다가 혼자 깨어난다. 그는 “나의 차례가 오면 나를 불러, 그러면 답을 할게”(4.1.197)라고 중얼거리면서 깨어나는데 그의 이런 반응은 그가 많은 일을 겪은 듯하지만 실제 시간이 흘러가지 않았고 그렇기에 이전까지의 장면들이 그가 꾼 꿈에 해당한다는 것을 나타낸다. 그 역시 자신이 꿈을 꾸었음을 기억하면서 이렇게 말한다.

> 나는 가장 희한한 환영을 보았어. 나는 꿈을 꾸었는데, 사람의 지혜로는 그게 무슨 꿈인지 말을 못 해. 이 꿈을 해몽하려 드는 사람은 노새나 다름없어. (4.1.200-202)

막 잠에서 깨어난 그는 노새라는 말을 비유적으로 사용함으로써, 그 자신이 진짜 노새라고 믿었던 존재의 상태에 대한 기억을 스스로 촉발하고 있는 듯이 보인다(Wells 29-30). 그러나 그는 그렇게 자신의 꿈을 더욱 분명하게 기억해내려 할수록 점점 더 그것을 재현하거나 해몽하는 것이 불가능해지는 곤경에 빠져든다. 그러면서 그는 자신의 인식론적 곤경을 사도 바울식의 언어로 횡설수설한다.

> 인간의 눈은 들을 수 없고, 귀는 볼 수 없으며, 손은 맛볼 수 없고, 혀는 이해할 수 없으며, 마음 또한 내 꿈이 무엇인지 말할 길이 없네! (4.1.205-207)

그가 해몽, 혹은 재현할 수 없는 이유는 "희한한" 내용과 관련 있을 수 있다. 즉, 금기를 깨는 성적 일탈이나 신분 질서의 전복이기 때문일 수도 있다. 그래서 그 내용은 관객들의 상상에 맡겨진다. 그렇지만 그가 요정들과 함께한 장면에서 두드러지는 것은 그들과의 조우를 마냥 신기해하면서 격의 없이 소통하는 천진난만함이다. 사실 그에게는 그 목적이 결코 선하지 않은 오베론과 퍽의 마법이 통하지 않았다. 그래서 그가 말하는 희한한 내용의 중핵은 무엇보다도 층위를 달리 하는 존재와의 조우 자체가 주는 기이한 황홀함이라고 할 수 있다.

그래서 보텀은 줄곧 노새로 변한 자신의 꿈을 말하면서 스스로 노새가 의미하는 바보나 다름없다는 것을 입증하는 듯하지만, 그런 어법을 통해 오히려 현자처럼 심오한 진리를 말하는 듯하다. 이런 그의 모습은 에라스무스나 토마스 모어 같은 휴머니스트들이 바보나 광인을 예찬함으로써 휴머니즘의 진리를 주장하는 방식인 "현명한 바보짓"에 해당한다고 볼 수 있다(Mebane 258-259).

그가 그렇게 말할 수 있는 것은 아테네의 젊은 연인들이 지난밤 숲에서 겪은 일들을 기억하지 못하는 것과 달리, 자신에게 일어난 일을 명백히 기억할 수 있기 때문이다. 그는 깨어나서는 아테네의 젊은 연인들과 달리 자신이 깨어있었는지 잠들었었는지 묻지 않는다. 그는 무엇이 실제이고 비 실제인지 알고 있기에 자신의 희한한 비전이 그저 환상일 뿐이라고 설득당하지 않는다(Ornstein 88). 꿈과 현실이 구분되지 않는 초현실적 비전을 경험하고 그것을 깨어있는 의식으로 기억하는 그의 인식은 분명 기이한 경지에 해당한다. 보텀의 그런 인식은 어쩌면 몽환적인 소재를 깨어있는 의식으로 재현하고 있는 셰익스피어 자신의 인식을 나타내는 것일 수 있다. 그런데 보텀은 자신에게 새겨진 바보라는 정체성에 충실하여 그런 초현실은 재현할 수 없으며, 재현하려는 짓은 바보짓이라고 말한다. 그런 그의 모습에는 깨어있는 의식으로 초현실의 경험을 재현하려는, 셰익스피어 자신과 같은 소위, 아방가르드 예술가의 정체성과 곤경이 새겨져 있다고 볼 수 있다.

바보에 해당하는 그가 사도 바울의 언어를 횡설수설하는 것에서 권위적 담론에 대한 패러디나 전복을 읽는 머캐리(W. Thomas MacCary)에 따르면, 보텀은 자신이 희한한 비전을 봄으로써 그런 신비의 경지를 표현하는 사도 바울식의 권위적 담론을 의문시할 수 있게 되었다는 것이다. 그는 그런 권위적 담론이 암시하는 신비의 경지의 진실은 오직 구체적인 개인적인 경험에 있을 따름이지, 어떤 신성한 계획이나 절대적 형식에 있는 것이 아니라는 것을 바울식의 언어로 말한다는 것이다(140). 셰익스피어는 아마도 그런 보텀의 모습에 작가나 예술가의 상을 새기면서 그들의 인식이나 비전이 성인이나 현자의 깨달음에 버금가는 경지임을 암시하는 듯하다.

나아가 보텀은 퀸스에게 자신의 꿈에 관한 발라드를 지어 공연 말미에 부르기로 작정한다. 그리고 그 노래는 "보텀의 꿈으로 불릴 것인데, 그 이유는 거기에는 밑이 없기 때문이라"(4.1.209-210)라고 설명한다. 그는 마치 아방가르드 예술가의 비전을 방불케 하듯, 자신의 꿈이 밑도 끝도 없는 희한한 비전임을 말하고 있지만, '밑'이 또한 자신의 이름을 의미하는 만큼, 그 밑이 거기에는 자신의 꿈에 자신이 없었다는, 존재와 비존재의 혼란이 자리 잡고 있다는 것을 암시하고 있다. 그는 그런 혼란은 재현 불가능하기에 재현하는 사람은 바보라고 하면서도 자신이 곧 그런 바보임을 알고 있는 듯, 그렇게 밑도 끝도 없는 재현을 시도한다. 셰익스피어는 재현 불가능한 경지를 재현하려는 것은 바보짓이라고 하면서도 어떤 식이라도 이해해보고 재현해보려는 바보짓을 중단하지 못하는 그의 모습에 기존의 재현의 한계를 돌파하려는, 시대를 앞서가는 전위 예술가의 곤경을 새기고 있는 듯하다. 그런 의미에서 '보텀의 꿈'은 아방가르드의 꿈이라고 부를 수 있을 것이지만, 그렇기에 그 꿈은 결코 누구에게도 알려지지 않고 이해되지 않은 채 끝내 꿈으로만 남게 된다.

그는 일행들에게 돌아가서 자신이 기이한 일을 경험했노라고 하면서도 일행들에게는 일어난 일이 무엇인지는 묻지 말라고 요구한다. 그러면서 "왜냐하면 내가 그것을 자네들에게 말하면 나는 진짜 아테네 사람이 아니니까"(4.2.23)라고 덧붙인다. 그가 이 대목에서 진짜 아테네인이라고 한 것은 테세우스가 지배하는 이성과 현실의 세계로 복귀했음을 의미한다.

3

보텀은 노새로 변한 꿈을 기억하지만 마치 아무 일도 없었다는 듯 그들 일행에게 돌아와 연극 연습에 매진한다. 그의 동료들 역시 그가 노새로 변한 것을 목격했지만 스타블링(Starveling)의 말처럼 "틀림없이 무엇에 홀려간 것"(4.2.2)으로 짐작할 따름이다. 그래서 그들은 그가 무엇인가에 홀려 노새로 변해 사라질 수 있지만, 또한 어떤 조화로 다시 돌아올 수도 있다고 믿는다. 그런 그들이 최고의 배우 보텀을 기다리는 이유는 무엇보다도 "우리의 공연이 선정되면 수입이 짭짤하기 때문이지"(4.2.12-13)라는 스넉의 말이 암시하듯, 경제적 이득 때문이다. 그래서 플루트(Flute)는 보텀이 "하루에 6펜스를 잃게 되었다"(4.2.15-16)라며 안타까워한다. 마침 그때 보텀이 등장하자 그들은 적지 않은 수입을 잃는 시름을 덜게 된다. 이것이 바로 보텀이 매여 있는 현실이다.

테세우스가 그렇게 경제적 보상을 바라는 보텀 일행의 공연을 택하는 것은 "어떤 즐거운 일 없이 어떻게 우리가 느려터진 시간을 속일 수 있는가"(5.1.41-42)라고 토로하듯, 소위 킬링타임용으로는 그만이라고 판단했기 때문이다. 그는 연회 담당관인 필로스트레이트(Philostrate)로부터 응모된 공연 예정작들의 개요를 보고 받고 그중에서 보텀 일행의 공연에 관심을 둔다. 그는 애초 퀸스가 제출했던 공연 개요에 대해, "즐거우면서도 비극적이라? 장황하면서도 짧아?"(4.2.58)라며 모순된 내용에 관심을 가지면서 "이런 불일치에서 일치를 어떻게 찾을 수 있지?"(4.2.60)라고 의문을 제기한다. 테세우스의 의문은 곧 기이한 비전의 재현에 대한 보텀의 의문과 일맥상통하는 면도 있지만, 테세우스의 의문은 의문으로만 남게 된다.

반면 그들의 리허설을 지켜본 필로스트레이트는 그들의 공연을 배꼽 잡고 웃게 만드는 소극으로 규정하면서, 그들은 "여기 아테네에서 거친 일을 하는 자들로서 지금까지 머리를 짜본 일이 없다"(5.1.72-73)라며 얕잡아 본다. 그러나 필로스트레이트의 계급에 기초한 편견과는 달리 그들은 적어도 자기 일에 관한 한 재료나 도구를 다룸에 있어서 최선을 다해서 머리를 짜내는 마스터들이다. 몬트로스의 해석에 따르면, 그들은 당대 영국에 폭넓게 자리 잡고 있었던 사회, 경제적으로 자족적인 집단들을 대변하는데, 극은 그들에게 목소리를 부여함으로써 마스터로서 셰익스피어의 사회, 경제적 그리고 문화적 기원을 엿볼 수 있게 한다(188-189). 필로스트레이트에게는 연극에 대한 상식이 없어 보이는 공연처럼 보일지라도 보텀 일행의 공연은 자신들 나름대로 머리를 짜낸 공연인 것이다. 그들의 머리에서 짜내진 것은 또한 귀족 관객들의 재현에 관한 고정관념을 깨는 것이기에 전위적 성격을 띨 수 있다. 그들과 계급적 기원을 공유하는 마스터로서의 셰익스피어는 짐짓 그렇게 귀족 관객들의 지적 우월감을 만족시키는 동시에 그들의 고정관념을 패러디하는 전위적 재현을 시도한다.

하지만 테세우스는 필로스트레이트의 혹평을 듣고도 "그 연극을 들어보겠네. 어떤 것도 잘못될 것이 없겠지, 소박한 사람들이 정성을 다한다면야"(5.1.82-84)라며 그들의 공연을 택한다. 그가 그렇게 아량을 베푸는 것은 자신의 혼례를 계기로 전 계층을 포괄하는 축제의 장을 마련해보려는 그의 포퓰리즘적 기획을 위해서다.

테세우스의 정치적 인식은 그의 상상력에 대한 전망과 궤를 같이 한다. 그는 히폴리타와 함께 아침 일찍 숲으로 사냥을 나가서 숲 언저리에 잠들어 누워있는 젊은 연인들을 발견하고서는, 그들이 "오월제를 치르기 위해 아침 일찍 일어난 게 틀림없지"(4.1.129-130)라고 판단한다. 그는 젊은이들이 공식축제인 오월제 동안 일정 기간 특정한 장소에서 허용되는 일탈의 결과 제 짝을 찾은 것으로 간주할 뿐이다. 그러나 그들의 이야기를 들은 히폴리타가 젊은 연인들이 말하는 내용이 상상력이 빚어낸 몽상이라고 하기에는 "대단한 일관성"(5.1.26)이 있다고 판단하는 반면, 테세우스는 "사실이라고 하기에는 너무 이상하지 않소. 이렇게 낡아 빠진 전설이나 요정 이야기가 있다니, 도무지 믿어지지 않아요"(5.1.2-3)라며 젊은 연인들의 이야기를 일축한다.

그럴지라도 그는 냉정한 이성으로는 이해할 수 없는 것을 이해할 수 있는 상상력은 인정한다. 그리고 그는, "광인들과 연인들, 그리고 시인들은 모두 상상력으로 꽉 차 있는데"(5.1.7-8), 그 상상력이란 것은 무에서 유를 만들어 내는 능력이라고 정의한다.

> 그리고 그렇게 상상력이 미지의 사물들을
> 구체화하듯이, 시인의 펜은
> 그것들을 형상화하고, 존재하지 않는
> 것들에게 거주지와 이름을 부여하지.
> 강력한 상상력은 그렇게 착각을 일으켜
> 어떤 기쁨을 이해하게 되면
> 그 기쁨의 원인을 떠올리게 하지.
> 하긴 한밤중에 무서운 상상을 하면
> 숲이 곰으로 보이게 마련 아닌가? (5.1.14-22)

테세우스는 '존재하지 않는 것'을 실체화하는 상상력의 작용을 대단한 것으로 인정하는 듯하지만, 그 작용은 인식의 '착각'을 일으키게 하는 것일뿐더러, 그런 착각은 '한밤중에 무서운 상상을 하면 숲이 곰으로 보이듯이' 얼마든지 일어날 수 있는 현상이라고 평가절하한다. 그런 맥락에서 테세우스는 상상력으로 충만한 시인들이나 연인들, 그리고 미친 사람들은 무형의 것으로부터 유형의 것을 창조하는 정신의 소유자들일 수도 있지만, 사실은 인식의 착각에 빠진 사람들에 불과할 수도 있다는 것을 암시한다.

그래서 테세우스의 상상력에 대한 전망은 결코 '보텀의 꿈'을 이해하지도 포괄하지도 못한다. 만약 보텀에게 무에서 유를 창조하는 상상력이 충만했더라면, 즉 보텀이 상상력으로 가득 찬 연인이나 시인이나, 혹은 미친 사람이었더라면 자신의 희한한 비전을 재현할 수 있었을까? 보텀은 상상력이 결여된 바보였기에 희한한 비전을 재현할 수 없는 것인가? 아니면 그 반대로 인식의 착각에 빠지지 않은, 그래서 있는 그대로 볼 수 있는 순진무구한 바보였기에 인식의 착각에 빠진 연인이나 시인이 경험할 수 없는 비전을 볼 수 있었던 것일까? 후자라면 보텀의 재현 불가능은 상상력을 무에서 유를 창조하는 능력으로 간주하는 테세우스의 이론에 비추어 상상력의 결여로 파악될 수 있는 면이 있지만, 동시에 초현실을 현실로 경험할 수 있는 보텀의 능력은 테세우스의 전망에 결코 담길 수 없는 경지가 존재한다는 것을 암시한다고 볼 수 있다. 그래서 요정 이야기 따위를 낡아 빠진 이야기로 믿지 않는 테세우스에게 요정의 세계가 끝내 보이지 않게 되고, 보텀의 희한한 비전 역시 끝내 테세우스에게는 알려지지 않은 채로 남을 수밖에 없다. 그럼으로써 셰익스피어는 군주의 도구적 이성의 권위와는 다른 극작가의 상상의 권위에 대한 자부심을 표현한다.

보텀 일행의 연극은 그렇게 테세우스의 상상력에 대한 전망이 전개된 뒤에 상연되기에 테세우스의 상상력 이론에 비추어 관객들에게 그들의 공연이 어떻게 받아들여질지 궁금하게 한다. 막이 오르면 맨 먼저 퀸스가 등장하여 서막을 낭독하는데, 테세우스로부터 "이 녀석은 구두점을 지키지 않는군"(5.1.118)이라는 지적을 받는다. 이어서 담벼락 역을 하는 스노우트가 등장하여 연습한 대로 벽을 연기하는 자신은 스노우트임을 밝힌다. 그 뒤 주인공 격인 피라무스 역을 하는 보텀이 등장하여 대사를 낭독하는 중, 피라무스와 디스비를 가로막는 벽을 원망하는 대사에 이른다.

> 오 사악한 벽이여, 너를 통해서 어떤 기쁨도 보지 못하는구나.
> 그렇게 나를 속이니 너의 돌들에 저주가 내릴지어다!
>
> (5.1.177-178)

이 대목에서 테세우스가 "내 생각에는 벽이 너무 예민하여 다시 저주하겠는걸"(5.1.179)이라고 논평하자, 보텀은 "아뇨, 사실 절대 그럴 수 없답니다. '나를 속이니'는 디스비의 대사이기 때문이지요"(5.1.181-182)라고 응답한다. 이렇듯 보텀 일행의 공연은 귀족 관객들의 눈에는 전체가 다 엉망이기에 그들의 비웃음과 혹평을 유발한다. 그들 중 히폴리타가 "이 공연은 내가 들어본 것 가운데 가장 엉터리다"(5.1.204)라고 혹평하자, 테세우스는 "최고인 자들도 그림자일 뿐이니, 최악인 자들도 우리가 상상력을 발휘해서 고쳐보면 더 나쁘지는 않을 거요"(5.1.205-206)라고 반박한다. 그러자 히폴리타는 "그렇다면 그건 전하의 상상력이지, 그들의 상상력은 아니지요"(5.1.207)라고 재반박한다. 그렇게 히폴리타가 배우들이 연극과 실제를 구분하는 최소한의 상상력도 발휘하지 못하는 것을 지적하지만, 테세우스는 무엇보다도 엉뚱한 만큼 웃음을 자아내서 지루한 시간을 때우기에는 그만이라고 판단한다.

'최고인 자들도 그림자일 뿐'이라는 그의 표현에는 또한 연극이 아무리 훌륭해도 인생의 그림자에 지나지 않는 허구일 뿐이라는 의미가 함축되어 있다고 볼 수 있다. 그의 그림자 비유는 시인은 이데아가 아닌 이데아의 그림자인 현상을 모방할 뿐이기에 공화국에서 추방되어야 한다는 플라톤(Plato)의 주장을 떠올리게 하는바, 시인의 상상력의 산물인 연극은 국가 권력에 포섭되는 한에서 그 사회적 효용을 인정받을 수 있다는 정치적 전망을 담고 있다.

그렇게 귀족 관객들의 논평이 이어지는 가운데 보텀 일행의 공연은 사자가 등장하고 달빛이 등장하는 대목에 이르게 된다. 스타블링이 등장하여 가시덤불과 호롱으로 달빛을 재현한다고 하지만, 다른 관객들은 물론 테세우스조차 전혀 달빛 같지 않다고 평한다. 즉, 관객들은 그냥 달빛을 말로 재현함으로써 상상으로 감지하는 것보다 못한 재현이라고 비판한다. 그들은 물질을 다루는 장인들다운 재현의 시도로부터 언어 예술로서 연극의 한계를 돌파할 재현의 가능성을 전혀 보지 못한다. 그들은 오로지 상상의 여지를 주지 않는 우스꽝스러움을 즐길 따름이다.

보텀 일행은 처음부터 '가장 개탄스러운 희극이자 가장 잔인한 피라무스와 디스비의 죽음'을 상연하려 했다. 그들은 원작에서 피라무스가 디스비의 피묻은 수건을 보고 사자에게 물려 죽은 것으로 상상하고 목숨을 끊은 것에서 상상의 어리석음과 위험을 본 것인지도 모른다. 그들이 현실과 연극을 구분하는 최소한의 상상력도 인정받지 못한 공연을 시도한 데에는 그런 판단도 작용했으리라 짐작할 수 있다. 그들은 연약한 귀족 여성들이 진짜 사자를 방불케 하는 재현을 하면 진짜 놀랄 것을 염려하여 자신들은 결코 사자가 아니라 인간 아무개임을 먼저 밝힘으로써 상상의 여지를 없애는 공연을 하는 것이다. 그런 공연은 결국 원작의 비극적 사랑의 주제야말로 보통 사람의 눈에는 우스꽝스럽게 보인다는 것을 짐짓 그렇지 않은 척하면서 폭로하고 있는 셈이다.

공연이 막바지에 이르러 피라무스 역의 보텀이 등장하여 장황한 운문 대사를 읊으면서 비탄에 빠진 연인 역을 연기할 때 귀족 관객들은 감정이입 하는 모습을 보여주기도 한다. 그러나 보텀이 죽는 역을 하면서, "이제 죽네, 죽네, 죽네, 죽네, 죽어"(5.1.290)라고 반복하자, 디미트리우스(Demetrius)는 보텀의 과장된 연기에 대해, "죽는다는 소리를 여러 번 하는 걸 보니 목숨이 여러 개였던 모양이네"(5.1.292)라며 꼬집고, 테세우스는 "의사의 도움으로 어쨌거나 살아나겠지만, 바보라는 걸 입증한 셈이지"(5.1.294)라고 화답한다. 즉, 그들은 결코 비극의 감흥에 젖어들지 못하고 과장된 연기 자체의 우스꽝스러움을 즐길 뿐이다.

이어서 디스비 역의 자살 연기로 공연이 마무리에 이르자 테세우스는 "달빛과 사자가 남아서 죽은 자를 묻어야겠군"(5.1.330)이라 논평하고, 디미트리우스가 "그럼 담벼락도요"(5.1.331)라고 덧붙인다. 그러자 이미 죽어 있던 보텀과 플루트가 깜짝 놀라 일어나며 "아뇨, 단언컨대 그들의 아버지들을 갈라놓았던 담벼락은 무너졌어요"라는 의미심장한 대사로 화답한다. 그러고는 보텀은 마치 그 의미심장함을 설명하려는 듯, "마무리를 위한 에필로그를 볼 것인지, 아니면 벌고마스크 춤을 듣겠느냐"(5.1.332-333)라고 제안한다. 테세우스는 그 제안에 대해 운문이 아닌 산문을 구사하며 변명을 위한 에필로그는 필요 없으니 춤이나 추라고 결정한다(5.1.335-336). 테세우스는 처음 그들의 공연 계획을 접했을 때 원작의 비극을 희극과 혼합하는 색다른 시도에 관심을 보이는 듯했지만, 사실 큰 기대는 하지 않았고, 다만 그들의 노력과 봉사는 높이 살 작정이었다. 그래서 굳이 변명하지 않아도 될 정도로 웃길 만큼 웃겼다고 판단하여 에필로그를 중지시킨 것이다.

이후 그들을 물러나게 한 후 테세우스는 이제 거의 잠자리에 들 시간이고 "요정들의 시간"(5.1.342)이 되었다고 한다. 이는 그에게 이제껏 비가시적이었던 요정들의 세계에 대해 그도 잘 알고 있지만, 짐짓 모른 척했을 뿐이었음을 암시한다. 그러면서 그런 시간의 도래에 대한 불안을 보텀 일행의 공연이 웃음으로 해소해주었음을 최종적으로 강조한다.

> 썩, 조잡한 이 연극이 밤의 둔한
> 걸음을 즐겁게 만들어주었다. (5.1.345-346)

이성을 대변하는 아테네의 군주로서 테세우스는 연극이나 예술의 의의를 최대 다수에게 최대 즐거움을 주는 것으로 정의하는 것처럼 보인다. 일종의 공리주의를 방불케 하는 테세우스의 전망은 연극이 주는 '유쾌한 즐거움'(mirth)으로부터 전복적이고 도발적인 정치적인 내용의 배제를 전제로 한다. 테세우스는 시민들의 공연 대본을 처음 검열할 때, 이해하기 힘든 모순된 내용이 어떻게 재현될 수 있을지 호기심을 가지는 듯했지만, 경제적 보상을 바라고 귀족 관객들을 위해 열과 성을 다할 그들이 결코 도발적인 공연을 할 수 없으리라 판단하고 있었다. 그래서 그는 그들의 공연에서 고전의 패러디는 물론 기존 재현의 한계를 뛰어넘는 전위적이고 실험적인 시도 따위는 보려 하지 않았다. 대신 그는 기존의 관행을 벗어난 그들의 엉뚱한 시도들이 모두를 웃음으로 하나되게 만드는 효용을 높이 샀다. 이는 처음에 테세우스가 자신의 혼례를 맞이하여 기획했던 '유쾌한 즐거움'의 정치적 기획에 따른 것이다. 그러나 보텀 일행의 공연은 그런 테세우스의 정치적 포섭을 의문시하는 패러디를 함축하고 있다.

무엇보다도 본 극의 관객들에게 보텀 일행은 직업상 자기 분야에서는 아귀를 딱딱 맞춰내는 전문가들이지만 연극은 그들의 전문 분야가 아니기에, 공연을 하면서 적절한 결합의 실패를 계속해서 보여주는 것이 당연해 보인다. 파커(Patricia Parker)에 의하면, 그들의 실패가 본 극의 관객들에게는 상호 작용하는 여러 차원의 적절한 결합의 실패를 연상하게 할 수 있기 때문이다. 그들은 적절한 단어와 문법 구사에 실패하는데, 이런 말의 결합 실패는 극중극을 관람하는 귀족 신랑 신부들의 결혼에 있어서 육체적 결합의 실패를 연상케 할 수 있다. 나아가 엔터테인먼트를 통해 조화로운 전체로 각기 다른 정치 집단을 결합하려는 테세우스의 기획 역시 만성적으로 잘못된 결합일 수 있음을 암시한다(88-94). 파커의 분석처럼 그래서 귀족 관객들의 웃음거리가 되는 그들의 실패는 극의 공식적 해피엔드 자체에 대한 패러디를 함축하고 있기도 하다.

극은 테세우스를 비롯한 아테네 젊은이들의 결혼에 관여했던 요정들이 화합의 춤을 추고 축원하게 함으로써 해피엔드에서 혼례 축하의 성격을 분명히 한다. 하지만 동시에 해피엔드에 대한 패러디가 함축되어 있기에 극은 일종의 열린 결말을 취한다고 볼 수 있다. 이에 대해 셰익스피어는 마지막 에필로그를 덧붙여 퍽이 극 중의 어떤 일탈의 암시도, 그리고 어떤 전복적 전망의 암시도 그저 꿈으로 간주하시라는, 매우 유보적이고 다소 무책임하게 보이는 해명을 하게 한다.

4

요정 퍽의 에필로그에서 극은 내부에서 외부로 이동한다. 그럼으로써 관객들이 이제껏 자신들이 보고 즐긴 것을 되돌아보게 한다. 극의 많은 인물 가운데 퍽이 에필로그를 맡기에 적격인 것은 우선 그의 내력이 영국의 민담과 전설에 등장하는 친숙한 캐릭터이기 때문이다. 그는 테세우스의 아테네와 요정들의 인도라는 아득한 시공의 이야기를 당대 영국의 이야기로 느낄 수 있게 하는 만드는 데 적격이다. 또한 그는 숲에서 인간들을 마음대로 속일 수 있을 만큼 능수능란하게 인간의 연기를 하기에, 스스로 최고의 관객이자 배우라고 자부할 만하다. 그래서 아마추어 연기자인 보텀과 다른 전문 배우처럼 느껴지는 그에게 셰익스피어 극단의 입장을 대변하는 에필로그가 맡겨진 것은 당연해 보인다. 그는 테세우스가 배우들을 '그림자'라고 칭했던 것을 받아 무대 위의 배우들을 그림자로 칭하면서 지금까지의 퍼포먼스에 대해 변명 아닌 변명을 한다.

우리 그림자들이 무례하게 했다면
모든 것이 나아지리라는 것만을 생각해주십시오.
이러한 환상들이 보였을 때 그저
잠들어 있었을 뿐이라고 생각해주십시오.
그리고 이 한가롭고 설득력 없는 주제 역시
그저 꿈이었거니 생각해주십시오.
신사 숙녀 여러분 너무 나무라지 마십시오.
너그러이 봐주신다면 더 잘하겠습니다. (5.1.401-408)

퍽은 지금까지의 퍼포먼스를 꿈으로 간주하도록 권하면서 이 극의 타이틀과 주제를 환기한다. 그는 지금까지의 이야기가 노새와 요정 여왕의 정사를 암시하는 등 혼례 축하로서는 적합하지 않은 강한 일탈을 다루고 있음에도 그저 '한가롭고 설득력 없는 주제'였다고 변명하는데, 이는 꿈이나 환상 속에서는 그럴 수 있지 않으냐고 양해를 구하는 한편, 이제 일탈의 환상 따위는 꿈인 듯 잊어버리고 그런 환상을 구속하고 정착시키는 결혼제도에 순응할 때임을 환기하는 듯하다. 그러나 한편, 혼례 축하 공연을 계기로 춤과 웃음을 통해 하나 되는 조화로운 공동체의 비전 역시 꿈에 불과할 수 있음을 암시하기도 한다. 즉, 결혼에 이르기까지의 젠더와 세대 간의 갈등이 해소되고, 극중극 상연에서 암암리에 드러났던 신분과 교양의 차이 등이 지워지는 이상적 공동체의 비전 역시 일시적인 기만적 환영에 불과하다는 것을 암시한다. 그런 의미에서 보텀의 꿈 역시 꿈속의 꿈에 불과한 만큼 그것을 이해하고 재현한다는 것은 그야말로 바보짓이라는 암시도 담겨있다. 즉, 전위 예술가의 이상과 곤경을 그저 몽상에 담아본 것이라고 암시하는 듯하다. 그러면서 셰익스피어는 아마추어들의 극중극이 군주 테세우스로부터 킬링타임용으로 인정받은 것처럼, 그런 테세우스의 이해를 뛰어넘는 실험적이고 전위적인 본 극의 시도 역시 어떤 식으로든 관객들의 인정을 받으리라는 기대를 표명하고 있는 듯하다.

끝으로 퍽이 '너그러이 봐주신다면 더 잘하겠습니다'라고 하는 것은 무대 위 배우들의 상투적인 마무리에 해당하는데, 하워드(Skiles Howard)에 따르면 오랜 시장터의 구두 계약을 떠올리게 하는 이런 어투는 배우와 관객 간의 관계를, 공연료를 지급한 공연이 끝나면 그 계약이 일시적으로 만료되는 계약 관계로 정의하는 의미가 있다(341-342). 셰익스피어는 최종적으로 숲의 요정인 퍽을 도시의 상업극장 마스터로 둔갑시켜 극단의 배우들은 어디까지나 장사치에 불과하다는 겸양의 제스처를 하게 한 것이다. 그러나 그런 겸양의 제스처는 실험적이고 전위적인 시도를 한 만큼 그 의미와 가치를 알아주기를 바라는 자부심의 제스처일 수도 있다.

5

셰익스피어의 『한여름 밤의 꿈』은 그의 희극 가운데서 가장 실험적인 극으로 볼 수 있다. 그만큼 이 극에는 기존 재현의 한계를 벗어나려는 마스터 셰익스피어의 자의식이 강하게 투영되어 있다. 그래서 작품의 표제에 해당하는 꿈에는 또한 극작가 셰익스피어의 아방가르드적 꿈, 혹은 초현실주의자의 꿈이 함축되어 있기도 하다.

극의 절정에 해당하는 보텀이 노새로 변신하는 에피소드는 금기를 깨는 성적 일탈의 상상을 유발하는 등, 셰익스피어의 희극 가운데서 가장 환상적인 에피소드에 해당하는데, 거기에는 또한 그런 내용을 과감히 혼례 축하 극으로 다룰 수 있는 작가 자신의 상상력에 대한 자부심이 함축되어 있다. 셰익스피어는 이 장면에서 보텀이 겪는 기괴한 경험의 내용보다 초현실과 현실이 공존하는 기이한 비전을 경험했음에도 그것을 재현할 수 없는 그의 인식론적 혼란에 방점을 찍으면서, 이런 장면을 재현하고 있는 자신처럼, 깨어있는 의식으로 초현실을 재현하려는 소위 전위 예술가의 곤경을 부각시킨다. 그리고 보텀이 자신의 그런 '희한한 환영'을 재현하려는 짓은 바보짓이라고 하면서도 그것을 '보텀의 꿈'으로 명명하고 어떻게든 재현하려는 모습에 전위 예술가의 과업을 새겨본다.

그러나 셰익스피어는 보텀이 자신의 동료들과 함께 군주 테세우스의 혼례를 축하하는 공연을 통해서는 당대의 여건에서 대중극장의 전위적 실험들이 어떻게 수용될 수밖에 없는가를 냉정하게 짚어본다. 보텀 일행의 상업적 동기에 따른 공연은 당국의 검열과 귀족 관객들의 취향을 염두에 둘 수밖에 없고, 그래서 그들 특유의 대중적 전망에 따른 공연은 그저 물적·기계적 재현을 지향하게 된다. 그 결과 귀족 관객들의 웃음거리가 되면서 그나마 군주 테세우스로부터 잘 웃겼으면 됐다는 평가에 만족해야 한다. 이처럼 극중극이 그 실험성과 전위성은 제쳐두더라도 내용 여부와 관계없이 정치적 기획에 따라 킬링타임용으로 인정받는 것을 통해 셰익스피어는 국가 권력에 포섭될 수밖에 없는 대중극장의 한계를 짚어본다. 그러나 셰익스피어는 동시에 우스꽝스러워 보이지만 전위적이기도 한 극중극의 재현에 그런 이데올로기적 포섭을 의문시하는 패러디를 새겨 넣는다. 그래서 또한 해명이 필요한 듯, 셰익스피어는 영국 관객에게 친숙한 요정 퍽을 대중극장의 에이전트로 둔갑시켜 그에게 에필로그를 맡긴다. 그리고 퍽은 지금까지의 퍼포먼스를 그저 꿈으로 간주하라고 권하는 한편, 돈을 받고 공연하는 장사치와 다름없는 자신과 같은 대중극장의 배우들이 혹시 주제넘은 공연을 했다면 양해해달라고 마무리한다. 그러나 퍽의 그런 의례적인 겸양은 역설적으로 보텀의 변신 에피소드와 보텀의 꿈을 그린 아방가르드 극작가로서 셰익스피어의 자부심을 드러내는 것처럼 느껴진다.

제2장

『베니스의 상인』 경제 논리와 경제윤리의 문제

자비의 본질은 강요되지 않는 것이며,
하늘에서 부드러운 비가 내리듯
지상에 내린다. 그것은 이중의 축복이니
주는 자와 받는 자를 다 같이 축복한다.
. . .
자비로서 정의가 완화될 때,
현세의 권력은 하나님의 권세에 가장 가까워진다.
(4.1.180-193)

1

셰익스피어 극 중 『베니스의 상인』(1596-1597)만큼 반전을 거듭하면서 다양한 해석을 유발해온 극도 드물 것이다. 그 이유는 이 작품이 세계사의 흐름과 맞물려 상반된 해석이 나올 수밖에 없는 문제 있는 이야기를 담고 있기 때문일 것이다. 특히 기독교사회에서 타자화되는 유대인 고리대금업자의 이야기는 비단 아우슈비츠(Auschwitz)의 비극을 연상하지 않더라도 다양한 문제를 함축하고 있다. 하지만 우리가 어릴 적에 읽었던 이 희극의 동화 판본은 돈 때문에 사람의 목숨까지 노리는 무자비한 유대인 고리대금업자가 자비를 베푸는 선한 기독교인에 의해 패배당하는 명쾌한 이야기였다. 그리고 종래의 서구중심주의적 해석은 이런 도식에서 크게 벗어나지 않았다. 그런데 이런 식의 해석은 아우슈비츠 이후 서구에서조차 수정될 수밖에 없었으며, 해피엔드는 전복적으로, 반어적으로 읽히기 시작했다. 나아가 최근에는 박해받는 유대인, 타자화되는 유대인에 초점을 맞춰 해피엔드의 서사를 반어적으로 읽는 것이 오히려 주류적 해석이 된 듯한 느낌마저 들 정도이다.

이렇듯 이 희극은 주체의 입장과 시대 상황에 따라 달리 해석될 소지가 다분하지만, 오늘날 글로벌 자본주의 시대를 사는 비 서구인인 우리는 특히 어떤 점에 주목하여 이 이야기를 읽어야 할까? 일찍이 마르크스(Karl Marx)가 동화 같은 내용에도 불구하고 샤일록에게서 근대자본가의 형상을 읽었듯이(Marx 26-52), 오늘날 우리는 이 극을 통해 글로벌 자본주의 세상에도 유효한 경제 논리와 그에 수반되는 윤리의 문제를 읽을 수 있을 것이다.

셰익스피어는 물론 당대에 발흥하는 자본제의 문제를 염두에 두고 이 작품을 구상했을 것이다. 1980년대 이후의 '신역사주의'나 '문화유물론' 비평들은 폭넓은 문화, 역사적 참조를 통해 그 점을 잘 밝히고 있다. 하지만 이런 유의 비평들은 작금의 글로벌 자본주의의 문제와의 접점을 놓치기 쉽다. 셰익스피어 읽기의 중요한 의의 중 하나가 우리 시대의 문제를 셰익스피어를 통해 읽어보는 것이라고 할 때, 우리 시대의 공포가 셰익스피어에 이미 예견되어 있다는 전제하에 우리 시대의 공포를 셰익스피어를 통해 읽어보려 했던 60년대 얀 코트(Jan Kott) 식의 시도가 더 의미 있을 수 있다.

사채를 갚지 못해 신체 포기 각서를 쓰는 일이 충분히 있을 수 있는 사건으로 받아들여지는 우리의 현실에 비추어 샤일록의 인육 계약은 우리 시대의 공포를 앞질러 구현하고 있는 이야기에 해당한다고 볼 수 있을 것이다. 철저한 경제 논리에 입각한 연대보증제도는 인간관계의 파괴를 동반하기에 자본주의의 폐해를 극명하게 드러낸다. 이 제도는 그럼으로써 자본주의 사회의 경제 논리는 윤리나 도덕의 문제를 수반할 수밖에 없다는 것을 입증한다. 자본주의 사회에서는 누구나 경제적 이득을 추구하면서도 경제적 이득 추구 자체가 목적이 아니라고 믿으려 한다. 즉, 돈은 수단이지 목적이 아니라고 믿으면서 돈을 추구한다. 샤일록의 인육 계약은 경제 논리를 합리화하거나 은폐하는 그런 도덕과 윤리가 허위일 수 있음을 상기시킨다. 그리하여 샤일록의 인육 계약은 오늘날 황금만능주의가 도덕성 상실을 초래할 경우, 어떤 일이 벌어질 수 있는가를 상상하게 한다. 하지만 우리는 돈 때문에 사람의 목숨을 요구하는 샤일록이 패배당하는 동화 같은 서사를 통해 사랑과 우정, 그리고 자비와 같은 가치들이 경제 논리를 이길 수 있다는 환상을 가질 수 있다.

이자 대신 사람의 목숨을 요구하는 샤일록의 행태는 새삼 경제 논리의 끔찍함을 환기하면서 윤리나 도덕의 개입을 필연으로 만든다. 돈보다 사람의 목숨을 더 소중하게 여기는 윤리와 도덕은 포샤(Portia)가 법정에서 오로지 증서대로, 법대로를 외치는 샤일록에게 들려주는 자비의 설교에 함축되어 있다. 그러나 포샤가 일련의 트릭으로 샤일록을 패배시킨 뒤 베니스 법정이 샤일록에게 적용하는 자비는 경제 논리를 합리화하거나 은폐하기 위한 이데올로기로 비칠 따름이다. 즉, 유대인을 타자화함으로써 베니스 기독교 공동체의 번영을 가져오기 위한 이데올로기였음이 밝혀진다.

샤일록을 패배시키는 포샤의 활약에서 알 수 있듯, 경제 논리가 지배하는 세상에서 경제적 이득을 얻는 자는 게임과 같은 경쟁에서 이기는 사람일 것이고 그런 사람들은 트릭을 써서라도 이기려 할 것이다. 그 점은 법정 장면뿐 아니라 동화 같은 상자 고르기 장면에서도 확인된다. 아마 한국의 독자나 관객들은 세 개의 상자 중 하나를 고르는 시험으로부터 시중의 야바위 놀음을 연상할 수도 있을 것이다. 아이러니하게도 법대로, 증서대로를 주장하는 샤일록이야말로 속이지 않는 인물에 해당하는데, 그런 사람은 기만당하고 패배하기 마련이다. 트릭을 쓰는 것이 경제 논리를 관철하는 합리성으로까지 여겨지는 세상에서 샤일록은 이기심만 있고 합리성이 결여된 인물일 뿐인 것이다. 그래서 우리는 제목의 함의에 유의할 필요가 있다. 매우 단순하면서도 함축적인 제목은 누가 베니스의 상인인가라는 물음을 제기하는데, 극의 서사는 극 중 주요 인물 모두가 해당한다는 답을 유추하게 한다. 바야흐로 모두가 다 자기 방식으로 경제적 이득을 좇는 장사치들의 세상이 도래했음을 말하고 있다. 오늘날 글로벌 자본주의 시대를 사는 우리는 자유로운 금융거래를 보장하는, 계약 관계가 발달한 극 중 베니스로부터 오늘날 국제적 금융 허브 도시를 연상할 수 있을 것이다. 그리고 그런 세상에서 주요 등장인물들의 관계가 경제 논리에 따라 얽히고설키는 것을 확인하면서 우리는 글로벌 자본주의 세상의 실상을 확인할 수 있을 것이다.

지금까지의 문제 제기를 바탕으로 다음 장부터는 극의 주요 에피소드를 경제 논리가 세상사를 지배할 때 발생하는 애환으로 파악하면서, 구체적으로 경제 논리와 그에 수반되는 윤리적 문제 간의 갈등들이 어떻게 전개되는지를 분석할 것이다.

2

극의 배경이 되는 베니스는 국제 무역에 그 존립을 의존하는 상업 도시로서 자유로운 금융거래를 보장하는 계약 관계가 발달한 곳으로 설정되어 있어, 마치 오늘날 선진 금융 허브 도시를 연상케 한다. 극의 제목은 이런 도시를 대표하는 상인은 누구일까 하는 의문을 가지면서 극 읽기를 유도한다. 극에서 실제 직업상 상인에 해당하는 인물은 해상 교역을 하는 안토니오(Antonio)일 것이다. 하지만 오늘날의 금융업에 해당하는 고리대금업을 하는 샤일록 역시 상인으로 분류할 수 있다. 극은 이 두 유형의 상인 간의 대립과 반목을 축으로 경제적 이해관계로 얽히고설킬 수밖에 없는 인간관계를 보여준다. 투기적인 성격이 강한 해상 교역으로 부를 얻는 안토니오는 비교적 안정된 수익이 보장되는 돈놀이를 통해 부를 증식하는 샤일록의 상행위를 부도덕한 경제 행위라며 증오하지만, 친구의 결혼 자금을 구하기 위해 어쩔 수 없이 고리대금업자를 찾게 된다. 정서적으로나 이념적으로 결코 상종하기 싫은 인간과 돈거래를 해야만 하는 안토니오의 딜레마를 통해서 우리는 종교나 이념의 차이에도 불구하고 돈거래는 이루어지며, 자본은 오직 경제적 필요나 이해관계에 따라 이동하고 거래될 뿐이라는, 시대를 초월한 자본주의의 기본원리를 확인할 수 있다.

샤일록은 기독교 사회의 이방인이지만 종교나 인종과 관계없이 누구와도 돈거래를 할 수 있는 고리대금업자이다. 그런 그는 안토니오가 돈을 빌리러 왔음에도 불구하고 고리대금업을 비난하자, 구약의 창세기 30절에 나오는 야곱과 라반의 이야기를 인용하여 고리대금업의 정당성을 옹호하려 한다. 그는 야곱이 꾀를 내어 외삼촌 라반의 양들을 모두 차지한 것은 "번성"(thrift)의 전형이며 도둑질에 의한 것이 아니라면 번성은 축복받을 일이라고 주장한다(1.3.84-85). 그는 자신의 고리대금업은 검소와 검약의 실천을 통해 부를 축적하는 행위로서 해상 무역을 통해 이윤을 남기는 행위와 본질적으로 다를 바가 없을 뿐 아니라, 심지어, 더욱더 정직하게 부를 축적하는 방법이라고 자부한다. 샤일록의 이런 주장에는 일면 근대 자본주의 사회에서 자수성가한 부르주아의 윤리가 담겨있다고 볼 수 있다.

샤일록의 주장에 대해 안토니오는 야곱이 한 일은 돈놀이와 무관한 "모험이나 투기"(venture)였으며 자기 힘으로 그렇게 된 것이 아니라 순전히 하느님의 손에 의해 좌우된 것이라고 반박한다. 안토니오는 마치 '하이 리스크, 하이 리턴'(고위험 고수익)이라는 근대화된 자본주의의 원리를 대변하는 듯한데, 리스크의 결과는 하느님의 손에 달려있다는 그의 주장은 근대화된 자본주의의 기본 원리로 통용되는 보이지 않는 손의 작용을 환기한다. 이어서 그가 샤일록의 금과 은이 양이라도 되느냐고 비꼬자(1.3.86-90), 샤일록은 "아무튼 자신은 돈도 새끼를 치게 할 수 있다"(1.3.91)라며 고리대금업의 생산성과 자본의 자기 증식의 속성을 태연히 옹호한다. 둘 사이의 논쟁은 결국 인육 계약에 이르러 금이 나 은과 같은 자본이 인간의 살 한 파운드로 변환되고 교환됨으로써, 그리하여 인간의 생명도 돈으로 구매될 수 있음을 입증함으로써 자본 주의 경제 논리의 부도덕과 비윤리를 부각하게 된다.

두 사람이 각기 자신의 경제 행위를 규정하는 개념어인 "번성"과 "투기"는 이후 극 전체를 관류하는 핵심어로 쓰인다. 그리고 이 말들과 연관되어 "hazard"와 "bond"가 반복적으로 사용된다. 전자는 투자, 위험, 모험 그리고 우연이나 운의 불확실성 등을 뜻하는데, 극에서 사람과 사물 간의 이동과 교환의 성격을 규정하는 핵심 개념으로 쓰인다 (Potter 170-171). 반면 후자는 계약, 의무, 채무, 보증, 그리고 연줄, 인연 등의 의미를 뜻한다. 이 극에서 서의 모든 인간관계는 본질적으로 이 개념들과 연관되어 있는데, 샤일록과 안토니오의 인육 계약은 물론, 안토니오와 바사니오(Bassanio)의 우정, 그리고 바사니오와 포샤의 사랑은 이 두 개념과 밀접한 연관이 있다. 이렇게 서로 다른 '계약', 혹은 '보증'의 개념에 입각한 관계들은 샤일록 재판에서 충돌하게 된다.

인간관계와 인간 행위의 본질이 "계약", "채무", "보증", "투자", "투기", "번성" 등으로 환원되는 상업 도시 베니스에서 이윤추구라는 경제 논리에 따라 번성을 도모하는 샤일록의 고리대금업이 특별히 비윤리적이고 반사회적 행위로 비난받아야 할 이유는 없어 보인다. 하지만 극은 유대인 고리대금업자 샤일록과 기독교인 무역업자 안토니오가 도덕적으로 전혀 다른 유의 인간처럼 보이게 하는 서사를 전개함으로써 경제 논리에 뒤따르는 윤리 문제를 부각한다. 즉, 인간의 경제 행위는 경제 행위로 끝나는 것이 아니라, 그에 상응하는 여러 가지 문제를 초래한다는 것을 일깨운다. 인간들이 경제 논리에 매몰되어 경제 논리가 초래하는 윤리 문제에 눈이 멀 때, 세상은 그야말로 투기판으로 변하고 기본적인 인간관계마저 파괴될 것이다. 친구에게 이자를 받고 돈을 빌려주는 것을 인간이 할 짓이 아니라고 여기는 안토니오는 샤일록 같은 고리대금업자가 바로 세상을 그렇게 끔찍하게 만들 수 있다고 비난한다.

그러나 작중의 다른 베니스인들은 안토니오만큼 극단적으로 샤일록을 증오하지는 않는다. 이는 그들이 자금의 원활한 유통에 기여하는 고리대금업의 경제적 필요성을 암묵적으로 인정하고 있기 때문일 것이다. 역사적으로 고리대금업의 금지가 처음 공표된 것은 니케아 종교회의(A.D. 325)에서라고 알려져 있는데, 그 금지는 사제들에게만 해당하였다. 이후 영국에서는 헨리 8세(Henry VIII) 치하 때 초기 자본주의가 시작되면서 이자금지법이 완화되기 시작하여 1545년에는 10%까지만 이자가 허용되었다. 그렇지만 고리대금업자(usury) 타이틀을 쓰는 것을 여전히 수치스러워했고 '이자'(interest)가 더 나은 이름으로 쓰이기 시작했다. 그리고 샤일록이 신봉하는 '번성'이 그들에게는 가장 적절한 단어가 되었고, 번성의 추구는 시민들의 눈에 미덕으로 비치기 시작했다. 이런 당대의 실제에 비추어 돈놀이에 대한 안토니오의 혐오는 극단적 이상주의일 뿐이다. 즉, 그것은 가톨릭교회에서 설교 될 수는 있으나 발흥하는 상업 세계에서는 아무 의미도 없었다(Ornstein 99). 그런데도 안토니오의 시대착오적 이상주의는 경제 논리가 지배하는 투기판 같은 베니스 사회에서 강력한 윤리적 표준으로 떠오름으로써 샤일록의 경제 행위의 비윤리를 단죄하는 근거로 작용한다.

안토니오는 거상임에도 불구하고 경제 논리를 초월하는 고상함 삶을 표방한다. 착취적이지 않은 인간관계를 꿈꾸는 듯한 그는 친구를 위해서라면 목숨까지도 담보할 기세이다. 그의 그런 삶의 지향이 위선이 아니라면 그는 정말 경제 논리가 인간성 상실을 초래하는 자본주의 사회에서 진정 도덕성을 지키는 사람이라고 말할 수 있을 것이다. 그렇기 때문인지 그는 처음부터 우울한 모습으로 등장하여 유쾌한 희극의 첫 장면에 강력한 소외의 인상을 각인시킨다(Nevo 123). 그의 친구들은 그 원인을 해상 무역의 위험성이 초래하는 불안 탓으로 돌리기도 하고 연애 탓으로 짐작하기도 한다. 하지만 그는 이렇게 말할 뿐이다.

> 그래시아노, 난 세상을 세상 그대로밖에 받아들이지 못하네.
> 세상이란 각자가 자기 역을 맡고 배우 노릇을 하는 무대가 아닌가.
> 그런데 내가 맡은 역은 슬픈 것이라네. (1.1.77-79)

세상을 있는 그대로 받아들이는 그가 자신의 역을 슬픈 역으로 간주하는 이유는 무엇일까? 진짜 그가 상인답지 않은 고상한 풍모의 소유자여서일까? 댄슨(Lawrence Danson) 같은 비평가는 베니스의 거상이 자신의 투자에 대해 근심할 수밖에 없는 상황에서 그것을 부정할 때 관객들은 당연히 의심할 것이라고 주장한다(24-26). 그는 샤일록에게 투자는 인간이 하지만 그 결과는 하느님의 손에 달렸다고 주장했었다. 그렇다면 그는 "자신의 재산이 하느님의 손에 달려있다고 말해야 한다"(MacInnes 48). 하지만 그는 친구들에게 "나의 사업이 한 부분이나 한 곳에 투자된 것도 아니고, 나의 전 재산이 올해의 운세에 달린 것도 아니니, 내 상품들이 나를 슬프게 하는 것이 아니네"(1.1.41-44)라고 답했었다. 이는 그가 철저한 분산 투자로 리스크를 관리하는, 경제 논리에 철저한 상인임을 말해준다. 그런 그가 과연 리스크에 따른 불안으로부터 초연할 수 있는지는 마지막 대목에서 포샤가 그의 배들이 무사히 돌아왔다는 소식을 전해주었을 때 그의 반응을 통해 알 수 있다.

그의 우울은 한편 바사니오와의 변함없는 우정이 깨질지도 모른다는 불안에서 비롯된 것일 수도 있다. 그는 바사니오가 자신에게 진 부채를 청산하기 위해 투기나 다름없는 구혼을 시도할 때 둘 사이의 우정이 결코 돈 문제로부터 자유롭지 못하다는 것을 느끼며 우울해할 수도 있다. 그렇다면 그의 우울은 근본적으로 인간관계와 인간 행위가 계약이나 투기의 성격을 띨 수밖에 없게 만드는 자본주의 사회의 비윤리성에 대한 남다른 감응의 표현일 수도 있다. 그렇더라도 그의 우울이 경제적 근심으로부터의 초연을 나타낸다고 볼 이유도 없다. 그런 점에서 그의 우울은 샤일록의 복수 의지만큼이나 복합적이고 중층결정된 것으로 볼 수 있을 것이다.

안토니오의 됨됨이가 종잡기 힘들고, 그의 이상주의 역시 어딘지 공허해 보이는 반면, 안토니오에 의해 탐욕의 화신으로 낙인찍히는 샤일록의 됨됨이는 오히려 단단해 보인다. 샤일록은 경제적 취득이 제공해줄 물질적 보상보다는 부 그 자체를 위한 지속적 축적이 목적인 듯한 삶을 산다. 그런 삶은 자연히 검약한 라이프 스타일을 요구하게 되는데, 이 극에서는 성공한 자본가에게 새겨질 수 있는 그런 라이프 스타일의 긍정적인 면은 철저히 삭제되고, 그런 라이프 스타일이 인간성을 어떻게 피폐하게 만드는지가 부각될 뿐이다.

가령 샤일록이 하인 랜슬롯(Launcelot)을 내쫓기로 결심하면서 딸 제시카(Jessica)에게는 기독교인들의 축제 소리가 들리지 않도록 문단속을 당부하는 대목을 보자.

> 저 바보는 고분고분하기는 하나 먹성이 과하고
> 돈 되는 일엔 달팽이처럼 느려터졌고, 대낮에도 살쾡이처럼
> 잠만 잔단 말이야. 무위도식하는 놈을 그냥 둘 수는 없지.
> 그러나 저런 놈은 내보낼 수밖에, 그것도 빚쟁이 놈한테
> 내보내서 빚낸 돈을 낭비하게 하도록
> 돕는 거야. 그런데 제시카야 그만 들어가거라.
> 난 금방 돌아오마.
> 그리고 너는 내가 말한 대로 문단속을 잘하란 말이다.
> 단단히 단속해놓으면 돈이 빨리 모인다고 하지 않니.
> 이건 번창하는 사람에게는 언제 들어도 새로운 속담이니라.
>
> (2.5.44-54)

샤일록이 씀씀이가 '헤픈'(prodigal) 바사니오에게 랜슬롯을 보내면서 복수의 쾌재를 부를 때 그에게는 하인의 노동력을 착취하는 악덕 기업주의 형상이 새겨진다. 그는 누구라도 게으르고 사치하는 꼴을 보지 못한다. 그래서 그는 빚낸 돈으로 남에게 인심을 쓰는 헤픈 기독교인 바사니오를 안토니오 못지않게 경멸한다. 그러나 그의 하인은 물론 그의 딸 제시카마저 그의 지독하게 인색한 삶에 대해 "우리 집은 지옥이야" (2.3.2)라고 비난하고 그를 떠날 때 그가 고집해온 라이프 스타일은 사

실상 도덕적 패배를 선고받는다. 앞서 살펴보았듯이, 초기 자본주의 사회에서 고리대금업은 자본의 원활한 유통에 기여함으로써 그 필요성을 암암리에 인정받고 있었다. 그렇기에 유대인이 상인과 동등하게 여겨질 수 있었다. 제니퍼(Rich Jeniffer)에 따르면, 극은 그런 동등함을 "인식론적 불가능으로 만든다. 그리고 상인의 내재적으로 유대인적인 얼룩을 둘러싼 불안들을 경감시키기 위해, 샤일록은 극 중의 다른 유대인들보다 더 유대인 같은 슈퍼 유대인이 되어야만 한다"(5). 달리 말해서 샤일록에 새겨질 수 있는 근대적 자본가의 미덕을 철저히 부정하고, 삶의 궁극적 목적이 재화의 취득이 되어버린 자본가의 최악의 양상을 형상화하기 위해 악덕 유대인 고리대금업자의 정체성이 오롯이 부각될 필요가 있다.

3

연대보증이란 따지고 보면 자본이 인간의 기본적 연대 관계를 착취하여 자기 증식하는 방법이다. 채무자가 돈을 제때 갚지 못할 뜻하지 않은 사고가 발생할 경우 좋았던 연대 관계라도 일순 원망과 적대관계로 바뀔 수 있다. 그렇더라도 채권자로서는 안전하게 원금을 회수할 수 있는 장치가 바로 연대보증제도이다. 그런 의미에서 연대보증은 철저히 경제 논리에 입각한 제도이지만, 그것이 실제로 끼치는 피해는 경제 방정식으로는 포착할 수 없는 윤리방정식에 따를 수밖에 없다.

안토니오가 친구끼리 돈을 꿔주고 이자를 받는 일을 하지 않으려 하고, 불가피할 경우 무이자로 빌려주는 것은 연대보증에 기초한 고리대금업이 결국 인간관계를 파괴한다는 사실을 너무나 잘 알고 있기 때문일 것이다. 하지만 안토니오는 아이러니하게도 자신이 지향하는 착취적이지 않은 인간관계를 위해 연대보증에 응하게 된다. 안토니오가 설사 자신에게 엄청난 피해가 따르더라도 친구의 곤경을 해결해주어야 한다는 의무감에서 보증을 서기로 했다면 그의 선택은 경제 논리를 넘어서는 윤리적인 것일 수 있다. 하지만 그와 바사니오의 관계는 결코 경제적 이해관계로부터 자유롭지 못하며, 특히 바사니오 편에서는 안토니오와의 관계를 경제적 이해관계로 의식하지 않을 수 없는 상황이다.

따지고 보면 극에서 모든 돈 문제는 바사니오로부터 촉발된다. 안토니오로부터 일방적으로 돈을 얻어 쓰는 그는 자신의 방탕한 생활로 인해 재산을 탕진했음은 물론 빚만 잔뜩 지게 되었음을 반성하면서 기왕에 진 빚을 일거에 청산할 수 있는 계획이 있으니 그간의 정리를 생각해서 다시 한번만 도와달라고 안토니오에게 사정한다(1.1.122-134). 그가 털어놓는 계획이란 벨몬트(Belmont)라는 환상의 나라를 유산으로 물려받은 포샤라는 여성이 있는데, 그녀를 얻기 위해 각지로부터 구혼자들이 구름처럼 모여들지만, 그들과 경쟁할 재력만 있다면 자신은 반드시 성공하여 팔자를 고칠 수 있다는 예감이 든다는 것이다. 그의 계획은 실패할 경우 구혼에 투자한 막대한 자금만 도박에 건 돈처럼 속절없이 날리게 되는, 결코 성공을 장담할 수 없는 투기에 불과하다. 그런데도 그는 자신의 젊은 날의 일화를 예로 들면서 안토니오에게 밑져야 본전이라고 설득한다.

학교 시절 얘기네만, 화살을 하나 잃었을 때
나는 그 화살을 찾기 위해 다른 화살을
같은 높이와 같은 방향으로 좀 더 신중히 겨냥하고
쏜 일이 있네. 이렇게 모험한 끝에
둘 다 찾은 일이 한두 번이 아닐세. 이렇게 어릴 적 경험을
강조하는 이유는 지금부터 하는 얘기도 순진하고 어리석은
내용이네만, 자네에게 진 빚도 많은데 고집스러운 어린애의 말 같지만
그 빚은 없는 셈 치세. 그러나 부탁하건대
하나만 더 첫 번과 같은 방향으로
화살을 쏘아준다면, 틀림없이
과녁은 내가 잘 눈여겨볼 것이니까, 둘 다 찾게 되든가
아니면 적어도 나중 시도한 것만은 찾아와서
처음 것에 대한 채무밖에 남지 않게 될 것일세. (1.1.140-152)

바사니오는 채무자로서 자본주의 사회에서 통용되기 힘든 뻔뻔스러운 제안을 하고 있다. 그런데도 안토니오는 그의 제안을 묵묵히 받아들인다. 그간의 관계로 미루어 안토니오는 바사니오의 계획이 성공할 것이라고 믿고 바사니오의 제안을 받아들인 것이 아니다. 즉, 안토니오가 막대한 이익을 얻을 수 있으리라 기대하여 위험성이 큰 사업에 투자한 것이 아니기에 그의 처사는 경제 논리나 경제적 이해관계로 설명되지 않는다. 그래서 그의 처사는 대가를 바라지 않을 뿐 아니라 자기희생마저 감수하는 아름다운 우정의 표본으로 비칠 수도 있다. 그렇다면 바사니오에게는 어떤 인간적 매력이 있어서 안토니오를 사로잡을 수 있는

것일까? 샤일록의 눈에 바사니오는 씀씀이가 헤픈 방탕한 기독교인이지만, 샤일록의 하인은 그가 후덕하고 인간적이기에 그를 새 주인으로 섬기려 한다. 이렇듯 그는 안토니오를 비롯한 많은 베니스인에게 돈이란 결국 화려한 소비, 그리고 로맨스를 위해 필요하고 쓰여야 한다는 환상을 갖게 하는 인물이다. 한마디로 할리우드 영화의 전형적인 남자 주인공 상의 일단인, 귀족적 매력이 있는 핸섬한 바람둥이처럼 보인다. 그의 라이프 스타일은 부 자체의 축적을 목적으로 하는 샤일록의 근검, 절약의 라이프 스타일과 대척점을 형성한다. 물론 안토니오가 바사니오의 라이프 스타일에 매료되어 돈독한 우정을 유지하고 있다고 볼 이유는 없다. 안토니오는 오히려 그런 라이프 스타일을 초월한 결코 착취적이지 않은 고상한 인간관계를 꿈꾸고 있는 것처럼 보인다. 그렇더라도 그의 자기희생적 우정은 어딘지 모르게 억압과 불편의 분위기를 풍기며, 심지어 비정상적인 동성애적 몰입으로 보일 소지도 있다. 진실한 친구를 얻고 또 진실한 친구가 되는 것, 즉 참된 우정을 실현하는 것은 고래로부터 인간이 누릴 수 있는 가장 큰 행복의 하나로 여겨져 왔지만, 두 사람의 우정이 과연 그런 경지를 구현하는지는 의문이 아닐 수 없다. 경제 논리가 지배하는 자본주의 세상에서 그런 우정은 어쩌면 신기루를 좇는 것일지도 모른다.

그렇다면 바사니오와 포샤의 로맨스와 결혼은 안토니오가 꿈꾸는 착취적이지 않은 인간관계를 구현하고 있는가? 두 사람의 로맨스는 셰익스피어의 다른 낭만 희극의 경우와는 여러모로 차이가 있는데, 두 주인공이 결합하기까지 문제가 되는 것이 오로지 결혼 자금인 경우는 이 극이 유일하다고 해도 과언이 아니다. 베니스의 상인이라는 제목에 걸맞은 그런 설정은 모든 인간관계가 돈으로 얽히고설킨 세상에서 로맨스와 결혼도 결코 예외가 될 수 없음을 암시한다. 두 사람의 결혼은 바사니오가 친구의 목숨을 담보로 하면서까지 성취하고자 할 만큼 바사니오 자신의 경제적 어려움은 물론 관련된 베니스인 모두의 경제적 문제를 해결하는 원천으로 입증된다.

한편 결혼 시험을 통해 새 주인을 맞이하려는 포샤의 벨몬트는 '아름다운 세계'를 뜻하는 만큼이나 뭇 남성들의 동경의 대상이며, 투기와 모험을 유발하는 대상이다. 벨몬트는 또한 그 이름이 의미하는 것처럼 경제 행위 또는 경제활동의 궁극적 지향점이 될 수 있는 향락과 레저, 로맨스의 세계이다. 이는 바사니오가 추구하는 라이프 스타일의 유토피아 같은 곳이라고 볼 수 있다.

포샤는 모든 남성이 동경하는 환상적인 부를 상속받았지만, 자신의 배우자만큼은 결코 자신의 의지대로 선택할 수 없는 답답한 현실을, "살아있는 딸의 의사가 죽은 아버지의 유언에 이렇게 구속을 당하다니" (1.2.22-23)라며 한탄한다. 포샤의 아버지는 막대한 유산을 포샤에게 물려주면서 그 재산을 지킬 수 있는 사위를 원한 듯, 동화 같은 상자 고르기 시험을 포샤에게 부과하였다. 포샤의 아버지가 벨몬트와 포샤를 쟁취하고자 하는 모험가들에게 부과한 시험은 모든 것을 걸고 모험할 배짱과 투기 정신을 최상의 덕목으로 판정하는 것으로 입증된다. 바사니오가 이방인 왕족들을 물리치고 포샤의 초상화를 얻을 수 있었던 것은 납 상자에 새겨진 모토인 "나를 선택하는 자 자신이 가진 모든 것을 걸고 모험해야 한다"(2.9.21)가 자신의 행태와 딱 들어맞아서이기도 하겠지만, 납 상자를 고르면서 "겉으로 보이는 것은 적어도 그 자체가 아니지, 세상 사람들은 늘 장식에 속지"(3.2.73-74)라고 하듯, 세상 만물의 표리부동을 꿰뚫어 볼 수 있는 눈이 있기 때문인데, 그의 이런 능력과 인식은 경제 논리가 지배하는 닳고 닳은 베니스 사회에서 수완 좋게 살아온 그의 삶이 배양한 것으로 볼 수 있다. 만약 포샤의 아버지가 앞으로 포샤가 살아갈 시대가 경제 논리 중에서도 투기나 사기와 같은 부정적 논리가 만만찮게 지배할 것이라고 예상하고 그것에 맞서 벨몬트의 막대한 부를 지킬 수 있는 새 주인을 찾기 위해 그런 시험을 강구했다면, 투기판 같은 세상을 헤쳐나가는 임기응변력, 목적을 위해서는 어떤 수단이라도 강구할 수 있는 배짱을 가진 바사니오 같은 인물이야말로 적임자가 아닐 수 없다.

포샤 또한 아버지가 자신에게 부과한 시험의 취지를 간파하고 그 시험을 '지혜롭게' 통과한다. 바사니오와 마찬가지로 그녀 역시 아버지가 남긴 유언의 글귀 자체에 집착하지 않고 글귀에 담긴 정신을 읽은 듯(James 44-45), 바사니오가 상자를 고를 때 결코 우연이라고 보기 힘든 암시를 준다. "사랑의 꿈은 어디서 자라나요? 마음속이요, 머릿속이요? 어떻게 생겨나며 어떻게 자라나요?"(Tell me where is Fancy bred / Or in the heart, or the head? / How begot, how nourished?)(3.2.63-65)라고 포샤는 사랑의 노래를 부르지만, 인용된 영문에서 알 수 있듯, 이 노래의 "bred", "head"의 각운은 분명 납(lead)을 연상케 한다. 포샤의 암시가 고의적인지, 바사니오가 그 암시를 알아챘는지에 대해 당사자들은 전혀 내색하지 않지만, 그들이 암묵적으로 암시를 주고받았다고 볼 수 있는 여지가 다분히 있다. 이는 포샤와 바사니오가 결코 증거가 남지 않는 고도의 트릭을 행한 것이라고 볼 수 있다. 특히 바사니오를 능가하는 포샤의 수완과 배짱은 이후 샤일록 재판에서 제대로 발휘된다.

상자 고르기 시험이 제기하는 또 다른 문제는 시험에 실패하는 이방인들을 열등하고 어리석은 인종으로 타자화하는 것이다. 포샤는 처음부터 모로코 왕이나 아라곤 왕을 베니스인 바사니오와 비교하여 열등한 인종이라는 편견을 숨기지 않는데, 상자 고르기에서 그들이 각기 어떤 논리와 인식으로 금 상자와 은 상자를 고르든, 금과 은의 선택은 그들의 물질적 탐욕의 상징으로 판명되기에 포샤의 편견이 잘못된 것이 아님을 입증할 뿐이다. 그러나 상자 고르기에 실패하는 이방인의 경우와는 달리, 샤일록의 경우 그의 금과 은의 숭배는 우월한 백인들의 나라 베니스를 지탱하는 경제 논리와 법적 제도에 근거한 것이기에 (Kitch 153-154), 베니스 사회 전체를 시험에 들게 한다.

막대한 구혼자금을 쓰고 벨몬트에 온 바사니오는 멋지게 투기와 모험에 성공했지만, 베니스에서는 안토니오가 바사니오의 구혼자금으로 빌린 돈을 제때 갚지 못해 목숨을 잃을 위기에 처한다. 한마디로 투기의 성공에 따른 계산서가 즉시 청구된 셈이다. 포샤는 그 청구서가 자신에게 배달된 것으로 상황을 파악하고, 자신에게 새롭게 발생한 중대한 이해관계를 해결하기 위해 안토니오와 샤일록의 재판에 개입하려 한다.

안토니오가 기일 안에 샤일록에게 빌린 돈을 갚지 못하자 두 사람이 맺은 소위 인육 계약은 필연적으로 경제 문제를 넘어선 윤리 문제를 야기하게 된다. 먼저 두 사람이 인육 계약을 맺기까지의 과정을 살펴보면 원전의 설화적 내용이 고도의 심리적 사실주의에 따라 재창조되었음을 알 수 있다. 냉정한 고리대금업자인 샤일록은 경제 논리로만 설명될 수 없는 복잡한 심사로 인해 먼저 인육 계약을 제안한다.

샤일록은 바사니오의 부채보증을 위해 내키지 않지만 자신을 찾은 안토니오에게 "안토니오 양반, 당신은 거래소에서 내 돈과 내 돈놀이를 욕한 일이 한두 번이 아니었소. 그러나 나는 언제나 어깨를 움츠리고 참아왔소. 왜냐하면 인내는 우리 종족의 표시니까요. 당신은 날 불신자라 부르고 사람 죽이는 개라고 불렀소"(1.3.101-106)라고 묵은 감정을 토로한다. 샤일록이 이렇게 다소 감정적으로 대하자 안토니오는 "당신이 이 돈을 빌려줄 테면 친구에게 빌려준다고 생각하지 말란 말이오. 우정이 언제 아무것도 낳지 못하는 쇠붙이에 이자를 취하는 법이 있던가? 차라리 당신 적에게 빌려주는 셈 치면 될 게 아닌가. 그럼 약속을 어겼을 때 위약처분을 할 수 있지 않은가"(1.3.127-132)라고 맞받는다. 그러자 샤일록은 그렇게 이자를 받는 것이 부도덕한 일이라면 차라리 살 한 파운드를 받겠다고 제안한다. 샤일록은 "그저 장난으로"(in a merry sport) 그런 제안을 한다고 하지만 그 진의는 애매하다. 샤일록 자신도 자신의 제안이 경제 논리나 상식에 어긋나는 것인 만큼 그저 호의로 받아달라고 한다.

> 저 양반이 약속날짜를 어겼다 해서 억지로 과료를
> 받아본들 내게 무슨 이득이 있겠습니까?
> 사람 몸에서 베어낸 살 한 파운드는
> 양고기나 쇠고기, 아니 염소 고기보다도
> 가치가 없으며 소용도 없지 않습니까. 그저
> 그분의 호의를 사려고 이렇게 친절을 베푸는
> 것입니다. 받아주면 좋겠지만 싫으면 할 수 없죠.
> 그리고 부탁건대 나의 호의를 무시하지 마십시오. (1.3.159-166)

이 대목에서 과연 샤일록이 분명한 살의를 가지고 있으면서 '장난으로' 위장하고 있는지는 분명히 드러나지 않는다. 그가 비록 안토니오의 배들이 운항하고 있는 실태라든가 해상 무역의 위험에 대해 소상히 알고 있다 하더라도, 안토니오의 배들이 일시에 난파하리라고 기대하는 것은 그야말로 희망 사항에 불과하다. 그렇다면 그가 돈 대신 살 한 파운드, 즉 목숨을 담보하는 것은 철저히 안정된 이윤을 추구하는 그답지 않은 일종의 투기를 한 셈이라고 볼 수 있다. 그는 무엇을 기대하여 그런 투기를 한 것일까? 안토니오의 호의를 구하기 위해서라고 말하듯, 그는 안토니오가 돈을 갚지 못할 경우, 그의 목숨을 노리려 했다기보다는 베니스의 유력한 상인인 안토니오의 호의를 얻음으로써 자신의 사업기반을 확고히 하려는 경제 논리에 따를 뿐이라고 볼 수 있을 것이다. 즉, 그동안 베니스 사회가 유대인의 고리대금업이 필요했음에도 불구하고 안토니오 같은 거상이 그것을 인정하기는커녕 멸시해왔다. 하지만 이제 안토니오와의 계약을 계기로 샤일록은 유대인 고리대금업자의 입지를 근본적으로 개선할 수 있으리라 계산했을 법하다.

그런데 샤일록이 경제 논리 따위는 아랑곳하지 않고 복수 의지만 불타올라 계약대로 안토니오의 살 한 파운드를 기어이 집행하게 만드는 사건이 발생한다. 바로 기독교인 로렌조(Lorenzo)가 샤일록의 딸 제시카와 샤일록의 돈을 훔쳐 달아나는 사건이 발생한 것이다. 이 사건은 오로지 경제 논리만 추구하는 소위 돈벌레에게도 경제 논리를 초월하는 인간의 영역이 있다는 것을 입증한다.

기독교인 로렌조에게 자신의 딸 제시카와 자신의 돈을 도둑맞은 것에 대해, 셔만(Anita Gilman Sherman)은 샤일록의 "세상에 대한 이해를 도둑맞은 것"(279)으로 해석하는데, 셔만의 적절한 해석처럼, 샤일록은 비록 멸시당할지라도 근검, 절약하는 삶을 살면서 베니스 사회에 해를 끼치지 않으면 기독교 사회도 자신의 재산을 빼앗지는 않으리라고 이해하고 살아왔는데, 바로 그런 베니스 기독교 사회와 공존할 수 있다는 기대가 허상이었음을 깨닫게 한 것이다. 그래서 이제 공존의 전망이 비워진 자리에 박해받는 유대인 정체성이 들어서고, 경제 논리를 초월하는 복수 의지가 그를 사로잡게 된다. 그리고 때마침 안토니오가 돈을 제때 갚지 못하는 사태가 발생하자 샤일록은 안토니오의 살 한 파운드를 도려냄으로써 자신의 목숨과도 같은 재산을 도둑질한 기독교 사회에 대해 복수하려 한다. 그에 앞서 극은 자신의 딸과 재산을 도둑맞은 샤일록이 이성을 잃는 모습을 통해 돈밖에 모르는 수전노의 심연을 먼저 환기한다. 샤일록이 딸을 잃고 길거리를 헤매며 베니스인들이 다 듣도록 "내 딸년이! 오, 내 돈을! 오 내 딸년이! 기독교인과 도망치다니! 오, 내 기독교도의 돈!"(2.8.15-16)이라고 외쳤을 때 기독교인들은 그를 비정한 수전노의 화신이라고 비난한다. 샤일록은 또한 "나의 살과 피가 반역"을 도모했노라고 유대인 가부장으로서의 정체성이 무너지는 것을 비통해하기도 하지만, 자신의 유대인 동료 튜발(Tubal)로부터 제시카가 자신의 분신과도 같은 돈을 하루 팔십 더컷을 쓰는 것은 물론, 심지어 결혼 전 아내에게 받은 소중한 반지를 원숭이 한 마리 값으로 지급했다는 말을 듣고 완전히 이성을 잃는다. 오늘날 우리도 베니스 기독교인들과 마찬가지로 그의 분노에서 돈을 숭배하는 수전노의 도덕성 상실을 읽기 마련인데, 그 상실의 본질은 샤일록 자신이 사랑할 수 있는 인간이라는 것을 부인하게 되는, 즉 제시카에 대한 사랑을 깨닫지 못하게 되고 부인하는 끔찍한 인간 소외일 것이다(Sherman 280-286).

그러나 딸에 대한 사랑이 부인된 자리에 유대인의 정체성이 채워짐으로써 그는 박해받는 유대인의 대변인으로 발언하기 시작한다.

> 그래, 난 유대인이다. 유대인은 눈이 없단 말인가? 유대인은 손도 없고 오장육부도, 수족도, 감각도, 분노도 없단 말인가? 유대인은 기독교인처럼 같은 음식을 먹지도 않고, 같은 병에 걸리지도 않고, 같은 방법으로 병이 낫지도 않고, 겨울이나 여름에 다 같이 더워하고 추워하지도 않는단 말인가? . . . 유대인이 기독교도를 모욕한다면 가만 견디고 있겠는가? 복수하려 하겠지! 기독교인들이 유대교인에게 잘못을 저지른다면 기독교인과 마찬가지로 우리 유대인이 어찌 견딜 수 있겠는가? 복수가 아니겠는가! 당신들이 가르쳐준 그 악행을 난 실행하겠다. 가르침을 잘 따르지 않고는 못 배기겠어. (3.1.52-66)

이 대목에서 우리는 샤일록이 역사적으로 핍박당해온 수많은 민족의 울분을 대변하고 있다고 느낄 수도 있다. 그러나 셰익스피어는 샤일록에게 순교를 각오한 민족적 영웅의 면모를 절대로 새기지 않는다. 그의 복수의 다짐은 지렁이도 밟으면 꿈틀한다고, 즉 자신도 감정을 가진 인간이라고 외치는 것일 뿐이다. 그러나 그가 자신의 복수가 그렇게 정당한 것이라고 외치더라도 베니스 기독교인들의 눈에 그의 복수의 외침은 경제 논리에 매몰되어 윤리적 사고능력을 상실한 증거로 비칠 뿐이다. 반면 샤일록의 복수의 대상이 되는 안토니오는 상인으로서 이윤을 추구하되 이윤 자체가 목적이 아닌 삶을 사는 도덕적으로 우월한 사람으로 간주된다. 샤일록이 안토니오를 상대로 살 파운드를 집행하는 복수는 그래서 비정한 경제 논리와 그것을 초월하는 윤리와 도덕의 대립을 극명하게 드러내는 사건이 된다.

문제는 베니스에서 평생 유대인 고리대금업자로 살아온 그가 기독교인과 맺은 계약의 절대적 합법성을 사회적으로 인정받음으로써 복수를 할 수 있다는 데 있다. 자신의 복수를 베니스의 법과 체제가 합법화해달라는 그의 주장은 바로 베니스의 법과 체제를 위협하는 행위가 되는데도 샤일록은 그런 구조적 모순을 인지하지 못하기에 패배할 수밖에 없다.

법정에서 베니스의 법을 들먹이며 증서대로를 외치는 샤일록은 비윤리적 동기를 법의 정의를 빌려 실현하려는 악마와 같은 인간으로 비칠 뿐이다. 샤일록은 백인 기독교 사회가 가하는 억압과 배제, 그리고 타자화가 자신의 정체성 붕괴를 가져오는 경지를 겪으면서, 자신이 신용했던 경제 논리를 버리고 비이성적이고 파괴적인 저항을 하려 한다. 그러나 베니스 기독교인들은 경제적 동물이었던 샤일록이 그 나름의 윤리적 선택을 할 수 있다는 것을 인정하지 않으려 한다. 돈 대신 안토니오의 목숨을 요구하는 그의 주장을 오로지 황금 숭배가 낳은 인간성 상실로 간주할 뿐이다. 베니스 기독교인들은 그를 비정한 수전노로 낙인찍어 그 역할로 감금시켜 놓고 그를 비난하고 조롱함으로써 자신들의 우월한 윤리의식을 부각할 수 있기 때문이다. 그리고 그러한 윤리의식을 내세우면서 실제로 그들을 지배하는 경제 논리의 비윤리성을 은폐할 수 있다. 포샤가 이끌어 가는 '샤일록 재판'은 바로 이점을 극적으로 증명하는 제의로 기능하지만 보기에 따라서는 거대한 사기극이기도 하다.

샤일록이 베니스 법에 따라 덕망 있는 기독교 상인의 생명을 위협할 때 베니스 공작과 베니스 법정은 딜레마에 빠진다. 베니스 법정은 이교도의 잔혹함에 대해 기독교적 자비의 도덕적 우월성을 현시해야 하는 한편, 외국인들의 자유로운 경제활동을 법으로 보장해야 한다. 하지만 하자 없는 계약을 인정하는 법의 집행은 모범적인 기독교인의 생명을 앗아가게 한다. 당사자인 안토니오 자신이 누구보다도 이 딜레마를 잘 알고 있음을 재판이 열리기 전에 토로한다.

공작님도 법률의 조문을 어길 수는 없지요.
이 베니스에서 외국인들이 우리들과 같이
향유하고 있는 무역상의 특권을 거부한다면
이 공화국의 정의가 불신을 받게 됩니다.
이 시의 상업과 그 이익은 여러 나라와 관련이
되어 있기 때문이지요. (3.2.26-31)

안토니오의 발언에 자기희생의 가락이 묻어나오기는 하지만, 그는 베니스가 국제적 무역도시로서 매우 합리적이고 개방적인 체제를 갖추고 있다는 자부심을 감추지 못한다. 샤일록 역시 안토니오와 마찬가지로 베니스 법정이 자신들의 개방적이고 합리적인 법체제를 결코 부정할 수 없다는 것을 알기에, "만약 이것을 거절하신다면 이 베니스의 헌법과 자유가 위협받는다는 것을 아셔야 합니다!"(4.1.38-39)라고 큰소리칠 뿐 아니라, "이 요구를 거절하시면 법률이 무슨 소용입니까! 베니스의 법은 전부 무효가 되고 맙니다"(4.1.101)라고 위협하기까지 한다. 그러나 샤일록의 요구가 곧 베니스 시민의 살해를 인정해달라는 것이기에 베니스 기독교인들에게 그의 외침은 베니스 법의 신뢰가 아닌 조롱으로 들린다. 샤일록은 내친김에 베니스인들이 돈으로 노예를 부리는 것이나, 자신이 돈을 주고 구매한 살 한 파운드를 마음대로 처분하는 것이나 무엇이 다를 바가 있느냐고 비꼬기까지 한다. 이쯤 되면 단순히 안토니오의 목숨을 구하는 것을 넘어서 샤일록을 철저히 응징하는 것은 공동체적 당위가 된다.

샤일록 재판을 통해 베니스 기독교인들은 자유로운 계약과 거래를 보장하는, 즉 자본주의 발달의 원동력이 되는 그들의 합리적이고 개방적인 법체계가 악용되어, 급기야 돈 대신 인간의 생명을 요구하는 끔찍한 사태가 발생했다고 반성했어야 할 것이다. 가령 경제 논리에 입각한 연대보증제도를 법적으로 인정할 경우, 법의 만능이 결국 인간관계 자체를 파괴하는 지경에 이르면, 경제방정식을 초월하는 윤리방정식이 요구된다는 사실을 깨달아야 할 것이다. 포샤가 샤일록을 좌절시키기에 앞서, 샤일록에게 자비를 베풀 것을 설교하는 것은 바로 그런 경제방정식을 초월하는 윤리방정식의 도입이라고 볼 수 있다. 포샤는 샤일록이 요구하는 법적 정의를 초월하는 자비의 이념을 제시한다

> 자비의 본질은 강요되지 않는 것이며,
> 하늘에서 부드러운 비가 내리듯
> 지상에 내린다. 그것은 이중의 축복이니
> 주는 자와 받는 자를 다 같이 축복한다.

. . .

자비로서 정의가 완화될 때,

현세의 권력은 하나님의 권세에 가장 가까워진다. (4.1.180-193)

하지만 샤일록을 패배시킨 후 베니스 기독교 사회가 자비의 이름으로 샤일록에게 행하는 처사들은 포샤가 정의하는 자비와는 거리가 멀어 보인다.

아마도 막대한 부가 가능케 하는 정보 수집과 신속한 이동 수단의 확보, 그리고 연줄의 동원과 심지어 매수 등을 이용하여 포샤는 베니스 법정의 딜레마를 해결할 수 있는 전문 법조인으로 초빙될 수 있었을 것이다. 그렇게 샤일록이 제기한 재판을 진행하게 된 포샤가 처음부터 해결책을 가지고 재판에 임했는지는 끝까지 의문으로 남는데, 그녀는 샤일록이 스스로 함정에 빠지도록 주도면밀하게 재판을 진행한다.

그녀는 자비를 베풀 의향은 없느냐고 샤일록에게 여러 차례 확인하는 한편, 살 한 파운드를 측정할 수 있는 저울이나, 안토니오가 피 흘려 죽을 것을 대비한 외과의사의 준비 여부 등을 물어, 샤일록으로 하여금 재판이 그가 요구하는 증서대로 집행되리라는 기대를 하게 한다. 그럴수록 샤일록에 대한 기독교인들의 적개심이 한껏 고조되어 어떤 기적이 일어나기를 바라는 순간, 포샤는 정확히 살 한 파운드는 잘라내되 한 방울의 피도 흘려서는 안 된다고 판결한다(4.1.321-328). 이 판결이 내려지는 순간부터 상황은 역전되어 샤일록은 자신이 의지했던 베니스 법에 따라 단죄되기 시작한다. 그러나 포샤의 판결은 엄밀하게 따져볼 때 샤일록과 안토니오가 작성한 계약 내용을 자의적으로 해석하고 법률을 자의적으로 적용한 것이다. 그녀의 판결은 계약 당사자들 간의 상식에 근거하여 암묵적으로 합의한 내용을 계약서상 문구의 모호성만을 문제 삼아 뒤집는 것이다. 살 한 파운드라고 표현했지만 그 표현을 썼을 때, 계약 당사자들이 문자 그대로 피 한 방울 없는 살 한 파운드를 생각했을 리가 없고, 비록 '장난으로' 그런 계약을 맺었다고 할지라도, 그 내용이 사람의 목숨을 담보하는 것이라는 점을 모를 리 없다. 안토니오 자신도 샤일록이 돈으로 사고파는 양고기와 소고기를 언급하면서 살 한 파운드 계약을 제시했을 때, 피와 살의 구분 없는 살 한 파운드를 당연한 것으로 받아들였다. 포샤의 판결은 이런 상식을 벗어나거나 뒤집는 해석의 트릭에 해당하지만, 샤일록이 오로지 증서의 문자 그대로를 고집하도록 유도한 뒤, 증서의 문구로부터 당사자들이 암묵적으로 동의한 상식을 배제한 문자 그대로를 샤일록에게 제시하며 그를 궁지로 내몬다. 즉, 율법에 따른 복수를 주장하는 샤일록에게 눈에는 눈, 이에는 이의 복수를 그대로 한 셈이다. 샤일록이 법대로, 증서대로를 외칠 때 법정의 기독교인들이 유대인 율법주의자의 면모를 그에게서 읽었다면 그들은 이 대목에서 유대인 율법주의의 자승자박을 확인하고 쾌재를 불렀을 법하다.

상황이 반전되자 당황한 샤일록은 "그것이 법이냐"(4.1.309)라고 묻는다. 그는 상황이 역전되기까지 일방적으로 자신에게 유리한 재판을 진행했던 포샤를 전적으로 신뢰했기에, 포샤가 상황을 반전시켰더라도 여전히 그녀에게 구속당할 수밖에 없다. 그녀의 재판 진행이 결국 그를 함정에 빠트리기 위한 것이었음을 깨닫지만, 이미 함정에 깊이 빠진 이상 그에게는 헤어날 길이 없다. 그가 처음부터 베니스 기독교 사회의 법과 체제를 조롱했기에, 포샤의 판결이 내려지는 순간 베니스 법정은 그에 합당하고 가혹한 처벌을 한다. 그렇지만 그에게는 어떤 반박의 여지도 없다. 한순간 살인미수죄를 저지른 외국인 형사피의자로 전락한 그에게 남은 선택지는 기독교인들이 손가락질했던 원래의 비굴한 고리대금업자로 돌아가는 것이다. 그래서 다급하게 원금을 세 배로 갚겠다는 바사니오의 제안을 받아들이려 한다. 하지만 그가 주장한 대로 법대로 재판은 진행되면서 원금만이라도 돌려받겠다는 그의 처신은 그의 입지를 더욱 좁힐 뿐이고, 기독교인들은 유대인 고리대금업자 본래의 비굴한 모습을 즐길 뿐이다.

포샤와 베니스 법정은 원금만이라도 돌려받으려는 샤일록에게 베니스 시민의 생명을 위협하려 한 외국인을 처벌하는 '외국인법'을 적용한다. 포샤가 갑자기 외국인법을 끌어오는 것은 안토니오의 위기를 해결하는 것과는 상관없이 샤일록을 철저히 응징하기 위해서이다(Mullaney 83). 샤일록이 인육 계약을 집행하려는 것을 명백한 살인 행위로 간주하는 기독교인들의 입장에서 이 법의 적용은 당연해 보일 것이다. 설사 그렇더라도 이 법 자체가 외국인에 대한 차별을 근거로 하는 것일 뿐 아니라, 사전에 그 법이 적용될 수도 있다는 것을 주지시켜주지 않았다가 상황을 반전시킨 뒤 자의로 적용하는 것은, 절차적 정당성을 지킨 법적 정의의 실현이라고 보기 힘들며, 법을 이용한 응징이나 복수처럼 보인다. 그 법에 따르면 샤일록은 재산은 물론 목숨마저 잃을 수 있는데, 공작은 "그대는 우리의 정신이 그대의 정신과 다르다는 것을 보게 될 것이다. 그대가 요구하기 전에 그대의 목숨만은 살려주겠다"(4.1.364-365)라고 선언하고, 대신 재산의 절반은 국고에 귀속시키며, 나머지 절반은 피해자인 안토니오의 처분에 맡긴다고 판결한다. 이런 판결이 내려지자 샤일록은 "생계 수단을 앗아가는 것은 제 목숨을 취하는 것과 다름없습니다"(4.1.372-373)라며 절규한다. 경제적 취득이 삶의 목적이 되다시피 한 그에게 전 재산의 몰수는 사형선고와 다를 바 없다. 그러나 포샤는 아랑곳하지 않고 안토니오에게 "어떤 자비를 베풀 수 있을까요?"(4.1.374)라고 물을 뿐이다. 이에 안토니오는 샤일록이 개종하는 조건으로 자기 몫으로 떨어진 샤일록의 재산 절반을 그의 딸을 데리고 도망쳤던 로렌조에게 양도하는 자비를 베푼다.

안토니오를 비롯한 베니스 기독교인들은 샤일록이 개종함으로써 구원받을 수 있고, 또 그의 딸과 하나가 될 수 있으리라 믿을 수도 있다. 그러나 경제적 이해관계가 지배하는 베니스 사회에서 영적 구원의 문제가 얼마나 절실한지는 의문이다. 샤일록에게 개종을 요구하는 것은 그의 전 재산을 빼앗는 것만큼이나 그의 정체성을 위협하는 폭력일 수 있다. 결코 해결되지 않는 종교 분쟁의 역사를 기억하는 오늘날의 관객들에게 안토니오가 개종을 요구하는 것은 자비를 베푸는 것이기는 커녕 샤일록의 살 한 파운드 집행 못지않은 잔인한 폭력으로 비칠 수 있을 것이다. 그런데 안토니오가 자신의 요구가 진정 자비로운 것이라고 믿는다면, 이는 상업이 발달한 베니스 기독교 사회에서 종교가 영적 구원보다 경제 논리를 정당화하거나 합법화하는 이데올로기로 기능한다는 아이러니한 방증일 수 있다. 사실 극에서 샤일록만 신앙을 위해 유대교 회당을 찾지, 기독교인들 누구도 교회에 가지 않는다. 이렇듯 샤일록을 좌절시키고 그의 전 재산을 몰수할 뿐 아니라 개종까지 강요하는 샤일록 재판은 정의의 실현과 자비의 실천을 표방하지만, 오히려

“일종의 정의의 시험이, 그리고 더욱 깊이 그것의 텍스트적 등가물인 법의 시험이 된다”(Finin 38)라고 해도 과언이 아닐 것이다.

경제 논리가 지배하는 자본주의 세상에서는 어떤 과정을 거쳤든 결과적으로 이윤이나 부가 창출되는 것이 중요하다. 그런 관점에서 볼 때 바사니오의 투기를 위해 안토니오가 샤일록에게 빌린 자본이 결과적으로 관련 당사자에게 대박을 안겨주었다는 점에서, 한마디로 그들은 엄청나게 남는 장사를 한 셈이다. 그러나 그들은 샤일록의 전 재산을 처분하여 막대한 이득을 취하면서 그들의 행동이 윤리적 차원에서 이루어진 것이라고 믿는다. 돈 대신 사람의 목숨을 요구하는 샤일록에게 맞서 정의보다 자비를 구하라는 포샤의 설교는 모든 세상사에 적용되는 평범한 진리이지만, 자본주의 사회에서 상거래나 쌍방계약과 관련하여서는 경제 논리나 계약의 논리의 한계와 불완전성을 윤리적 가치로 보완할 때, 보이지 않는 신의 섭리가 함께하여 축복받는다는 취지를 담고 있다. 그녀의 설교는 어떤 경우도 인간의 생명, 인간의 존엄성에 우선하는 경제 논리는 없다는 것을 암시하고 있지만, 정작 샤일록을 단죄하면서 포샤와 베니스 기독교인들이 표방하는 자비는 그들의 경제 논리를 합리화하는 파당적 이데올로기라는 것이 판명된다.

경제 논리에 부수되는 윤리 문제를 고려하는 사람들, 경제 논리를 초월하는 윤리적 결단이나 선택을 하는 사람들, 혹은 공정거래 질서를 준수하고 경제적 이익을 사회적으로 환원하는 등 경제 논리를 보완하는 경제 윤리를 실천하는 사람들은 그로 인해 결과적으로 더 큰 이득을 얻을 수 있다. 극에서는 순수한 우정으로 연대보증을 서는 안토니오가 그런 윤리적 실천의 한 예가 될 수 있을 것이다. 왜냐하면, 그의 역경의 결과 베니스 기독교인들이 합법적인 횡재를 할 수 있었기 때문이다. 그리고 그들은 샤일록 재판을 통해 경제 논리보다 인간성 혹은 윤리가 승리한다는 것이 입증되었다고 감격하며, 이후 그들이 자비의 이름으로 샤일록에게 행사하는 처사를 신의 섭리라고 믿는다. 그런데 신의 섭리는 승자의 논리를 뒷받침할 때 동원되기 쉽다. 왜냐하면 이긴 자는 윤리적으로 정당하니까. 한마디로 그들의 일련의 행위는 "취득과 소비의 가치를 베풀고 용서하는 것으로, 돈만 바라고 하는 일을 자비로운 것으로, 맹목적 운을 자비로운 섭리로 변형시킨 것에 불과했다"(Nevo 119)라고 해도 과언이 아니다. 그들이 표방하는 윤리나 도덕은 그렇게 거대한 투기판으로 변한 세상의 본질을 호도하는 이데올로기로 기능하는 것이다. 셸(Marc Shell)에 의하면, "유대인이 자비로운 기독교인이 되도록 강요당하고, 기독교인들이 일종의 고리대금업자가 되는 두 개의 징후는 극이 경제 논리와 윤리 문제의 이데올로기적 딜레마에 대한 만족스러운 해결에 도달할 수 없다는 증거이다"(67-68).

베니스를 지배하는 것은 기독교인들이 주장하는 자비나 관대의 이념보다 재산의 안전한 소유를 보장하는 계약법이나 규칙들로 판명되기에, 극의 서사는 자비가 결여된 기독교인들을 풍자하는 아이러니로 읽힌다(Moody 82-99). 즉, 극의 전체 서사를 샤일록의 소외와 타자화의 관점으로 읽을 때 권선징악적 결론은 그야말로 아이러니일 것이다.

4

돈의 흐름만 놓고 본다면 바사니오의 투기에 쓰인 자금으로부터 결과적으로 환상적인 휴양지 벨몬트의 취득과 샤일록의 전 재산이라는 막대한 이윤이 생겨난 셈이다. 결과가 그럴진대, 베니스 상인들의 세계는 '하이 리스크 하이 리턴'의 자본주의 원리에 충실한 세계라고 볼 수 있다. 사실 바사니오의 상자 고르기 시험도 일종의 투기나 도박과 마찬가지였으며, 심지어 포샤의 재판 개입도 일종의 투기요 도박이었다(Burchkhardt 272-273). 그런 도박판과 다름없는 세상에서는 이기는 사람은 선하고 지는 사람은 악하다는 이데올로기 조작이 일어나기 마련이다. 포샤의 경우, 그녀의 재판 개입은 극 중 최대의 도박에 해당하지만, 기독교인들로서는 그것이 사람의 생명을 구하는 지극히 윤리적인 목적을 달성하기 위한 최상의 방책으로 판명되기에, 이겨야 하고 이길 수밖에 없는 도박이다. 반면 샤일록은 투기꾼이 아니면서 상황에 떠밀려 자신이 추종하는 경제 논리와 맞지 않게 모든 것을 걸고 도박을 한 것으로 드러난다. 그러나 그가 뛰어든 노름판 자체가 그는 결코 이길 수 없도록 구조화되어 있었다. 트릭을 쓰는 것이 당연시되는 그 노름판에서 곧이곧대로 자기 패를 까는 그는 질 수밖에 없었던 것이다.

베니스 기독교인들은 샤일록의 마수로부터 안토니오의 목숨을 구하고 샤일록의 전 재산을 빼앗아온 최고의 도박사 포샤를 마치 전지전능한 신처럼 떠받든다. 베니스인들의 그녀에 대한 숭배는 그녀의 환상적 부가 창출하는 힘에 대한 숭배라고 볼 수 있다. 그녀의 뛰어난 정보력이나 신속한 이동 능력, 연줄의 동원 등은 막대한 부가 없이는 불가능한 것이다. 그런 부의 힘을 맹목적으로 추구하고 숭배하는 사회에서는 막대한 부가 기존의 다른 가치를 전복시킬 수도 있다. 가령 포샤의 부는 남성에게 종속되는 전통적인 여성의 지위를, 남성을 구매하는 지위로 바꿀 수 있다는 것을 입증한다(French 101). 바사니오가 상자 고르기 시험을 통과하여 포샤의 새 주인이 될 자격을 얻게 되는 순간, 포샤는 "저 자신, 저 자신의 것은 이제, 그대와 그대의 것으로 바뀝니다. 한때 저는 이 아름다운 저택과 하인들의 주인이었지만, 이제 집도, 하인도, 그리고 저 자신도 당신의 것이랍니다"(3.2.166-171)라고 순종의 언어를 구사한다. 그러나 동시에 반지를 건네면서 그것을 잃어버리거나 주어버렸을 경우 사랑의 파멸로 간주하여 그에 합당한 요구를 할 것이라고 일러준다.

그녀는 안토니오의 목숨을 구하고 샤일록의 전 재산을 몰수하여 분배함으로써 바사니오가 안토니오에게 진 빚을 청산하는 데 성공했다. 그러나 두 사람 사이의 우정은 둘 사이의 경제적 부채가 청산됨으로써 더욱 돈독해질 수 있다. 그래서 포샤는 마지막으로 그들의 우정을 시험에 들게 하는 트릭을 구사한다. 그녀가 바사니오에게 안토니오의 목숨을 구한 보답으로 반지를 달라고 요구하자, 바사니오는 한순간 우정과 사랑 중 하나를 선택해야 하는 딜레마에 빠진다. 그때 안토니오가 친구의 목숨보다 소중한 것이 있겠느냐고 설득하자 바사니오는 반지를 빼주고 만다. 바사니오의 선택은 경제 논리를 초월하는 도덕과 윤리를 따르는 것이기에 포샤도 바사니오의 딜레마를 이해한다. 하지만 그녀의 입장에서는 남편의 사랑이 결코 절대적인 것이 아니며, 다른 어떤 것과 교환될 수 있는 상대적인 것임을 깨닫는 계기가 된다. 그래서 리스크 관리가 필요하다고 느낀 포샤는 이후 바사니오가 이유 여하를 막론하고 반지를 빼준 행위에 대해 결코 농담으로 받아넘기기 힘든 엄중한 경고를 한다. 그럼으로써 향후 포샤와 바사니오의 관계는 역전되고, 결국 그녀가 막강한 부를 바탕으로 바사니오를 샀다는 느낌마저 든다. 어느 평자의 표현을 빌리면, "그녀는 항복의 언어를 사용하는 한편, 주는 자로서의 힘을 유지하여, 남편으로서의 소유권을 그녀가 주는 선물로 구성한 것"(Mukherji 38)이다.

포샤는 자신의 재판 개입으로 안토니오에 대한 바사니오의 경제적·정신적 부채를 청산한 셈이지만, 마지막으로 안토니오가 그녀에게 신세를 졌다고 느끼게 함으로써 바사니오와 안토니오의 관계를 자신의 관리하에 두려 한다. 이미 뛰어난 정보력과 수완을 과시한 바 있는 포샤는 "당신의 상선 세 척이 갑자기 부자가 되어 항구로 오고 있어요. 이 편지를 읽게 되면 당신은 모르는 어떤 이상한 일들이 일어났는지 알 거예요"(5.1.275-277)라고 하면서 신비한 편지를 안토니오에게 전한다. 마침내 그토록 바라던 소식을 듣게 된 안토니오는 "아름다운 아씨, 그대가 나에게 생명과 삶을 주었소"(5.1.286)라고 화답하는데, 샤일록 재판을 겪으면서 그 역시 샤일록과 마찬가지로 상인에게 재산과 경제수단은 생명과도 같다는 것을 새롭게 인식한 듯하다. 즉, 안토니오 역시 경제 논리로부터 결코 자유로울 수 없는 베니스의 상인인 것이다. 그래서 재판을 시작하면서 포샤가 물었던 "누가 상인이고 누가 유대인이오"(4.1.170)라는 형식적인 물음이 끝까지 극을 지배하는 듯하다. '하이 리스크 하이 리턴'의 원리에서 보면 바사니오 또한 최고의 상인에 해당하고, 누구보다도 포샤야말로 리스크 관리에 탁월한 상인일 것이다. 맥킨즈(Ian MacInnes)에 따르면, 포샤는 "안토니오가 바사니오에게 할 수 있는 요구를 제거함으로써 처음에 안토니오의 리스크를 떠안았지만, 그의 재화를 아무 손해 없이 그에게 배달하여 그 리스크를 획득으로 전환한 것"(52)이다.

이렇듯 극 중의 모든 에피소드는 세상사의 이치를 경제 논리라는 관점에서 보게 하는데, 베니스 상인들의 세상은 하이 리스크 하이 리턴의 원리가 지배하는 투기판 같은 세상이지만, 그 세상에서는 공짜란 없으며 대가 없는 횡재도 없고, 모든 것이 끊임없이 교환될 뿐이다.

5

돈 때문에 인간이 목숨을 잃는 일은 시대와 장소를 막론하고 전형적인 비극적 인간사이다. 『베니스의 상인』은 이런 비극적 모티브를 절묘하게 희극적으로 해결하는 동화 같은 극이지만 역설적이게도 여전히 돈이 지배하는, 돈이 문제가 되는 세상을 그리고 있다. 돈 문제로 얽히고설킨 인간관계가 전개되는 가운데, 누구도 돈 문제에서 자유롭지 못하며 저마다 자기 이해를 추구한다. 극에서 그려지고 있는 세상은 인간관계와 인간 행위가 본질적으로 계약이나 투기일 수밖에 없는 세상이며, 자기 이해를 관철하기 위해 최상의 트릭을 쓰는 사람이 승리하는 세상이다. 극은 자본이 인간의 기본적 연대를 착취하여 자기 증식하는 연대보증의 모티브를 중심으로, 이런 세상을 지배하는 경제 논리와 그에 수반되는 윤리의 문제의 상관관계를 짚어본다.

유대인 고리대금업자 샤일록과 기독교인 무역상 안토니오는 인종과 종교는 물론 돈 버는 방식이나 인간 됨됨이 등 어느 모로 보나 상극이지만, 그들 간에도 불가피하게 돈거래는 성립된다. 두 사람의 거래는 자본은 오직 경제적 이해관계나 필요에 따라 이동·거래될 뿐이라는, 시대를 초월한 경제법칙을 입증한다. 하지만 두 사람이 체결한 '인육 계약'은 단순한 경제적 난센스에 그치지 않고, 결국 경제 논리에 뒤따르는 윤리 문제를 강력하게 부각하게 된다. 자신의 생명과도 같은 딸과 재산을 기독교인에게 도둑맞은 샤일록은 복수의 화신으로 변하여 때마침 안토니오가 기일 안에 부채를 갚지 못하는 사태가 발생하자, '장난'으로 맺은 인육 계약을 증서대로 집행하려 한다. 그러나 베니스 법정에서 그가 증서대로를 외칠 때 베니스 기독교인들은 돈 대신 사람의 목숨을 요구하는 경제 동물 샤일록을 좌절시키면서, 자신들의 윤리적 우월성을 증명하지 않으면 안 되게 되었다. 그러기 위해 포샤가 들고나온 것이 자비의 이데올로기인데, 일견 그것은 법적 정의의 한계를 보완하는 높은 차원의 정의이고, 경제 논리를 보완하는 최상의 윤리적 가치처럼 보인다. 하지만 포샤가 트릭으로 샤일록을 패배시킨 뒤, 포샤와 기독교인들이 자비라는 이름으로 샤일록에게 행사하는 조치들은 포샤가 설교했던 자비의 이념과는 거리가 멀다. 그들은 철저히 법에 따라 샤일록의 전 재산을 몰수하고 심지어 개종까지 강요한 뒤, 전리품 잔치를 벌이면서 샤일록에게 자비를 베풀고 있다고 착각한다.

해피엔드에 이르는 공식적 서사는 자본이 지배하는 세상에서 자본이 호의와 신뢰에 기초한 연대 관계를 파괴하고 착취하는 최악의 경우가 발생해도, 그것을 극복할 만한 윤리의 힘은 물론 신의 자비로운 섭리의 작동이 있음을 말한다. 그러나 샤일록 재판은 윤리방정식이 경제방정식을 이길 때 신의 축복이 함께한다는 결론이 어디까지나 승자를 위한 논리라는 것을 입증한다. 그리고 그런 논리는 자본주의 체제를 뒷받침하는 핵심 이데올로기인 "보이지 않는 손"의 또 다른 표현이라고 해도 과언이 아니다. 그러한 해결이 어디까지나 투기꾼 혹은 도박사들을 위한 유토피아적 해결이기에, 사람들을 움직이고 세상을 끌어가는 논리는 무엇보다도 경제 논리라는 점을 오히려 반어적으로 인식하게 한다.

비교적 이재에 밝았던 것으로 알려진 셰익스피어의 생애에 비추어 볼 때 셰익스피어 자신이 재산취득을 통해 자아실현 하려는 부르주아들에 대해 비판적이었다고 볼 수는 없을 것이다. 즉, 셰익스피어가 인간의 경제적 욕망을 부정적으로 본다고 단정할 근거는 없어 보인다. 그렇더라도 이 극은 앞으로의 시대가 경제 논리 중에서 투기나 사기와 같은 부정적 논리가 만만찮게 지배할 가능성을 우회적으로 암시하고 있다. 극 중 인물들의 관계나 행태를 나타내기 위해 반복적으로 쓰이는 단어인 '본드', '벤처', '해저드' 등은 작금의 자본주의 시대의 키워드에 해당하지 않는가. 그러나 무엇보다도 동서고금을 막론하고 통용되는 '빚내지 마라' '도박하지 마라'라는 삶의 지침이 이 극에서는 '빚내서 모험적 투기를 하라. 그래야 대박을 터트릴 수 있다'라는 지침으로 전복되어 오늘날의 세태를 너무도 정확히 반영하는 듯하기에 씁쓸한 느낌을 지울 수 없다.

제3장

『헛소동』 속지 않는 자가 속는 법

아가씨들이여 더 이상 한숨짓지 말아요.
남자들은 언제나 사기꾼이랍니다.
한 발은 바다에, 한 발은 육지에 담그고
결코 어느 쪽에도 한결같은 법이 없으니까요.
(2.3.62-65)

1

『헛소동』(1598-1599)은 셰익스피어의 다른 낭만 희극과 달리 상자 고르기 같은 동화적 모티브나 요정의 장난과 같은 초현실적 모티브를 배제함으로써 남녀관계에 대해 현실적인 접근을 한다. 이 희극에서는 다른 낭만 희극에서와는 달리 경제적, 정치적, 혹은 세대 간의 갈등과 같은 외적 요인이 젊은 남녀의 로맨스와 결혼에 미치는 영향이 미미하다. 그만큼 셰익스피어는 남녀관계의 본질 자체에 집중함으로써 남녀의 연애 심리를 심층적으로 파고드는 한편, 다른 어떤 희극에서보다 젠더 갈등을 부각한다.

젠더 갈등을 비롯한 극 중의 갈등이 야기되고 해결되는 양상은 거의 속고 속이는 액션으로 이루어져 있기에, 하워드(Jean E. Howard)는 이 극의 주제를 "진실과 환상, 그리고 기만적인 외관의 세상에서 어떻게 살 것인가"(163)로 파악한다. 속고 속이는 것이 당연한 세상에서는 속이는 사람이 속는 사람보다 선한 사람일 수 있다. 비극의 세계에서와는 달리 희극의 세계에서는 흔히 그럴 수 있는데, 이 희극이 전형적인 예를 제공한다. 극의 주 플롯에 해당하는 커플의 혼례는 기만에 맞선 기만의 연속 끝에 성사된다. 예정된 혼례를 깨고 공동체를 혼란에 빠뜨리려는 악한 기만에 맞서 혼례를 성사시키고 공동체의 안정을 위한 기만이 결국 성공을 거두게 된다.

모든 기만과 소동은 남성 집단의 여성의 섹슈얼리티에 대한 부정적이고 피상적인 인식에 기인한다. 전쟁을 막 끝내고 귀환하는 길에 휴양지에 들린 남성군인 집단의 성 규범은 느슨하기 마련인데, 그러면서도 그들이 여성의 정조에 대한 강박에 사로잡혀 있기에 한바탕 소동이 벌어지게 된다. 또한 집단의식과 상명하복의 문화에 젖은 그들은 혼례도 그에 따라 작전 수행하듯 추진한다. 문제는 그들의 성 규범이 느슨한 만큼이나 결속이 느슨해질 경우, 즉 내부의 문제나 모순이 표출될 경우, 너무나 쉽게 집단적 소동을 벌일 수 있다는 것이다.

기만에 맞선 기만 끝에 진실이 밝혀져 예정대로 혼례가 성사되자 그간의 모든 기만은 다 헛소동으로 웃어 넘겨질 수 있다. 사전적으로 헛소동은 존재하지 않거나 아무것도 아닌 일 때문에 벌어지는 일로 정의될 수 있다. 그런데 인간사에서 헛소동은 짐짓 아무 일도 아닌 일처럼 간주하지만, 사실은 사람들이 무의식적으로 사로잡혀 있는 무엇 때문에 벌어지는 사태이기 쉽다. 그런 의미에서 아무것도 아닌 것은 결코 아무것도 아닌 것이 아닌 셈이다. 아무것도 아닌 것을 의미하는 "nothing"은 셰익스피어 극에서는 흔히 여성의 성기를 암시하기도 한다. 이 극에서 헛소동을 벌이는 주체들이 남성 집단이고 그들이 한 여성의 정조, 혹은 섹슈얼리티를 둘러싸고 소동을 벌이기에 그런 은어를 포함한다고 볼 수 있다.

극에서 남성들은 여주인공의 순수한 외관에 속았다고 소동을 벌이지만, 실제로 그들이 여성의 순수한 외관 따위를 믿지 않는 것으로 판명되면 그야말로 헛소동을 벌인 셈이다. 극의 주 플롯을 구성하는 클로디오(Claudio)와 히로(Hero) 커플의 결혼은 상명하복의 권력관계가 개입되어 관습적인 궁정 풍 연애가 중매 결혼으로 이어지는 경우인데, 이런 경우 관련된 남성들이 여성의 정숙한 외관을 믿지 못할 때 공동체적 소동이 일어나기 쉽다. 그리고 역설적으로 남성들이야말로 여성을 기만한 것으로 드러난다. 낭만 희극의 분위기를 살리기 위해 극 중에 삽입된 노래는 그에 상응하여 "여성에게 남성은 영원한 기만자"라고 반복해서 강조한다.

또 다른 커플인 베네딕(Benedick)과 베아트리스(Beatrice)가 결혼으로 맺어지는 과정은 사랑에 관한 한 속지 않는 자가 속는 법이며, 역으로 속는 자가 속지 않는 법이라는 유쾌한 기만의 경지를 보여준다. 서로 상대에 대해 관심이 있으면서도 쉽게 사랑에 빠지지 못하는 이 커플을 맺어주기 위해, 공동체 전체가 이 커플이 자존심을 내려놓고 상대의 애정을 받아들이게끔 기만 작전을 벌인다. 클로디오와 히로 커플을 맺어주기 위한 기만이 고통과 가책을 수반하는 것이었던 반면, 베네딕과 베아트리스를 맺어주기 위한 기만은 기만하는 사람이나 기만당하는 사람이나 모두 유쾌할 수 있는 기만, 즉 선의의 기만이다. 그렇게 공동체적 관심사와 간섭 속에 맺어지는 이 커플의 경우, 연인들이 사랑의 주체로 정립되는 순간은 곧 사회적으로, 관습적으로 규정된 연인 역할로 호명되었다는 것을 입증한다.

지금까지의 문제 제기를 바탕으로 다음 장에서는 주 플롯인 클로디오와 히로가 맺어지기까지의 헛소동을 분석한다. 보다 구체적으로 남성 집단의 이중적이고 경박한 성적 규범이 어떻게 시험당하게 되며, 시험당함에도 불구하고 최종적으로 어떻게 남성 중심 사회의 에토스(ethos)가 현상 유지되는지를 다룰 것이다. 그다음 장에서는 베네딕과 베아트리스가 맺어지기까지의 유쾌한 소동을 분석한다. 보다 구체적으로 사랑에 관한 한 속지 않는 자가 속는 법이라는 기만의 역설의 성립에 대해 다룰 것이다. 그리고 마지막 장에서는 기만과 헛소동 끝에 두 쌍의 결혼이 이루어지지만, 당사자들은 물론 등장인물들이 혼례를 치르기에 앞서 한바탕 춤을 추는 마무리에 담긴 의미를 분석할 것이다. 보다 구체적으로 전형적인 낭만 희극의 결말을 비트는 극의 이런 마무리는 사랑에 대한 허무주의적 전망을 표현하는 극의 제목과 더불어 결혼에 대한 망상 없는 전망을 담고 있음을 밝힐 것이다.

2

전투를 막 끝낸 아라곤의 군주 돈 페드로(Don Pedro)와 그의 부하들이 귀국길에 잠시 들르겠다는 소식이 전해지자 메시나의 영주인 레나토(Leonato)와 시민들은 그들을 맞을 준비로 부산하다. 돈 페드로 일행 역시 메시나를 잠시 쉬어 갈 휴양지로 간주하면서 전투 대신 로맨스를 즐길 기대로 부풀어 있다. 그래서 그들은 처음부터 끝까지 성적 농담을 즐기는 남성 클럽의 분위기를 연출한다. 가령 돈 페드로가 레나토의 영접을 받으면서 그 옆에 서 있는 히로를 보고 레나토에게 "댁의 따님 같은데"(1.1.96)라고 묻자 레나토는 "그 아이의 어머니가 여러 차례 그렇다고 하더군요"(1.1.97)라고 화답하는 것에서 짐작할 수 있듯이, 전투 대신 로맨스를 즐기려는 들뜬 남성군인 집단이 특유의 성적 농담으로 경박한 분위기를 주도한다.

이런 들뜬 분위기 속에서 돈 페드로가 총애하는 클로디오는 히로에 대해 관심을 표명한다. 그러나 클로디오는 베네딕과 달리 다른 남성들이 그에게 들려주는 여성 비하적이거나 여성 혐오적인 담론을 줏대없이 받아들이는 만큼, 대체로 다른 남성들의 눈으로 히로를 보기 쉽다. 그는 돈 페드로에게 레나토의 아들이 있느냐고 묻고서는 돈 페드로가 히로는 무남독녀라 답하자 마치 그 답을 기다렸다는 듯이 히로를 사랑하게 된 연유를 털어놓는다. 그는 처음에는 "군인의 눈으로 그녀를 바라보았으나"(1.1.278), 사랑보다 더 험한 군인으로서의 과업이 마무리되자 이제 대신 "야릇하고 통제하기 힘든 욕망이 몰려와서 전쟁에 나가기 전부터 그녀를 사랑했음을 알게 되었다"(1.1.283-285)라고 고백한다.

그는 이성에 대한 욕망, 즉 연정이 군인으로서의 사회적 성취 욕망과 충분히 양립 가능한 것처럼 말하지만 막상 둘은 통합되지 않고, 둘 사이의 선택으로 내몰릴 경우 그는 후자를 택하기 쉽다.

그가 돈 페드로에게 히로에 대한 연정을 고백하는 것도 돈 페드로가 복종해야 할 권위요 시혜를 베푸는 군주이기 때문에 그의 승인을 통해서 결혼을 성사시키려는 의도에서이다. 그러나 군주가 단순한 중매를 넘어서 대리구혼까지 하는 사태는 아무리 상명하복의 군사문화에 입각한 것이라 하더라도 도가 지나친 것이다. 사랑은 본질적으로 가장 내밀한 주체성, 프라이버시의 영역이다. 클로디오가 히로에게 진정으로 애정을 느껴 그녀와의 관계에 빠져들게 되면, 그는 사랑이 누구에게도 침범당하지 않아야 할 내밀한 주체성의 영역임을 깨달을 것이다. 그렇지만 그가 상관의 권위를 빌려 혼례를 성사시키려는 것은 그런 주체가 되는 것을 두려워하고 감당하기 어려워하는 일종의 퇴행성 욕망에서 벗어나지 못하기 때문이라고 볼 수 있다.

돈 페드로는 클로디오의 결혼을 성사시키기 위해서 대리구혼 역을 하는 것에 대해 "최상의 시혜는 필요한 것을 주는 것이다"(1.1.297)라고 확신한다. 셰익스피어 희극에서 군주들은 대체로 법과 질서의 상징이나 대변자로서 사태를 확고히 장악하는 역할을 한다. 반면 이 희극에서 돈 페드로의 권력 행사는 오히려 혼란스러운 사태를 초래하는 원인으로 작용한다(Westlund 39). 돈 페드로는 당사자인 클로디오의 동의나 견해도 묻지 않았을 뿐 아니라 남녀의 결혼을 성사시키는 일을 군사작전 수행하듯이 일방적으로 밀어붙인다.

군주가 신하를 대리해서 구혼하는 석연치 않은 권력 행사는 갖가지 오해와 오인을 낳을 소지가 다분하다. 그 첫 번째는 잘못 듣는 사태의 발생이다. 히로의 삼촌인 안토니오의 하인이 먼저 돈 페드로가 그날 밤 있을 가면무도회에서 직접 히로에게 구애할 예정이라는 소식을 레나토에게 전해준다. 그러자 레나토는 그 하인 녀석이 제정신이냐고 반신반의하면서도 대국의 군주를 사위로 맞이하는 일은 불감청이언정 고소원이기에 즉각 히로에게 그의 구애에 대비하도록 준비시킨다.

한편 돈 페드로의 이복동생인 돈 존의 부하 또한 돈 페드로의 계획을 엿듣게 되어 그 소식이 돈 존에게 전해진다. 돈 존은 군주이자 형인 돈 페드로에게 반발했다가 그의 눈 밖에 난 처지인데, 클로디오가 최근 전투에서 공을 세워 돈 페드로의 총애를 받는 것 때문에 심사가 뒤틀려있다. 그런 그는 돈 페드로가 클로디오를 대신해서 구애하려 한다는 보고를 받자, 두 사람 사이를 이간질해서 결혼 자체를 망치게 함으로써 두 사람에게 앙갚음할 기회라고 판단한다.

이윽고 가면무도회가 열리자 돈 존과 그의 부하 보라치오(Borachio)는 가면을 쓴 클로디오를 알아보고 돈 페드로가 오늘 밤 히로에게 결혼을 맹세하는 것을 들었다고 그의 귀에 속삭인다. 클로디오가 자신은 베네딕이라고 답했지만 베네딕이 아닌 자신의 귀로 이 나쁜 소식을 들었노라고 쓰라린 배반감을 토로한다. 그는 돈 페드로가 히로에게 마음이 있어 구혼한 것으로 확신하면서, 사랑 앞에서 남성들의 우정은 무용지물인 만큼 대리인을 믿을 것이 아니라 자신이 직접 사랑의 고백을 해야 했다고 후회한다. 그는 "아름다움이 곧 마녀이기에 그 매혹에 맞서서는 굳은 지조도 욕정으로 녹아버린다"(2.1.167-168)라고 한탄하며 "이런 일은 다반사인데 그렇게 믿지 않을 도리가 없다"(2.1.169-170)라고 체념한다. 작금의 사태는 군주의 신임을 더욱 돈독히 하고자 군주에게 대리구혼까지 부탁한 자신이 초래한 것인데, 클로디오는 자신을 매혹했던 히로의 순수하고 아름다운 외관이 남성들을 유혹한 것이라고 히로 탓을 하기도 한다. 그가 여성의 미를 파괴적이고 부정적인 것으로 인식하는 여성 혐오를 표출하는 것은, 실제로는 히로의 정숙한 외관을 믿지 않는다는 것을 고백하고 있는 셈이다. 그래서 이후 돈 존 일당이 히로의 부정 장면을 조작하여 상연했을 때 클로디오는 그녀의 정숙한 외관 뒤의 실제 혹은 비밀이 폭로된 것에 쾌재를 부르면서 추호의 망설임도 없이 그녀의 부정을 사실로 확증할 수 있는 것이다. 그러면서 그는 "그러니 이제 모든 게 끝이오!"(2.1.70)라며 히로를 쉽게 단념해버린다.

이 대목에서 클로디오가 쉽게 히로를 포기하는 또 다른 이유는 그 자신이 돈 페드로의 인정과 보호가 필요한 이상 그와의 경쟁에서 이길 수 없음을 잘 알기 때문이다. 헤이즈(Janice Hays)에 의하면, 가면무도회에서 클로디오가 돈 페드로의 대리구혼을 지켜보는 장면은 프로이트(Sigmund Freud)가 정신분석 용어로 개념화한 "원초적 장면"을 방불케 한다. 프로이트의 원초적 장면에서 어린아이는 부모의 성행위를 목격함으로써 이상적인 부모의 사랑을 희구하는 가운데, 부모로부터 배제되고 패배했다고 느낀다. 클로디오 역시 돈 페드로의 보호를 바라면서도 그와의 경쟁에서 패배했다고 느낀다(85).

우정과 단합을 표방하는 남성 군사 집단은 클로디오의 예에서 알 수 있듯이, 그들 중 누군가 사랑에 빠지게 될 때 서로에 대한 신뢰가 쉽게 흔들리고 심지어 배반이 일어날 수 있다(Turner 24-25). 클로디오는 돈 페드로의 대리구혼을 목격하면서 자신이 돈 존의 부하에게 들은 소문을 사실로 확인하면서 배신감과 열패감을 느꼈었다. 그러나 이내 레나토가 돈 페드로의 대리구혼 의도를 확인하고서 클로디오에게 자신의 딸을 받으라고 하자, 클로디오는 순간적으로 입장을 바꿔 돈 페드로에 대한 오해를 풀고 히로를 맞이하게 된다.

잘못 들은 소동이 야기한 사태가 일단락되어 곧 혼례가 치러질 무렵, 돈 존과 그의 부하들은 본격적으로 클로디오의 결혼을 망칠 계획에 착수한다. 그들은 결혼식 전날 밤 클로디오와 돈 페드로를 히로의 침실 창가로 데려가 히로가 다른 남자와 밀회를 즐기는 장면을 목격하게 만든다. 그에 앞서 돈 존은 클로디오의 귀를 먼저 오염시키는 데 성공한다. 돈 존은 클로디오가 히로의 부정을 눈으로 확인하기 전 그 장면을 미리 상상하게 함으로써 눈으로 보았을 때 쉽게 확신하게 만드는 데 성공한다. 달리 말하자면 눈으로 듣게 하는 데 성공한 것이다. 이는 귀가 오염되면 눈으로 속게 되어 있다는 의미이다. 이때 속은 사람의 귀에 처음 들려지는 것은 잠재의식적으로 억압되었던 욕망 혹은 불안의 회귀이다. 클로디오의 경우 그가 처음 히로의 아름다움을 마녀라고 비난했을 때 이미 표출했던 억압된 여성의 섹슈얼리티에 대한 혐오가 회귀한다.

클로디오는 히로의 부정을 이미 확신하고 있기에 그에게 보이는 조작된 장면의 진위를 확인할 필요를 느끼지 않는다. 그는 자신이 보고 싶은 것만을 보는 것이다. 귀로 오염된 내용을 눈으로 확인하는 확증편향을 보여줄 뿐이다. 보고 싶은 장면을 보게 된 그는 배신감에 치를 떨며 단순히 결혼식을 취소하는 데 그치지 않고 보다 철저한 단죄를 다짐한다. 사실 히로는 사회적 중매, 혹은 심하게 표현해서 거래를 성사시키는 상품일 수 있다. 그녀에게는 중매를 훼손하거나 방해할 자격도 권리도 없다. 그렇기에 클로디오와 돈 페드로의 복수는 판매자에 해당하는 레나토에게는 물론 모든 사람에게 히로가 손상된 상품임을 천명함으로써 아예 팔 수 없는 불량품으로 낙인찍는 폭력에 불과하다. 두 사람이 히로를 공개 심판하는 대목은 그런 맥락에서 기사도를 표방하는 남성 중심 사회의 심연을 드러내는 순간이 된다. 홀린데일(Peter Hollindale)에 의하면, 이 대목에서 클로디오가 내뱉는 독한 언사에는 "메시나의 고질적 약점인 진지함을 모르는 무교양이 집약되어 있다"(12).

이윽고 결혼식 당일이 되자 클로디오는 미리 준비한 대로 거침없이 히로를 부정한 여성으로 단죄하기 시작한다. 그는 먼저 레나토에게 "친구에게 이런 썩은 오렌지를 주지 마시오"(4.1.31)라고 비난하면서, "그녀의 정조는 오로지 겉치레와 상징일 뿐이라"(4.1.32)라고 규정한다. 나아가 끔찍한 비난의 충격으로 그녀의 뺨이 붉어지자 그런 외적 변화는 모두 기만에 불과하다고 일축하면서, 한때 그를 매혹했을 법한 그녀의 홍조에 대해서 "그녀는 음탕한 침대의 열기를 알고 있으니 그녀의 홍조는 조신함이 아니라 죄라"(4.1.40-41)라고 단정한다. 딸을 창녀로 취급하는 심한 모욕에 대해 레나토는 처음에는 클로디오가 강제로 딸을 범한 것으로 짐작하면서 그럴 수 있다고 이해하려 한다. 메시나의 느슨한 성 규범을 대변하듯, 그 정도는 결혼을 약속한 사이에 충분히 있을 수 있는 일이며 결혼을 무효로 할 정도의 흠은 아니라고 옹호한다. 하지만 클로디오는 정색을 하고 자신은 진정 육체적 욕망을 배제한 정신적인 사랑을 추구했노라고 반박한다.

> 나는 결코 음탕한 말로 그녀를 유혹한 적이 없고
> 오로지 오누이를 대하듯, 수줍어하는 진지함과
> 점잖은 사랑을 보여주었소. (4.1.52-54)

성 규범이 느슨한 사회에서 혼전 순결을 지킨 것은 분명 기사도를 실천한 것으로 평가될 수 있다. 그러나 오누이의 사랑이라고 표현하듯, 결혼할 상대에게 성적 욕망을 표현한 적이 없다는 것은 여성의 성적 욕구를 혐오하고 두려워하기에 여성을 도달할 수 없는 높은 위치로 고양하는 궁정 풍 연애에서 벗어나지 못했다는 것을 의미한다. 셰익스피어는 그의 여러 희극에서 당대 궁정 귀족사회에서 유행했던 궁정 풍 연애를 일종의 퇴행성 욕망으로 희화화하거나 풍자한다. 클로디오가 표방하는 오누이 같은 사랑, 즉 관념적 사랑은 너무나 취약하여 억압된 여성의 섹슈얼리티에 대한 혐오를 쉽게 분출한다. 그는 페드로가 히로에게 대리구혼 했을 때 그녀의 아름다움이 곧 마녀라고 비난함으로써 그런 증상을 보인 적이 있다. 하지만 이번에는 훨씬 심한 자기분열의 증상을 표출한다. 히로를 응징하는 그의 언사는 거침이 없을 뿐 아니라 노골적인 성적 표현으로 충만하여 오누이 사이처럼 점잖은 사랑을 했다는 그의 말이 무색할 정도이다. 그는 히로를 "야만적 음욕을 주체하지 못해 한껏 흥분한 짐승들"(4.1.60-61)에 비유하기까지 한다. 게다가 돈 페드로까지 나서 히로를 "만인의 창녀"(4.1.65)로 규정한다. 히로를 비난하는 두 사람의 이런 언사들은 궁정 풍 연애를 표방하는 남성들이 여성을 도달할 수 없는 높은 위치로 고양하는 언사가 실제로는 성적으로 문란한 여성에 대한 두려움이나 혐오를 감추기 위한 것임을 예시하고 있다.

사태가 이 지경에 이르자 레나토는 참았던 분노를 폭발시킨다. 그렇지만 분노의 대상은 클로디오와 돈 페드로가 아니라 자신의 딸이다. 레나토가 가문의 명예와 가부장의 권위에만 집착하는 비정한 아버지로 돌변한 것이다. 그에 앞서 클로디오와 돈 페드로는 물론 돈 존까지 나서서 전날 밤 12시에서 1시 사이에 침실에 같이 있었던 남자가 누구냐고 다그친다. 히로는 그 시간에 어떤 남자와도 있지 않았다고 항변하지만, 그들은 번갈아 가면서 밀회의 장면을 목격했노라고 히로를 몰아세운다. 두 사람의 비난에 더욱더 감정이 북받친 클로디오는 최종적으로 자신이 히로의 순수한 외관에 철저하게 기만당했음을 토로한다. 그는 히로에 대해 "그대는 순수하게 보이는 불순이며 실제로 불순한 순수요!"(4.1.104)라고 규정하면서, "내 눈꺼풀 위에는 온통 불신만 걸리게 되어 아름다운 여성만 보면 유해한 생각을 떠올리게 될 것이라"(4.1.106-107)라며, 이제 그녀로 인해 다시는 사랑에 빠질 수 없게 되었다고 그녀를 원망한다. 하지만 클로디오는 이번 사태를 통해 새삼스럽게 히로가 제공하는 순수한 외관의 붕괴를 경험한 것이 아니다. 그는 돈 페드로의 대리구혼을 목격하면서 이미 여성의 순수한 외관에 대한 억압된 혐오를 표출했었다. 그렇기에 마치 새삼 트라우마를 겪는 것처럼 말하는 것 자체가 헛소동에 해당할 수 있다. 클로디오는 여성의 순수함의 이상이라는 원래 갖지도 않은 것을 잃어버린 것으로 착각하기에, 지젝(Slavoje Zizek)의 표현을 빌리자면, "상실의 상실"을 경험한 것이다(372-375).

그렇게 클로디오와 돈 페드로가 히로에게 일방적인 비난을 퍼부으며 혼례식장을 아수라장으로 만들고 떠난 뒤, 혼례를 주재했던 신부(神父)를 중심으로 히로의 누명을 벗기려는 속임수가 기획된다. 신부는 히로의 수시로 변하는 홍조를 면밀히 관찰한 결과 클로디오와는 정반대로 순수의 수치심을 읽었으며, "그녀의 눈에서 처녀의 진실에 대해 억울하게 덧씌워진 잘못을 불태우는 정화의 불을 발견했다"(4.1.162-164)라며 남아 있는 사람들을 설득한다. 사실 누구도 히로의 부정을 실제로 목격한 사람은 없다. 그녀의 부정은 무대 밖에서 이루어진 일이고 오로지 상상 속의 일이다. 부정을 목격했다고 주장하는 당사자들도 그 장면을 목격하기 전 돈 존의 말만 믿고 그녀의 부정을 상상한 것이다. 결국 모두 히로의 부정에 대한 상상에 빠져 있는 것이다. 즉, 히로의 부정에 대한 악몽을 꾸고 있는 것이다. 그렇다면 언제 그런 악몽에 시달렸느냐는 듯이 악몽에서 깨어나면 된다. 누구나 음탕한 상상을 할 수 있다. 심지어 결혼을 앞둔 신부조차도 상상 속에서 성적 욕망을 담닉할 수 있다. 신부가 억울하게 손상된 히로의 명예를 다시 회복시키는 과정은 그래서 단순히 악한 기만에 맞서는 이상으로 모두가 빠져들 수 있는 부정한 상상을 정화하는 제의로 기능할 필요가 있다. 그래야만 최종적으로 신성한 혼례를 다시 치를 수 있다.

신부가 히로의 진실을 옹호하기 시작하자 히로의 정신이 돌아온다. 이 대목에서 히로에 대한 중상모략을 바로 잡는 데 결정적인 역할을 하는 인물이 바로 베네딕이다. 그는 돈 페드로와 클로디오는 "명예를 지향하는"(4.1.186) 기사들이기에 아마도 작금의 소동을 야기한 장본인은 사생아 돈 존일 것이라고 판단한다. 하지만 무질서와 소동의 원인을 남성군인 집단 내의 불만 세력으로서 타자화되기 쉬운 사생아 돈 존에게 전가하는 것은 돈 페드로와 클로디오의 잘못에 대해 면죄부를 줄 수 있는 사회적 기제의 작동을 의미할 수 있다. 여성의 섹슈얼리티에 대한 무지와 이중 잣대로 인해 빚어진 헛소동으로 인해 남성 기사들의 명예는 분명 실추되었다. 그럼에도 불구하고 남성 기사 집단의 명예는 반드시 복원되어야 하며 그러기 위해서는 불명예를 고스란히 떠안아야 할 희생양이 필요하다. 돈 존은 바로 그런 희생양 역할을 할 뿐이다.

돈 존이 사생아라는 사실은 그를 최악의 남성으로 낙인찍는 데 있어서 중요한 의미를 지닌다. 남성 중심 사회에서 여성의 성에 대한 혐오가 집단적으로 작동할 때 사생아는 여성의 부정의 산물로 간주되어 사회적 타자로 낙인찍히기 쉽다. 그래서 사생아인 돈 존이 히로를 부정한 여자로 중상모략하는 사태에는 복잡한 함의가 있다. 돈 존의 속임수의 결과 가장 불행해지고 고통받는 대상은 그가 질시했던 클로디오나 돈 페드로가 아니라 또 다른 사회적 약자인 히로인데, 그런 결과를 예상하지 않았더라도 그는 가장 비열한 남성이 되는 것이고, 만약 그럴 줄 뻔히 알면서도 그랬다면 그는 클로디오나 돈 페드로보다 더 나쁜, 최악의 여성 혐오자로 낙인찍혀 마땅하다. 그런 그의 정치적 무의식을 굳이 옹호하자면 사회적 타자로서 그는 소위 그렇고 그런 선남선녀들 간의 결합이 자연스럽게 기존의 기득권 체제의 강화로 이어지고, 그에 따라 자신과 같은 사회적 타자들은 더욱더 배제되는 사회적 기제에 저항하는 측면이 있다. 그럴지라도 연약한 여성을 복수의 도구로 삼아 죽음에 이르게 한 그의 행위 자체는 결코 면죄부를 받을 수는 없을 것이다.

남성들이 숨돌릴 틈도 없이 히로를 단죄하고 떠난 후 남아 있는 사람들은 히로의 진실에 대한 신분의 판단을 믿고 히로의 불명예를 씻는 일에 힘을 합친다. 신부는 우선 히로가 그들의 중상모략으로 인해 사망한 것이라고 소문을 조작함으로써 가해 남성들의 후회와 양심의 가책을 이끌어내려 한다. 그들이 확신하는 히로의 부정의 진실 자체가 변경되는 것은 아니지만, 클로디오가 진정 히로를 사랑했다면 "그의 모진 말 때문에 그녀가 죽었다는 소식을 들었을 때 그녀의 생전 모습에 대한 상념이 그의 상상 속에서 아련히 떠오를 것이라"(4.1.223-225)라고 신부는 판단한다. 베네딕이 언급했듯이 클로디오와 돈 페드로가 "명예를 지향하는" 기사들이라면 자신의 속임수가 성공할 수 있으리라고 신부는 기대한다. 신부는 그들이 한때 자신들을 사로잡았던 순수하고 아름다운 여성의 이미지 혹은 여성상을 완전히 상실한 기사들이라는 사실을 일깨워주려 한다.

그렇지만 클로디오와 돈 페드로가 잠재의식적으로는 히로의 순수의 외관을 믿지 않았기에, 히로의 순수한 이미지의 붕괴로 인해 사실은 상실할 것도 없다면 히로의 이미지를 복원하려는 신부의 계획은 다른 의미를 지니게 된다. 남성들이 아는 히로의 부정에 대한 사실을 바로잡을 수는 없지만, 그들이 사실은 믿지 않았던 히로의 순수한 이미지에 다시 사로잡히게 하려는 의도인 것이다. 히로의 거짓 죽음은, 이미 대상이 상실되었지만 오히려 상실되었기에, 가해자 남성들이 더욱더 자유롭게, 순수의 외관 뒤의 실제에 대한 의심이나 불만 없이, 순수의 이미지 혹은 외관을 붙들도록 작용한다.

클로디오와 돈 페드로에게 히로가 사망했다는 소식이 전해지자 그들은 신부와 베네딕이 예견했던 대로 자신들의 언행이 지나쳤다고 후회한다. 그리하여 사태는 역전되어 레나토가 주도권을 쥐게 되고 두 사람은 레나토의 요구에 따르게 된다. 그런 와중에 우연히 메시나의 야경

꾼들에 의해 돈 존의 부하들이 체포되고, 그들의 자백으로 사태의 전모가 밝혀진다. 돈 존 일당을 체포하는 야경 대장 도그베리(Dogberry)와 그의 부하들은 극 중에서 우스꽝스러운 광대 역할을 하는데, 레나토를 비롯한 상전들의 눈에 그들은 바보스럽기만 하다. 그런 그들이 돈 존 일행이 범인임을 직감하고 체포하는 에피소드는 속고 속이는 헛소동에 빠진 상전들이 정작 바보들도 볼 수 있는 뻔한 것조차 보지 못하는 어리석음을 풍자하고 있다.

사태의 전모가 밝혀지자 클로디오는 그제야 히로의 순수한 이미지가 다시 떠오른다고 선언한다.

> 아름다운 히로! 이제 그대의 이미지가 떠오르는군요.
> 내가 처음 사랑했던 그 빼어난 모습 그대로 말이오. (5.1.245-246)

그러나 보라치오의 자백이 진행되자 클로디오는 "나는 죄를 짓지 않았소. 다만 실수를 한 것이오"(5.1.268-269)라고 변명함으로써 그에게 히로의 순수한 이미지가 복원된 것을 무색하게 한다. 사실 그렇게 한순간 신속하게 이미지가 바뀌어 상상될 수 있는지 의문인데, 히로는 클로디오의 상상에 변화무쌍하게 각인되는 이미지에 불과하며, 그의 관념과 욕망이 투사되고 각인되는 스크린에 불과한 것처럼 느껴진다.

자신의 잘못이 드러난 이상 클로디오는 신부가 연출하는 히로를 위한 장례를 성실히 수행할 수밖에 없게 된다. 그리고 그가 진정 명예를 아는 기사라면 진심으로 뉘우치고 자신에게 새삼스럽게 떠오른 히로의 순순한 이미지를 영원히 간직해야 할 것이다. 물론 클로디오와 돈 페드로가 참여하는 의례가 그들의 억압된 믿음 자체를 바꿀 수 없을지 모르지만, 그런 믿음 자체가 잘못되었다는 앎에는 이르게 할 수 있을지 모른다.

3

베네딕과 베아트리스는 셰익스피어 희극에 등장하는 커플 중 가장 매력 있는 커플로 평가된다. 그들의 로맨스와 결혼은 상대적으로 대등한 남녀관계를 바탕으로 이루어지고 있으며, 특히 그들이 주고받는 재치 넘치는 대사는 현대적인 감각에 호소함으로써 지적이고 낭만적인 분위기를 연출한다. 그러나 두 사람의 로맨스와 결혼은 클로디오와 히로의 경우와 마찬가지로 관습적인 젠더 역할에 바탕을 둔 것이다.

레나토가 "그 둘은 만나기만 하면 재치를 겨루는 전투를 벌이는군"(1.1.56-57)이라고 표현하듯이, 두 사람은 클로디오와 히로 커플과는 달리 처음부터 직접 대면하여 입씨름을 하면서 관계를 발전해나간다. 대화를 주도하는 쪽은 대개 베아트리스이고 베네딕은 대개 듣는 입장이다. 하지만 베네딕은 남의 말을 들어주는 것이 남에게 질문하는 것 못지않게 유혹적이라는 것을 입증함으로써 현대 관객들에게 어필한다. 베아트리스는 처음부터 베네딕을 "검객 나리"(1.1.28)라고 조롱하면서, 전령에게 그가 이번 전쟁에서 무슨 공을 세웠느냐고 묻는다. 전령이 그가 훌륭한 군인이라고 답하자 그녀는 "여자들 뒤꽁무니나 쫓거나"(1.1.51), 남성들 간의 변덕스러운 우정을 쫓는 인사일 뿐이라고 일축한다. 그녀는 두드러지게 관습적인 젠더 구분에 따른 성적 역할, 즉 남성

다움에 대해 조롱하지만, 쿡(Carol Cook)에 따르면, 그것은 그녀가 결국 그런 역할을 인정하고 그것에 순응하는 것으로 판명된다(190-191). 사실 그녀는 히로가 남성들로부터 중상모략 당하는 것을 지켜보면서 여성으로서의 무력감을 뼈저리게 느낀다. 그녀는 자신이 힘없는 여성이어서 클로디오를 처단할 수 없다고 한탄하면서 베네딕에게 클로디오를 죽여 달라고 요구한다. 그녀의 요구는 그녀가 유행이나 추종하는 경박한 남성들의 기사도를 조롱해왔지만, 결국에는 남성적 명예와 전사의 경쟁이라는 남성 중심 사회의 에토스 자체를 승인할 수밖에 없다는 것을 나타낸다(Holderness 86).

결혼에 대한 그녀의 냉소 역시 강렬한 욕망의 반증이 된다. 클로디오와 히로의 중매 결혼이 추진되는 동안 그녀는 처음에는 강력하게 독신 예찬과 결혼 혐오를 외친다. 그녀는 레나토가 언젠가는 너도 좋은 짝을 만나기를 바란다고 하자 "변덕스러운 흙덩이에게 자신이 인생을 맡기면서, 그 용감한 흙덩어리에게 지배당하는 것이 여자로서는 정말 상심할만한 일이 아니냐"(2.1.56-58)라고 반문한다. 반면 베네딕이 클로디오의 결혼에 대해 냉소적이었던 것과는 달리 그녀는 사촌 히로의 결혼이 성사되자 진심으로 기뻐하며 축하한다. 그러면서도 그녀는 결혼에 대한 냉소주의자로서 자신의 입지가 위축된다는 위기감을 감추지 못하기도 한다. 돈 페드로는 그런 그녀에게 "베아트리스 양, 내가 하나 구해주지"(2.1.302)라고 제안한다. 그가 선택한 어휘인 "하나"나 "구해주지"는 베아트리스 역시 평범한 여성에 불과하며, 그녀의 요구 또한 보편적이기에 즉각 충족될 수 있으리라는 그의 권위적 판단의 소산이다. 돈 페드로는 그녀가 결혼에 관심 없는 척, 결혼에 대해 부정적인 척해도 군주인 자신의 제안을 순순히 받아들일 것이라고 속단하고 있는 것이다(Levin 83). 그러나 사촌 히로의 결혼을 계기로 독신으로 남게 되었다는 자의식이 강할지라도 그녀는 그동안 자신이 누렸던 공인된 독설가로서의 역할을 포기할 생각은 없어 보인다.

히로와 클로디오의 결혼이 성사된 후 돈 페드로는 물론 공동체 전체의 다음 관심사는 베아트리스와 베네딕을 맺어주는 일이 되는데, 공동체 전체는 베아트리스가 독신주의와 냉소주의를 포기하고 베네딕과 사랑에 빠지도록 하는 유쾌한 기만에 관여한다. 그러나 그녀가 진정 베네딕과 사랑에 빠질 수 있었던 것은 두 사람이 함께 억울하게 실추된 히로의 명예를 회복시켜주는 일을 하면서 서로에 대한 신뢰가 싹텄기 때문이다. 두 사람 관계의 발전에 대해서 맥카리(Thomas MacCary)는 베네딕은 베아트리스에게서 친구와 연인의 조합을 발견하는데, 이 둘은 셰익스피어의 이전 희극에서는 분리되는 대상이었다고 지적한다(155-156). 그렇기에 두 사람은 이전 낭만 희극에서의 다른 커플들보다 폭넓은 공감과 이해를 바탕으로 상호 평등한 관계를 확립할 수 있다. 두 사람은 서로가 상대방이 상상하는 이상형이 무엇인지 파악하고 그것을 닮으려고 노력함으로써 상호 인정 욕망을 충족할 가능성도 크다고 볼 수 있다. 그렇게 되기까지 그들은 강한 자존심에 갇혀 있어, 그들 스스로 자존심을 깨고 사랑에 빠지기는 어려워 보인다.

돈 페드로는 두 사람이 자존심을 깨고 사랑에 빠지게 만들 수 있다면, "우리들이 유일한 사랑의 신이 되는 셈이라"(2.1.364)라고 대단한 일을 기획하는 것처럼 선언한다. 그의 계획이란 두 사람이 서로 사랑하고 있지만, 자존심 때문에 표현을 못 하고 있다는 사실을 서로 알게 함으로써 자존심을 버리고 사랑을 확인하게 하려는 것인데, 이는 기발한 작업이라기보다 상식적 판단에 입각한 상투적인 개입이라고 볼 수 있다. 자존심 때문에 사랑에 빠지지 못하는 두 남녀 역시 관습적인 연인에게 해당하기도 하지만, 그런 그들이 사랑으로 맺어지는 내용과 과정에는 상투적인 듯 보이면서도 사랑의 속성이나 본질을 새롭게 인식하게 하는 요소들이 있다.

먼저 남성 집단은 베아트리스가 베네딕의 사랑을 받지 못해 죽을지도 모른다는 거짓말을 베네딕이 우연히 엿듣도록 한다. 클로디오는 히로에게 들은 말이라고 하면서 베아트리스는 베네딕의 사랑을 받지 못하면 죽을지도 모른다는 말을 수차례나 한다. 그러고는 "그가 구애한다면 그녀의 습관화된 독설을 한마디라도 누그러뜨리기보다는 차라리 죽을 것이라고 했다"(2.3.171-172)라고 그녀의 자존심을 한껏 조롱한다. 닐리(Carol Thomas Neely)에 의하면 사랑을 갈구하는 여성에 대한 이런 묘사는 "여성의 굴복과 연관된 폭력과 불안을 암암리에 함축하고 있다"(49). 또한 젠더 구분에 따른 관습적 역할을 암암리에 강요하는 내용이기도 하다.

그런 사연을 엿듣게 된 베네딕은 "나를 사랑한다고? 그래, 당연히 화답해야지"(2.3.215-216)라고 다짐하고는 그동안의 독신주의를 포기하는 태도 변화를 합리화하기 시작한다. 그는 사람의 태도란 식성이 바뀌듯 바뀔 수 있다고 합리화하는 끝에, "아니 세상은 사람으로 채워져야만 해"(2.3.233)라고 결론짓는다. 그의 결론은 어쩌면 그를 결혼시키려는 돈 페드로의 기획을 대변하는 것이라고 볼 수 있는데, 베네딕이 그것을 전유한다는 것은 페드로의 기획이 성공했다는 것을 의미한다.

같은 상황에 처한 두 남녀는 각기 다른 모습을 보여줌으로써 젠더 구분에 따른 관습적 역할을 따른다. 베네딕의 경우 그는 어떻게 반응하고 어떻게 발언해야 할지를 이성적으로 결정하는 듯이 보인다. 반면 베아트리스는 솟구치는 감정에 자신을 내맡기는 감성적인 모습을 보여준다. 남성 집단이 베네딕에게 들려주는 이야기의 취지는 여성은 결코 먼저 사랑을 고백할 수 없기에 남성이 사랑을 고백하고 주도권을 쥐어야 한다는 것이다. 그에 상응하여 여성 집단이 베아트리스에게 들려주는 이야기의 취지는 베아트리스는 자존심이 너무 강해 사랑을 할 수 없다는 것이다. 즉, 사랑에 관한 한 그녀는 실제로는 무능하다는 것이다. 베아트리스는 그런 비판에 한순간 귀가 번쩍 뜨이는 듯 외친다.

> 조롱이여, 안녕, 그리고 처녀의 자존심도 작별!
> 이런 것들 뒤에는 어떤 영광도 없다.
> 그러니 베네딕, 사랑해봐요, 내 그대에게 화답하리다.
> 나의 격정적인 마음을 그대의 사랑의 손으로 길들여주세요.
>
> (3.1.109-112)

베네딕에게 자신의 격정을 길들여달라고 고백하는 그녀의 언사는 그녀가 결코 젠더 구분에 따른 관습적인 역할로부터 자유롭지 못하다는 것을 입증한다. 아울러 그동안 그녀가 유행이나 추종하는 경박한 남성 클럽의 행태를 조롱했던 이면에는 상대적으로 남자다운 남자, 즉 강건하고 늠름한 남성상에 대한 연모가 자리 잡고 있었다고 짐작할 수 있다. 남성들이 그녀가 자신들에게 독설을 퍼붓더라도 그녀를 스스럼없이 대할 수 있었던 건은 그녀의 그런 이면을 잘 알고 있었기 때문이라고 볼 수 있다. 그녀가 쓰고 있었던 냉소주의자의 가면은 남성들에게 그 속이 너무나 뻔히 들여다보이기에 결코 위협적이지 않은 만큼 가면처럼 기능하지 못했다. 남성들에게는 말이 없는 히로가 오히려 도대체 무슨 생각을 하는지, 무엇을 원하는지 알 수 없기에 의혹의 대상이 되었다.

공동체 전체가 동원된 유쾌한 기만 작전이 성공하여 두 사람은 모든 사람이 바라는 대로 연인으로 변신한다. 하지만 두 사람은 공동체적 기만의 효과를 의식하지 못하는 채, 한순간 스스로 사랑의 주체로 정립되었다고 믿는다. 하워드(Jean E. Howard)에 의하면 그렇게 두 사람은 "젠더화된 사회 질서 내의 특별한 지위로 성공적으로 호명된 것이다"(178). 그들이 공동체가 원하는 연인으로 변신한 것에 대해 하워드가 알튀세(Louise Althusser)의 호명 개념을 적용한 것은 타당해 보인다. 알튀세의 호명 개념이 불가피한 것을 자유롭게 선택하는 행위로부터 주체가 출현하게 되는 것을 의미하는바, 객관적으로는 연인이 될 수밖에 없는 상황임에도 불구하고 두 사람은 자신들의 선택 때문에 그렇게 된 것으로 믿음으로써 사랑의 주체로 정립되기에 호명된 것에 해당한다고 볼 수 있을 것이다. 셰익스피어 희극에서 공동체의 축복 속에 이루어지는 젊은 남녀의 결혼은 이처럼 알튀세가 말하는 대타자에 의한 개인의 호명의 적절한 예에 해당한다.

남다른 사리분별력이 있고 자존심이 강해서 결코 사랑에 빠질 것 같지 않았던 두 사람이 그렇게 쉽게 속아 넘어간 것은 근본적으로 서로에 대한 관심과 애정이 있었기 때문이다. 그렇다면 그들은 다른 사람들에게 속음으로써 결국 자신들의 사랑에 속지 않게 된 셈이다. 그들의 사랑은 그렇게 사랑에 관한 한 속지 않는 자가 속는 법이며, 또한 역으로 속는 자가 궁극적으로 속지 않는 법이라는 이치를 깨우쳐준다.

그들의 사랑은 히로의 시련과 명예 회복의 과정을 함께하면서 무르익지만 동시에 시험에 들기도 한다. 베네딕은 히로 때문에 상심하고 있는 베아트리스를 위로하면서 새삼 사랑이 솟아나는 것을 느끼는 듯, "이 세상에서 내가 당신보다 더 사랑하는 것은 없는데, 참 이상하지 않느냐"(4.1.266-267)라고 고백한다. 그러나 베아트리스는 베네딕이 진정 자신을 사랑한다면 "클로디오를 죽일 것"(4.1.288)을 요구한다. 그녀는 자신이 남자가 아니어서 클로디오에게 결투를 신청하지 못하는 것을 한탄하면서, 베네딕이 자신을 대신해서 클로디오에게 결투를 신청할 것을 요구한다. 이 대목에서 그녀가 다시 한번 여성으로서의 한계를 인정하자 히로의 명예와 관련된 여성적 이슈는 남성적 명예와 남성들 사이의 경쟁이라는 남성적 가치로 재기입된다(Holderness 84-86).

베네딕은 억울하게 누명을 쓴 연약한 여성을 위해 가해자 남성 동료 집단을 배반함으로써 오히려 기사도를 실천하지만, 그것을 말이 아닌 행동으로 입증하는 과정에서는 어려움을 겪는다. 진지한 것과는 거리가 먼, 즉 경쾌한 위트로 다른 동료들에게 어필하는 그가 갑자기 심각한 표정과 몸짓으로 클로디오에게 결투를 제안했을 때 클로디오와 페드로는 그것을 농담으로 받아들인다. 그래서 베네딕의 결투 제안은 오히려 웃음거리가 되고 마는데, 그가 전전긍긍하면서 미션 수행의 어려움을 겪는 동안 다행히 사건 해결의 실마리가 제공되어 그의 기사도 시험은 불발된다. 하지만 남성 공동체가 내적 모순과 분열을 드러내면서 시험당할 또 다른 기회는 사라지고 현상 유지를 할 수 있게 된다.

4

클로디오와 돈 페드로가 히로에 대한 추모의 예를 다하고, 헛소동의 전모가 밝혀짐으로써 클로디오는 다시 혼례를 치를 자격을 얻게 된다. 하지만 클로디오를 비롯한 메시나 사람들은 마치 악몽에서 깨어난 것처럼 원래 예정되었던 혼례가 어떻게 깨어졌는지를 잊어버린 듯한 분위기를 연출한다. 혼례는 재개되지만 클로디오가 자신의 잘못을 진심으로 뉘우침으로써 새신랑의 자격을 획득했는지는 여전히 의문이다. 그는 혼례가 시작되기 전 다른 남성들과 여전히 성적 농담을 주고받다가, 안토니오가 가면을 쓴 두 명의 신부를 데리고 등장하자, "여기 결정해야 할 문제가 또 있군. 내가 취해야 할 신부가 어느 쪽입니까?"(5.4.52-53)라고 묻는다. 새신랑으로서는 물론 기사로서 품위와 거리가 먼 그의 언행은 애초 그가 중매 결혼을 원했던 때의 경박함과 속물근성을 결코 버리지 못하고 있다는 것을 입증한다. 그러면서 그는 신부에게 얼굴을 보여달라고 청하다가 레나토에게 제지당한다. 그의 이런 행태는 사실 그로서는 매우 굴욕적인 조건을 어쩔 수 없이 받아들이고 있다는 심사를 반영하고 있는 듯이 보인다.

이윽고 히로가 가면을 벗고 자신의 정체를 밝히자, 클로디오는 "또 다른 히로라니!"(5.4.62)라며 경악을 금치 못한다. 그러자 히로는 "한 사람의 히로는 중상모략을 당해 죽었지만 저는 살았지요, 정말 확실하게 살았지요, 저는 처녀랍니다"(5.4.63-64)라고 자신의 상징적 죽음과 소생의 의미를 말한다. 그녀의 등장에 돈 페드로가 경탄하자 레나토는 "전하, 그 아이에 대한 중상모략이 살아 있는 한 그 아이는 죽은 것이지요"

(5.4.66)라며 사람들이 히로에게 덧씌운 부정한 히로의 이미지는 문자 그대로 날조된 허구였노라고 선언한다. 히로의 명예 회복을 선언하는 그의 논법은 그러나 역설적으로 여성의 명예나 진실은 남성들의 욕망과 환상, 그리고 담론에 의해 구성된다는 것을 암시한다. 아울러 히로는 특별히 클로디오의 잘못 때문에 죽은 것이라기보다 그것과는 관계없는 이유들 때문에 죽은 것처럼 들리는 효과를 자아낸다.

레나토가 혼례를 치르기에 앞서 혼례를 주재할 신부와 함께 히로의 시녀인 마가렛(Margaret)이 돈 존의 부하인 보라치오에게 이용당한 잘못을 지적하면서도, 클로디오와 돈 페드로는 죄가 없었다고 결론짓는 것도 같은 맥락이다. 신부가 기획했던 거짓 의례의 궁극적 목적은 물론 클로디오에게 히로를 다시 줄 수 있는 상황을 만드는 것이다. 그래서 공동체 전체가 클로디오의 죄를 돈 존과 그의 부하에게 전가함으로써 클로디오를 사면시키는 데 암묵적으로 동의한다. 결국 히로는 그녀의 상징적 죽음을 통해, 그리고 사생아 돈 존은 공동체의 죄를 떠안음으로써, 즉 각기 희생양과 공공의 적으로서 메시나 남성 공동체의 에토스를 보존하는 수단으로 쓰이는 셈이다(Cook 198-199). 그렇게 남성 공동체의 현상 유지를 위한 기제가 작동함으로써 남성 공동체의 에토스는 보존되지만, 히로와 클로디오의 관계 자체가 성숙해졌는지는 의문이다. 클로디오에게는 그간의 일들이 깨어나면 그만인 악몽에 불과할지라도 히로의 이미지가 그렇게 한순간 바뀔 수 있다면 도대체 그에게 히로의 실제는 무엇인가라는 의문은 여전히 남기 때문이다. 마찬가지로 한순간이라도 악몽을 떨쳐버리려는 필사적인 노력을 했었는지에 대한 의문이 제기된다.

클로디오와 히로 커플과 함께 혼례를 치르게 될 베네딕과 베아트리스이지만 혼례를 치르기 직전까지도 그들은 늘 그래왔던 것처럼 끝까지 자존심을 내세우며 주도권 싸움을 벌인다. 그런 그들을 지켜보던 사람들은 그들이 몰래 상대방에게 사랑을 고백한 편지들을 공개함으로써 자존심 대결을 중단하고 공개적으로 상대방의 사랑을 받아들이게 만든다. 자신이 베아트리스에게 보낸 연서가 공개되자 베네딕은 "기적이군! 어떻게 우리 손이 우리 마음과 따로 놀았을까?"(5.4.91-92)라며 계면쩍어하지만, 사랑의 진실이란 표현하고 행동하는 가운데 드러나는 것이라고 한다면 그는 실제로 베아트리스를 사랑하고 있다고 고백한 셈이다. 서로의 진실이 확인되어 이제 혼례를 치르는 마당에 더 이상의 입씨름은 필요 없고 오직 사랑의 행위만 필요하다는 듯 베네딕은 베아트리스의 입을 키스로 봉한다. 이후 그녀의 목소리는 들리지 않고 베네딕의 목소리만 들리게 되는데, 그렇게 키스와 함께 침묵 당함으로써 베아트리스가 결혼을 거부하면서 두려워했던 불평등이 시작된다(Neely 56). 애초에 돈 페드로가 베아트리스에게 신랑을 하나 구해주겠다고 제안했던 의도가 그녀의 독신주의를 단념시키려는 것이었던 만큼 그 목적은 달성되었고, 그녀 역시 관습적인 성 역할에 순응할 수밖에 없는 만큼 침묵을 지킨다. 하지만 베아트리스와 마찬가지로 결혼에 대해서 냉소적이었던 베네딕은 결혼하게 된 것을 축복으로 여기면서도 결혼의 현실에 대한 불안과 회의를 감추지 못한다.

돈 페드로는 마침내 자신의 의도대로 두 사람이 결혼하게 되자 그들이 성공적으로 호명되었음을 선언하듯, "그래, 어떠신가 베네딕, 드디어 결혼한 남자여?"(5.4.98)라고 묻는다. 이에 베네딕은 "인간이란 원래 변덕스러운 존재들이지요"(5.4.107)라고 화답한다. 이 대목에서 그는 자신도 자신의 변화를 완전히 이해할 수는 없지만, 어쨌든 결혼을 함으로써 그래도 보다 바람직하게 변화한 것 같고 보다 지혜로워진 것 같으니, 그것이 곧 축복이 아니겠느냐고 자신을 설득하고 있는 것처럼 보인다. 그러나 자신이 맞이한 상황이 여전히 어색하고 불편한 듯, 혼례를 치르기에 앞서 다 같이 춤이나 즐기자고 제안한다.

베네딕의 제안에 대해 포터(Nicholas Potter)는 "그는 아마도 마침내 그가 받아들여야 할 삶을 에워싸고 있는 세상사의 불확실성에 대해 슬프게 찬미하는 것"(61)이라고 분석한다. 아울러 춤을 추면서 파트너들이 회전하고 바뀔 때마다 우리는 결혼에도 불구하고 인간의 욕망은 안정되지 않으며 흔들릴 수 있다는 느낌을 받을 수 있다. 그러나 마지막 대목에서의 춤은 가면무도회의 춤과 달리 상대가 누구인지 알면서 추는 춤이다. 그렇기에 가면으로 자신을 감추면서 가면 뒤 타인의 정체에 사로잡힐 필요는 없다. 적어도 형식적으로 그들은 있는 그대로의 외관이 아닌 가면 뒤의 실제나 비밀에 사로잡히는 편집증에서는 일시적으로 해방된 것처럼 보인다.

그래도 남성들은 여전히 그들의 느슨한 성 규범을 고수하는 성 담론에 여념이 없다. 그러니 한바탕 헛소동을 겪고서 두 커플의 혼례를 치르는 마당에 여전히 넘쳐나는 그들의 성 담론이 더는 남성의 지배와 능력을 의미하기보다 오히려 무능력의 표징으로 느껴진다. 결혼당사자들은 더는 남성 클럽의 일원으로 남을 수 없게 된 아쉬움을 달래려는 듯, 또한 결혼 생활이라는 미지의 세계에 대한 두려움을 떨치려는 듯 여전히 남성 클럽의 구성원인 것처럼 성 담론을 늘어놓는다. 극 중의 노래는 이런 남성들을 영원한 기만자라고 부정적으로 칭하면서 여성들에게 그런 남성들로 인해 불행에 빠지지 말고 인생을 즐기라고 권한다.

> 아가씨들이여 더 이상 한숨짓지 말아요.
> 남자들은 언제나 사기꾼이랍니다.
> 한 발은 바다에, 한 발은 육지에 담그고
> 결코 어느 쪽에도 한결같은 법이 없으니까요.
> 그러니 그렇게 한숨짓지 말고,
> 즐겁고 쾌활해지세요,
> 고통의 모든 소리들을
> 헤이 노니 노니로 바꾸면서요. (2.3.62-69)

셰익스피어의 여러 낭만 희극과는 달리 혼례식을 치르기 전에 한바탕의 춤으로 극이 마무리되지만, 그들의 춤은 한순간 모든 근심과 걱정을 초월하는 유토피아를 일별케 하는 해방의 카니발과는 거리가 멀어 보인다(Drakakis 72-73). 헛소동이라는 셰익스피어 희극 가운데 가장 허무주의적 타이틀에 걸맞게 극은 결혼 이후의 불안정하고 불확실한 삶에 대한 일별로서 결혼의 해피엔드를 유보함으로써 남녀의 로맨스와 사랑에 대해 가장 망상 없는 전망을 전개하고 있다.

5

남녀가 사랑에 빠져 결혼에 이르는 과정에서 일어날 수 있는 헛소동을 그린 이 극은 로맨스와 결혼의 내용이나 과정이 다른 두 쌍의 이야기를 하면서, 남녀가 사랑에 빠지고 결혼하는 이치가 혹시 기만과 착각은 아닌지 묻고 있다. 극의 주 플롯을 구성하는 히로와 클로디오의 에피소드는 소위 궁정 풍 연애가 중매 결혼으로 귀결되는, 가장 반낭만적인 내용을 전개한다. 그들의 사랑과 결혼은 여성을 대상화, 상품화하는 전형적인 경우로서 여성의 정조를 절대적으로 요구한다. 따라서 히로가 정숙하지 않은 여성으로 판명될 경우, 신랑은 물론 결혼을 주선한 군주와 신부의 소유권을 가진 신부의 아버지가 피해당사자가 되는 공동체적 소동이 발생하게 된다. 공동체적 소동은 애초에 군인 집단의 상명하복 문화가 군주로 하여금 신하를 대리해서 신부에게 구혼하게 하는 사태를 초래함으로써 비롯된다. 이 기이한 사태로 인해 남성 군사집단의 내적 모순과 취약성은 드러나게 마련인데, 이 사태는 남성 집단 내부의 불만 세력들이 준동할 빌미를 제공한다. 그들은 군주와 신랑에게 그들이 날조한 신부의 부정한 증거를 사실로 믿게 하는 데 성공한다. 그리하여 결국 여성들의 섹슈얼리티에 대한 남성들의 이중 잣대, 즉 모순된 인식이 시험당하게 된다. 그리하여 결국에는 히로의 부정이 사실이 아닌 것으로 밝혀질지라도, 히로는 억울한 누명을 쓴 채 공동체의 소생을 위해 상징적인 죽음을 겪어야 하는 희생양 역할을 해야 한다. 악의적 기만에 맞선 정당한 기만이 결국 승리하고 히로가 억울한 누명을 쓴 것이 밝혀지면서, 그녀의 정조를 둘러싼 남성 공동체의 소동은 아무것도 아닌 일 때문에 법석을 떤 헛소동으로 판명된다. 하지만 보다 근본적인 헛소동은 남성들이 사실은 여성의 순수한 외관을 믿지 않으면서 여성의 순수한 외관을 상실했을 때 마치 트라우마를 겪는 것처럼 반응하는 것이다. 그렇다면 사실 남성들이 여성들에게 기만당한 것이 아니라 여성들이 남성들에게 기만당한 것이라는 역설이 성립된다. 극 중에 삽입된 노래는 그래서 여성에게 남성은 영원한 기만자임을 상기시킴으로써 헛소동이라는 극의 타이틀을 보충하기도 한다.

베데딕과 베아트리스 커플의 사랑과 결혼은 클로디오와 히로 커플의 경우와는 다른 차원에서 기만의 역설을 입증한다. 그들의 경우는 절대로 결혼하지 않겠다는 남녀의 가장 상투적인 거짓말이 자기기만으로 귀결되는 예를 제공한다. 이들의 에피소드는 또한 자존심이 강해서 사랑을 표현하지 못하는 남녀가 다른 사람들의 도움, 즉 선의의 기만에 의해 서로 사랑을 확인하게 됨으로써 결국은 자기기만에서 벗어나는 예를 제시한다. 그리하여 남녀의 사랑에 관한 한 속는 자가 속지 않는 법, 속지 않으려는 자가 속는 법이라는 기만의 역설을 입증한다. 한편 그들은 부지불식간에 공동체 구성원들의 기대대로 관습적인 연인 역할을 충실히 수행함으로써 사랑에 빠지고 결혼하게 되는 것이 또한 사회에 의해, 혹은 대타자에 의해 호명되는 경지임을 입증한다.

두 커플이 기만과 착각에 의해 사랑하고 결혼하게 되는 이야기를 통해 극은 마지막으로 도대체 결혼의 의미가 무엇인지 묻는다. 이 물음에 대해 베네딕은 인간은 알 수 없는 이상한 존재이지만 어쨌든 세상은 남녀의 결혼으로 사람들이 채워져 지속되어야 한다고 답한다. 그의 답이 사랑과 결혼은 결국 헛소동이라는 전망을 보충하는 것이라면, 이 극은 셰익스피어 희극 가운데서 가장 허무주의적인 동시에 망상이 없는 전망을 제시하고 있다고 볼 수 있다. 결혼과 더불어 여성들은 침묵하는 반면 남성들은 결혼과 더불어 직면하게 될 새로운 현실이 불편하지만,

겉으로는 여전히 변한 것이 없다는 듯 혼례식 대신 춤이나 즐기자고 제안하거나 성적 농담을 즐기는 호기를 부린다. 남성들의 이런 행태는 결혼에도 불구하고 인간의 욕망은 결코 안정되지 않을 것이며, 또한 여성의 부정에 대한 불안에서도 벗어날 수 없다는 씁쓸한 인식에서 비롯된 것처럼 보인다.

인생이 근본적으로 헛되고 헛된 것이라면, 한때의 열정으로 결혼하는 일 역시 헛된 일일 것이다. 그럼에도 그런 열정에 빠져 결혼을 해보지 않으면 인생이 헛된 줄을 어찌 알 수 있으랴? 극은 결혼하는 평범한 남녀들을 위한 이런 넋두리를 들려주는 듯하다.

제4장

『좋으실 대로』 경제적 교환의 이상과 동화적 해결의 문제

한때 행복한 나날을 보내셨다면,
종소리가 교회로 이끄는 곳에서 사셨다면,
훌륭한 사람들의 연회에 초대받아 자리하셨다면,
눈시울을 적시는 눈물을 닦으신 일도 있으시다면,
동정을 주고받는 것도 아시리라 믿습니다.
(2.7.113–117)

1

『베니스의 상인』의 동화 같은 이야기를 통해 도래할 본격적인 자본주의 시대의 실상을 그려보았던 셰익스피어는 불과 몇 년 뒤에 쓴 것으로 추정되는 『좋으실 대로』(1599-1600)에서는, 경제적 교환이 지배하는 각박한 자본주의 세상을 살아가는 사람들의 지친 마음을 달래주고 희망을 줄 수 있는 또 다른 동화를 전개한다. 셰익스피어 희극의 전성기를 보여주는 극으로 평가되는 『좋으실 대로』는 춤과 노래를 비롯한

다양한 제의가 파스토랄(pastoral, 전원극)과 잘 어우러진 낭만 희극이지만, 재산과 권력, 그리고 신분을 둘러싼 사회적 갈등을 다룬 사회극의 면모도 갖추고 있다. 그래서 몬트로스(Louise Montrose) 같은 평자는 극의 첫머리에서 주인공 올랜도(Orlando)가 맏형 올리버(Oliver)에게 재산과 교육받을 권리를 빼앗긴 것에 항의하는 내용으로부터 당시 영국에서 시행되었던 장자상속제도와 관련된 문제들의 재현을 읽어내기도 하고(31), 윌슨(Richard Wilson)의 경우 극의 주 무대가 되는 아든(Arden) 숲의 다양한 극적 기능을 중심으로 당시 영국 사회의 인클로저 운동을 둘러싼 사회적 갈등의 재현을 읽어내기도 한다(4-6). 그러나 "비록 재산상속에 관한 정치적 암시들 이상의 것이 이 전원극 같은 이야기에 주입되어 있을지라도 올랜도의 이야기는 장자상속제의 법들보다는 동화적 논리를 따른다"라는 가버(Marjorie Garber)의 반론처럼, 암시된 사회적 갈등들은 동화처럼 해결된다. 바라는 대로 이루어진다는 의미와 마음대로 받아들이라는 의미를 담은 극의 제목처럼, 『베니스의 상인』에서와는 달리 이 극에서는 재산과 권력을 둘러싼 사회적 갈등들이 사회적 소외나 배제를 야기하지 않으면서 원만히 해결된다. 극에서 재산 및 신분과 관련된 올랜도 형제간의 갈등, 그것과 맞물리는 통치 권력을 둘러싼 공작 형제간의 갈등은 우여곡절 끝에 올랜도와 전 공작의 딸 로잘린드(Rosalind)의 결혼이 성립함과 동시에 해결된다. 우여곡절의 주 내용은 물론 빼앗긴 형제들의 선한 품성이 빼앗은 형제들을 뉘우치게 하는 동화의 사연들이다. 주인공 올랜도는 당연히 어질고 착한 성품을 타고났거니와 그런 불운을 딛고 과감히 운명에 도전함으로써 결국 지혜로운 공주를 아내로 맞이하는 보상을 받게 된다. 이런 동화 같은 이야기는 타락한 세상으로부터 도피할 수 있는 외부가 존재하리라는 환상을 충족시키는 아든 숲을 배경으로 성립될 수 있다.

동화 같은 해피엔드가 도출되기까지의 우여곡절에는, 즉 인물들의 결정적 선택들에는 일관된 패턴이 있다. 선한 인물들인 빼앗긴 사람들은 타락한 현 세상을 개탄하면서 좋았던 옛 태평성대를 동경한다. 그리고 궁극적으로 가해자들을 교화하는 그들의 선행은 좋았던 옛 세상에서 추구되었던 재산과 권력의 이상적 교환을 실천하는 것이다. 극에서 묘사된, 빼앗긴 사람들이 개탄하는 타락한 현 세상의 모습은 나름대로 초기 자본주의 사회로 진입한 당대 영국의 실제를 반영하고 있다. 반면 그들이 동경하는 좋았던 옛 세상은 초기 자본주의 시대 도래 이전 아득한 옛날의 농업 공동체 시대에 해당한다. 셰익스피어는 마음 깊은 곳으로부터 아득한 과거 자신의 고향 근처의 아든 숲에서 실현된, 그리고 어쩌면 현재는 영국이 아닌 이국의 아르덴(Ardennes)에서나 실현될 수 있는, 헨리 8세에 의해 시작된 종교적 격변 이전의 유기적 공동체를 회상하고 있는지도 모른다(Milward 121).

고진(Karatani Kojin)의 구분에 따르면, 자본주의 혹은 산업화 시대 이전 아득한 옛날의 농업 공동체는 증여와 보답에 의한 상호수혜의 교환 이념을 따랐다(200-211, 275-276). 주인공들이 동경하는 좋았던 옛 세상은 곧 인간의 영성이 살아 있고, 인정이 넘치는 세상으로 묘사되는데, 이는 자본주의 혹은 산업화 시대 도래 이전의 이상적 농업 공동체를 상정한 것이라고 볼 수 있다. 이 극의 동화 같은 해피엔드는 그런 좋았던 옛 세상을 동경하는 등장인물이 그런 옛 세상의 교환 이념을 솔선수범함으로써 도출된다. 그런 만큼 극은 증여와 보답을 통한 상호수혜의 교환을 플롯의 구성원리이자 주제로 삼고 있다.

지금까지의 문제 제기를 바탕으로 이 글은 극이 표방하는 동화적 논리가 자본주의 시대 이전 아득한 옛날 농업 공동체의 교환 이념과 일치하는 것으로서, 초기 자본주의 시대의 사회적 갈등이 '모두가 좋으실 대로' 해결될 수 있는 유토피아를 지향하고 있음을 다루게 될 것이다. 그렇지만 '모두가 좋으실 대로'는 결국 주인공 올랜도가 좋으실 대로에 초점 맞춰질 수밖에 없으며, 사회적 박탈과 저항의 아이콘처럼 보였던 주인공 올랜도가 아든 숲에 이르러 로빈 후드(Robin Hood)의 길을 따르지 않고 유유자적한 로맨스를 구가한 끝에, 공주를 아내로 맞이하여 왕국의 후계자가 되는 동화 같은 해피엔드에는 지배층의 헤게모니 강화를 위한 논리가 함축되어 있음을 밝힐 것이다. 반면 여성 주인공들의 역할은 본질적으로 결혼을 통해 재산과 권력의 교환을 성립시키는 매개의 역할에서 벗어나지는 않지만, 그 과정에서 비록 제한적일지라도 기존 체제의 대안이 될 수 있는 삶의 가능성을 보여줄 뿐 아니라 남성들보다 합리적이고 진일보한 교환을 실천하고 있음을 제시할 것이다.

2

극은 선친의 유언을 둘러싼 형제간의 갈등과 반목이라는 흔한 모티브로 시작한다. 주인공 올랜도는 자신을 믿고 따르는 늙은 하인 아담(Adam)을 상대로 돌아가신 아버지의 유언을 지키지 않는 맏형 올리버의 부당한 처사에 대해 참고 참았던 불만을 폭발시킨다.

아담, 내 기억으로는 아버님께서 변변찮은 돈이지만 내 몫으로 천 크라운을 남긴다는 유언을 해놓고 돌아가셨어. 그리고 자네 말대로 아버님께선 큰형에게 축복을 주시면서 나를 훌륭히 양육하도록 당부하지 않으셨나. 그런데 나의 불행이 바로 거기서 시작된 거라고. 나의 작은 형 제이크스는 대학에 다니게 해주어서, 들리는 말로는 뛰어난 성적으로 올리고 있다는 거야. 그런데 내 신세는 이게 뭐냐 말이야. 형이란 자는 나를 촌뜨기로 그냥 집구석에 처박아두고 있어. 아니, 더 정확히 말해서 나는 아예 개무시당하고 있다고. 이게 어디 양반다운 교육이라 할 수 있겠나. . . . 이러니 내가 매우 상심할밖에. 그렇지만 난 아버님의 훌륭한 정신을 이어받았다고 자부하고 있어. 그 정신이 지금의 노예나 다름없는 머슴살이에 반항하기 시작한 거야. 이제 나도 더는 참지 못하겠어. 그렇다고 당장 뾰족한 수가 있는 것은 아니지만 말이야.

(1.1.1-18)

귀족다운 교육과 재산에 대한 올랜도의 요구는 역설적으로 귀족이라도 적절한 재산과 교육 수준을 갖추지 못하면 귀족 대접을 받지 못하는 세태를 반영하는 면이 있다. 이는 영국 사회가 초기 자본주의 사회로 진입함에 따라 사회적 유동성이 커지고, 그에 따라 귀족과 평민의 구분이 흐려지는 현상과 함께 지배층 내에서 신분의 분화가 발생했던 당대의 현실을 반영한 것이라고 볼 수 있다. 귀족 가문 자제이지만 재산도 없고 교육도 받지 못해 농사꾼이나 다름없는 올랜도의 처지는 그런 지배층 내의 신분 분화의 한 예에 해당한다. 그리고 올랜도와 같은 처지의 젊은이들은 당연히 아버지의 정신을 이어받아 양반다운 양반이 되려는 소망을 품었을 법하다.

유산 상속을 둘러싼 올랜도 형제의 반목은 왕국의 통치권을 둘러싼 공작 형제들의 반목과 겹쳐지는데, 공작 형제들의 경우 피해자와 가해자의 역할이 형과 동생으로 뒤바뀐다. 이런 역할의 교차는 재산과 권력을 둘러싼 형제간의 다툼이 장자상속제와 같은 사회제도에 기인하기보다는 타고난 심성에 기인하는 것으로 느끼게 하는 효과가 있다. 그러나 한편, 재산과 권력을 둘러싼 형제간의 다툼이 세상에 만연한 듯한 느낌을 주기도 한다. 그런 취지에서 올리버의 "새 궁정에 새로운 소식이 없느냐"(1.1.95)라는 질문에 씨름꾼 찰스는 낡은 이야기뿐이라고 답한다.

> 궁궐에 새 소식은 없으나 묵은 소식이라면 있지요. 전 공작께서는 아우님인 새 공작에게 추방당했지요. 그런데 전 공작님을 존경하는 귀족들 서너 분이 그분을 따라 자신해서 추방 길에 올랐답니다. 그분들의 토지와 수입이 자연 새 공작님을 더욱 윤택하게 할 것인즉 새 공작님으로서는 그분들의 추방 길을 기꺼이 허락하셨죠.
>
> (1.1.98-104)

찰스가 말하듯, 권력과 재산을 둘러싼 형제간의 다툼이 새롭게 일어났다고 해도 그런 일은 세상이 바뀌어도 언제나 있는 묵은 소식일 뿐이다. 그런가 하면 사람들은 그런 일이 있을 때마다 세상이 타락했다고 개탄하면서 그렇지 않았던 시절을 그리워하는 경향이 있다.

올랜도의 하인 아담이 올리버의 집을 "도살장"(2.3.27)이라고 개탄하듯, 혈연의 유대가 끊어지고 충성과 봉사는 합당한 보답을 받지 못하며 몰락한 자는 추방당하고 나이 든 사람들은 경멸당하는 세상은 명백히 전도된 세상이다(Ornstein 141). 이런 세상을 피해 전 공작이 아든 숲으로 도피한 것처럼, 올랜도와 아담도 여기 아든 숲으로 도피하게 된다. 이때 아담이 자신이 평생 모든 새경을 내놓으면서 올랜도를 따르려 하자 아담의 충직함에 감격한 올랜도는 아담을 좋았던 옛 세상의 화신으로 칭송해 마지않는다.

> 아, 정말 훌륭한 노인이구려, 옛사람들은 종살이를 해도
> 보수보다 충성을 위해서 봉사했다고 하지요.
> 일편단심 변함없었던 옛사람의 봉사를 바로
> 노인에게서 찾아볼 수 있군요. 노인께서는 요즘 세태와는
> 맞지 않는 분이시오. 땀도 출세를 위해 흘리고,
> 출세하기가 무섭게 일하기를 외면해버리는
> 세상이니 말입니다. (2.4.56-61)

올랜도가 개탄하는 작금의 세태는 바로 이해관계가 모든 것을 지배하는 세상, 소위 초기 자본주의 시대의 세태인 반면, 그가 칭송하는 아담의 미덕은 곧 일방적 증여에 의한 상호수혜적 교환의 실천이라고 볼 수 있을 것이다. 아담은 자신이 평생 모은 새경을 올랜도에게 일방적으로 증여하면서 그에게 늙고 병든 몸을 의탁한다. 그리고 올랜도는 그에 대한 보답으로 비록 주인 신분이지만 그를 업기도 하고 심지어 그를 살리기 위해 강도행각도 불사하려 한다. 그럼으로써 그들은 상호수혜적 관

계, 즉 봉건적인 쌍무관계를 실천하게 된다.

그러나 그런 현실을 피해 숲으로 도피하지 못하는 찰스 같은 평민은 숲으로 망명하는 지배층들을 부러워하는 한편, 고단한 현실을 사는 그들에게 위안을 줄 수 있는 전설적 영웅을 동경하기도 한다. 그런 취지에서 찰스는 아든 숲에서의 공작 일행의 삶을 로빈 후드의 전설과 연관 짓는다.

> 풍문엔 . . . 그들이 영국의 옛 로빈 후드처럼 지낸답니다. 하루가 멀다 하고 많은 젊은 양반들이 모여들어 태평성대를 즐기는 것처럼 근심 걱정 없이 시간을 보내고 있다고 합니다. (1.1.90-93)

셰익스피어가 참조한 원전의 배경이 딱히 영국이 아닌 만큼(Latham 35-46), 이 대목에서 아든 숲이 특별히 영국의 로빈 후드 전설과 연관되는 것에서 우리는 이 극의 정치적 함의를 읽을 수 있다. 찰스가 전하는 풍문의 핵심은 대중에게 친숙한 의적 로빈 후드를 상기하는 것인데, 벨지(Catherine Belsey)에 따르면 그것은 여러 문화와 텍스트로부터 도출된 참조들이 혼합되고 충돌하여 새로운 맥락에서 의미를 생산하는 예에 해당한다(27-28). 벨지의 지적처럼, 찰스가 전하는 아든 숲에서의 태평성대는 일반 대중의 역사적 기억의 선택과 조합의 산물이다. 평범한 사람들은 각박한 세상을 피해 근심 걱정 없이 살 수 있는 곳으로 도피할 수 있기를 꿈꾸는 한편, 그렇지 못한 현실을 살아가면서 그런 현실을 바꿀 수 있는 혁명적 지도자를 대망하기도 한다. 로빈 후드 전설의 환기는 사회적 박탈과 불운을 겪고 있는 올랜도의 미래의 향방과 좌표를 암시한다. 윌슨에 의하면, "로빈 후드는 서로 다른 방향을 지향하는 사회적 이해관계가 교직 되는 하나의 이데올로기적 기호"(11)이다. 극은 아든 숲으로 도피한 지배층들이 꿈꾸는 태평성대는 로빈 후드의 삶과 다를 수밖에 없다는 것을 입증함으로써 이데올로기적 지향을 분명히 한다. 그것은 투쟁과 혁명에 의하지 않고서 사회적 갈등과 모순이 해결될 수 있는, 동화에서나 가능한 전망의 모색이다.

극의 여주인공들은 이렇게 남성들이 사로잡혀 있는 타락한 현세와 좋았던 옛 세상의 이분법을 뛰어넘는 대안이나 전망을 부분적으로 구현한다. 재산과 권력을 둘러싼 사회적 갈등 역시 여주인공 로잘린드가 주도하는 올랜도와의 로맨스를 통해서 해결된다. 올랜도는 마침 궁정에서 열리는 씨름 시합에 참가하게 되는데, 그 시합은 그의 인생의 향방을 일시에 틀게 하는 계기가 된다. 맏형 올리버가 올랜도를 괘씸하게 여겨 씨름꾼 찰스에게 올랜도를 아예 불구로 만들어달라고 부탁했지만, 올랜도는 오히려 그 시합에서 승리하게 된다. 그로 인해 올랜도는 아든 숲으로 도피할 수밖에 없는 상황에 내몰리게 되지만, 씨름 시합은 그에게 로잘린드를 만나는 행운을 가져다준다. 올랜도는 자신의 씨름 시합을 관람하는 로잘린드 공주에게 첫눈에 반해, "오 가엾은 올랜도, 나가떨어진 자는 바로 너로구나! 찰스보다 훨씬 약한 분에게 정복당하고 말았구나"(1.2.249-250)라며 로잘린드 공주에 대한 열정이 그의 인생을 좌우하게 될 것이라고 토로한다. 로잘린드 역시 자신의 신분에 개의치 않고 "아까 시합은 정말 잘하셨어요. 그런데 쓰러뜨린 건 적수만이 아니었습니다"(1.2.243-244)라며 그에게 끌리는 마음을 과감히 표현할 뿐 아니라 목걸이를 증정하기도 한다. 그리하여 올랜도의 소망을 충족하는 희극의 서사는 자연스럽게 '로맨스가 필요해'라는 낭만 희극의 문법을 따를 것임을 암시한다. 올랜도는 사회적 박탈과 저항의 아이콘에 해당하지만 결코 의적 로빈 후드가 될 운명이 아닌 것이다.

로잘린드는 아버지 전 공작이 삼촌 프레데릭 공(Duke Frederick)에게 왕위를 빼앗기고 아든 숲으로 망명을 떠나면서 홀로 삼촌이 통치하는 궁정에 남겨졌다. 그 결과 미래의 왕위계승권은 프레데릭의 딸이자 그녀의 사촌인 실리어(Celia)에게 넘어가게 되지만, 실리어는 아버지의 결정과는 상관없이 언니 로잘린드에게 왕위계승권을 되돌려주겠다고 약속한다. 그녀의 약속은 다소 즉흥적이고 감정적으로 보이기도 하지만, 그녀가 마지막에 결국 궁정으로 돌아가지 않고 모든 상속을 포기하며 올리버와 함께 아든 숲에서 살기로 결정하기에 진정성이 있는 것으로 여겨진다. 이런 양보 혹은 포기의 실천은 사실 이미 전 공작에 의해 시작된 것으로 볼 수 있다. 그는 동생에게 빼앗긴 왕위를 되찾기 위해 투쟁하는 대신, 기꺼이 자발적 망명을 택했다. 그 결과 종국에는 동생이 다시 왕위를 포기하고 아든 숲의 망명자가 되는 교환이 성립되게 된다. 즉, 두 형제간에 증여와 보답에 의한 상호수혜의 교환이 성립된 셈이다. 아버지들 사이의 증여와 교환이 그야말로 일방적인 데 비해, 실리어의 증여 혹은 양보는 처음부터 잘못된, 부당한 수혜임을 분명히 인식하고 그것을 원상회복하기 위한 증여라는 점에서 더욱 진일보한 합리적이고 윤리적인 증여에 해당한다고 말할 수 있을 것이다.

궁정의 정치적 이해관계를 초월하여 옳고 그름을 판단하고, 때로는 정치적 기득권 따위는 던져버릴 수 있는 실리어의 정신은 전 공작이 정치 투쟁을 포기하고 숲에서 유유자적하는 대안적 삶을 추구하는 것과 일맥상통한다. 그러나 두 여성은 자신들의 안전을 위하여 변장할 수밖에 없었고, 공작 일행과 달리 처음부터 양치기들과 어울려 생활하게 됨으로써 궁정적 삶의 양식과 시골 삶의 양식이 한데 어우러지는 독특한 양식을 구현할 수 있게 된다. 두 여성이 추구하는 삶의 양식은 물론 근본적으로 소위 파스토랄 문학의 주제인 '유유자적함'(otium)의 추구에서 벗어나는 것은 아니지만, 귀족 남성들의 전유물처럼 여겨지는 유유자적함이 귀족 여성에게 해당하는 판본을 가질 수 있다는 것을 입증한다.

궁정 풍 삶의 양식과 숲의 삶의 양식 간의 대조는 두 여성 간 변장의 대조에서 이미 시작된다. 로잘린드는 실리어보다 키가 크다는 이유로 사냥도구로 무장한 남성으로 변장하고, 조브 신의 시동인 개니미드라는 신화적 이름을 차용함으로써 궁정 귀족으로서의 정체성을 유지하려 한다. 반면 실리어는 "나는 남루하고 천한 옷차림에다 얼굴엔 흙칠을 할 테야"(1.3.107-108)라며 천한 신분으로 변장하는 것을 마다하지 않는다. 또한 그녀는 신화적 이름을 차용한 로잘린드와 달리 "이제부터는 실리어가 아니라 외톨이라는 뜻에서 엘리너라고 불러줘"(1.3.124)라고 선언하는데, 이는 더 이상 프레데릭 공의 딸로서 호명된 역할을 하지 않겠다는 것을 의미한다. 즉, 그녀는 다른 사람처럼 행동하기를 선택하는 것이 아니라 아예 다른 사람이 되기를 선택한 것이다. 시걸(Janna Segal)에 따르면 그녀가 천하고 남루한 복장을 하고 얼굴에 암갈색 흙칠을 한 것은 당대 관객들에게는 집시 되기를 연상케 하는 것이어서, 사회계급은 물론 인종의 경계를 전복하는 의미가 있을 뿐 아니라, 아든 숲을 배경으로 활동했던 의적 로빈 후드 민담을 능가하는 범법과 부랑을 참조하게 하는 면이 있다(10-11). 그러나 비록 그녀의 변장이 궁정 귀족의 정체성과 특권의 포기를 의미한다고 할지라도 정작 그녀는 숲에서의 생활을 위해 보석과 돈을 챙길 만큼 현실적이어서 이후 농장을 사들여 경영을 하는 등, 결코 집시의 파격적인 삶을 살지는 않는다. 다만 그녀가 올리버와 함께 궁정 귀족으로서의 모든 기득권을 포기하고 결혼하여 아든 숲의 시민으로 살기로 결정하는 것은 파격이 아닐 수 없다.

3

권력투쟁을 포기하고 아든 숲으로 망명한 전 공작과 그를 추종하는 귀족들의 삶은 찰스가 풍문으로 전했던 내용과는 분명 상이하다. 그들은 로빈 후드처럼 활동하지도 않으며, 풍문처럼 젊은이들이 그들 주변에 구름처럼 모여들지도 않는다. 그렇더라도 태평성대를 즐기는 것처럼 근심 걱정 없이 시간을 보내는 행태만은 풍문과 일치한다. 전 공작은 지금의 삶이 궁정에서의 삶보다 훨씬 즐겁고 보람 있는 삶이라고 그의 신하들에게 설파한다. 가령 그는 자신의 부하들을 "나의 망명 살이의 동지요 형제들"(2.1.1)로 칭하면서 자신들의 현재의 삶을 예찬한다.

> 속세와 멀리 떨어져 온갖 사람들로부터 방해받지 않는 우리의 이런 삶은 수목에서 말을 듣고 흘러가는 개울물을 책으로 삼고, 작은 돌에서 신의 말씀을 듣고, 삼라만상에서 선을 발견하지 않소.
>
> (2.1.15-17)

그러자 공작의 신하 에미언즈(Amiens)는 "공작님이야말로 행복이 무엇인지를 잘 아시는 분입니다. 냉혹하고 무정한 운명을 이렇게 고요하고 멋진 모습으로 바꿔놓으셨으니 말입니다"(2.1.18-20)라고 화답한다.

이 대목에서 우선 공작이 신하들을 부르는 호칭이 "동지들"인 것에 주목할 필요가 있다. 라이언(Kiernan Ryan)에 의하면 이런 호칭은 분명 기존의 위계질서에 바탕을 둔 에토스를 전복시키는 의미로 쓰인 것으로서 셰익스피어 극에서는 희귀한 경우이다. 그리고 그런 에토스의 전복은 주인인 올랜도가 기진맥진한 하인 아담을 업고 등장하는 장면으로 이어진다(221-222). 공작이 추구하는 숲에서의 삶이 궁정의 음모와 암투로부터 자유로운 삶, 즉 정치적 야심을 버리는 삶인 만큼, 궁정의 위계질서를 타파하는 호칭의 사용은 그런 삶의 실천하는 예라고 볼 수 있다. 한편 에미언즈가 자연의 혹독한 역경을 멋진 스타일로 바꿔놓을 수 있는, 즉 담론화할 수 있는 공작의 교양과 지성을 찬미하는 것에서는 그들이 궁정의 정치 현실에서 벗어난 자연의 삶을 예찬하면서도 역설적으로 양치기들과는 다른 궁정 귀족으로서의 정체성을 재확인하려 한다는 것을 알 수 있다.

공작이 추구하는 삶은 현실 도피에 불과하다고 비판할 수 있다. 그러나 공작이 정치적 투쟁 대신 숲으로 물러나는 길을 택한 것은 권력을 빼앗고 빼앗기는 싸움이 언제나 백성들의 삶을 도탄에 빠뜨리는 이전투구가 되어왔다면, 차라리 아예 그런 싸움에서 자신을 빼버리는 선택, 그렇게 함으로써 어디서부터 잘못되었는지 근본적으로 성찰할 여유를 갖는 선택을 하는 것이 더 나은 선택이라고 믿기 때문일 수도 있다. 정치적 욕심을 버림으로써, 차라리 아예 양보함으로써, 빼앗길 것을 빼앗으려는 자에게 기꺼이 증여함으로써 언젠가는 빼앗은 자가 그 일방적 증여의 깊은 뜻을 헤아리고 상호수혜의 교환으로 화답하기를 기대할 수 있는 것이다. 그것은 물론 사회적 실제가 아닌 그렇게 믿고 싶은 동화적 상상일 수 있지만, 동화에서는 신실한 믿음이 이루어지기 마련이다.

그렇게 유유자적하는 교양 있는 지성인들에게도 생존을 위한 경제 활동은 피할 수 없는 현실이다. 그들은 먹을 것을 구하기 위해 사냥하고 채집할 수밖에 없다. 그들은 공동으로 사냥을 하고, 공동으로 식탁을 준비하고 나누는, 이른바 옛 세상의 농업 공동체 모델을 재현하려 한다. 그러나 공작 캠프의 일원인 제이퀴즈(Jaques)는 그들의 사냥에 대해 신랄하게 비판한다. 사실 사슴을 사냥하는 것은 귀족들에게는 익숙한 특권적 레저요 스포츠였다. 또한 그들이 택한 숲이라는 공간도 이전부터 사냥의 특권을 누릴 수 있었던 왕령지일 수도 있다. 그렇다면 그들이 사냥하는 모습은 마치 레저를 위해 숲을 방문한 것과 같은 느낌을 줄 수 있다(Latham 24). 그런 느낌을 냉소주의자 제이크스는 숲의 "찬탈자나 폭군에 불과하다"(2.1.61)는 비난으로 대변한다.

제이퀴즈의 그런 냉소주의를 무색하게 하거나 상쇄하는 기능을 하는 것은 에미언즈가 담당하는 노래인데, 그의 노래는 공작 캠프의 유유자적하는 삶을 대변한다. 에미언즈는 공작과 마찬가지로 "불어라, 불어라 겨울바람아, 너 아무리 몰인정한들 배은망덕보다 더하겠느냐" (2.7.174-176)라고 탐욕과 배신, 그리고 음모가 판을 치는 현실 정치의 타락을 주제 삼되, "숲에서의 삶은 즐겁기 짝이 없네"(2.7.123)라며 그런 삶에서 벗어난 자신들의 유유자적한 삶을 찬미한다.

그러나 숲에서의 유유자적한 삶을 예찬하는 그들의 노래와 담론이 여전히 궁정의 정치 현실에 사로잡혀 있는 것은, 그들은 항상 돌아가야 할 궁정의 현실을 염두에 두고 있으며, 따라서 억압된 것으로서 정치적 욕망은 반드시 되돌아와 그들의 의식을 분열시킨다는 것을 의미한다. 그럴지라도 그런 태도를 보이는 노력 자체를 단순히 위선으로 간주할 필요는 없다. 우드브리지(Linda Woodbridge)에 따르면, 당대의 파스토랄이 추구하는 탈 세속성은 초기 자본주의 사회의 조악한 물질주의를 비판하는 하나의 양식이다. 자신들의 문화 바깥으로 나가는 것은 자신들 문화의 문제점들을 분석하기 위한 전제조건일 수 있는 것이다(203-204). 공작과 그의 신하들은 궁정의 정치 현실로부터 물러나 숲에서 대안적 삶을 모색하는 가운데, 궁정의 정치 현실에 의해 왜곡되고 훼손되었던 궁정 귀족의 지성과 교양을 회복할 수 있으리라 기대한다.

하지만 막상 올랜도가 굶주림에 지쳐 사경을 헤매는 아남을 살리기 위해 칼을 들고 자신들의 주연을 침범하자, 공작 일행은 그들이 잊고 있었던 각박한 현실과 대면하게 된다. 공작은 올랜도의 난폭한 침범에 대해 "그쪽에서 힘이 아니라 공손하게 간청하면 우리도 친절히 도와줄 게 아닌가"(2.7.102-103)라고 점잖게 설득한다. 그러자 올랜도는 칼을 내려놓으면서 "그렇게 친절하게 말씀하시다니, 저의 무례를 용서하십시오. 저는 여기엔 야만인들만 사는 줄 알았습니다"(2.7.106-107)라고 사과한다. 올랜도가 그렇게 쉽게 설득된 것은 그가 어진 성품을 타고난 탓도 있지만, 공작이 "예의바름", 즉 귀족다움을 강조하는 순간, 귀족 태생이라는 자부심이 일깨워졌기 때문이라고 볼 수 있다. 공작이 지향하는 유유자적하는 삶이란 바로 어떤 경우에도 사람으로서의 도리를 벗어나지 않는 귀족적인 삶이기도 하다. 귀족 교육을 받지 못한 올랜도가 공작의 풍모와 언행에 감화되어 양반답게 처신하는 것에서 우리는 첫 대목에서부터 강조된 양반으로서의 자질 혹은 자격에 대한 정의를 다시 한번 확인하게 된다. 올랜도의 언행이 입증하듯, 양반으로서의 자질은 후천적으로 습득되는 것 이상으로 타고난다는 것이다.

올랜도는 자신이 처음 본 공작 일행의 모습이 "유유자적 세월 가는 줄 모르는"(2.7.112) 사람들 같았다고 하면서, 그런 사람들이 살았을 법한 좋았던 옛 세상을 환기한다.

> 한때 행복한 나날을 보내셨다면,
> 종소리가 교회로 이끄는 곳에서 사셨다면,
> 훌륭한 사람들의 연회에 초대받아 자리하셨다면,
> 눈시울을 적시는 눈물을 닦으신 일도 있으시다면,
> 동정을 주고받는 것도 아시리라 믿습니다. (2.7.113-117)

올랜도가 가정법으로 상기시키는 내용을 공작은 그대로 반복하면서 그런 좋았던 옛 시절이 있었다고 화답하는데, 두 사람이 공유하는 좋았던 옛 세상의 기억은 한마디로 사람들의 인정과 사랑이 넘치는 태평성대이다. 칼을 들고 침범한 올랜도를 인정으로 맞이하여 음식을 나누는 공작 일행의 삶도 그가 회상하는 좋았던 옛 세상의 삶과 본질적으로 다르지 않다. 그들이 음식을 공동으로 마련할 때 자연의 생명체에서 음식을 구하지만 먹을 만큼 준비하고, 그런 가운데서 나누어야 할 이웃과 나눈다면 그들은 좋았던 옛 세상의 공동체를 복원하고 있는 셈이다. 올랜도의 눈에 비친 그들의 유유자적해 보이는 외관은 바로 그러한 소박한 공동체적 삶의 실천이 풍기는 아우라인 것이다.

그러나 그들이 지향하는 옛 세상의 공동체적 삶은 그들만의 것으로 제한되기에, 한때 권력을 가져본 귀족들을 위한 에토스로 볼 필요가 있다. 숲을 생업의 터전으로 살아가는 양치기들이 직면한 현실은 공작 일행의 유유자적한 삶과는 거리가 멀다. 아든 숲에서 양치기들을 먼저 만난 로잘린드와 실리어는 양치기 코린(Corin)으로부터 부재지주에게 착취당하는 고단한 현실을 알게 된다.

> 하지만 저는 남에게 고용된 양치기입니다.
> 내가 먹이는 양의 털 하나나도 내 마음대로 깎지 못하는 처지죠.
> 주인이란 작자는 성품이 되게 인색해서
> 환대를 베풀어 천당에 가볼 생각은
> 털끝만큼도 없는 위인이죠. (2.4.76-80)

궁정이 아닌 시골에서도 올랜도와 공작이 상기했던 좋았던 옛 세상의 전통적 환대와 인정은 사라진 지 오래고, 대신 계약 관계에 따른 이윤 추구와 착취가 지배하는 것이 현실이다. 공작 일행이 실험하는 유유자적하는 소박한 공동체적 삶은 그들만의 것으로서 이런 양치기들의 현실에 영향을 미치지 못한다. 부재지주들이 인클로저를 통해 숲의 경제를 장악하는 현실에서 그들에게 고용된 양치기들이 기대하는 것은 그나마 탐욕스럽지 않은 주인을 만나는 행운이다.

그래도 양치기의 삶에 대해 자부심을 느끼는 코린은 로잘린드와 실비어를 따라 숲으로 오게 된 궁정 광대 터치스톤(Touchstone)이 시골 양치기들의 삶을 얕잡아 보자, 소박하지만 부끄러워할 것도 없고 부러워할 것도 없는 양치기의 삶을 옹호한다.

> 나는 진짜 막일꾼입니다. 먹는 것은 소인이 벌고, 입는 것도 소인이 마련하고, 원한도 안 사고, 남의 행복을 시샘하지도 않습니다. 남의 기쁨을 함께 기뻐하고 저에게 해되는 일들은 참고 견디지요.
>
> (3.2.62-65)

코린이 말하는 물욕, 명예욕, 권력욕으로부터 자유로운 양치기의 삶은 바로 공작 일행이 표방하는, 욕심을 버린 유유자적하는 삶, 즉 안빈낙도하는 삶과 본질적으로 같은 것이다. 그러나 이미 언급했듯이 인클로저를 시행하는 부재지주들의 무자비한 이윤추구로 넉넉한 시골 인심이 파괴되고 그 결과 공동체가 해체되고 있는 현실에서 코린이 표방하는 양치기의 삶이 온전하게 실현되기는 어려워 보인다. 그렇기에 그도 어쩌면 공작이나 올랜도와 마찬가지로 자본주의의 도래 이전 좋았던 옛 세상에 대한 동경을 표현하고 있는지도 모른다.

올랜도의 처지 역시 양치기들의 신세나 다를 바 없었으나 공작을 만남으로써 유유자적하는 귀족적 삶을 표방할 수 있게 된다. 공작이 올랜도를 캠프의 일원으로 받아들인 것은 물론 그의 성품을 인정했기 때문이지만, 올랜도의 선친이 과거 공작의 총애를 받았던 신하였음이 밝혀졌기 때문이기도 하다. 그 결과 공작이 올랜도의 후견인이 됨으로써 올랜도가 공작의 사위가 될 수 있는 기반이 자연스럽게 마련된다. 그리고 공작 캠프의 일원이 된 올랜도와 로잘린드의 로맨스가 본격적으로 시작된다.

공작 캠프의 일원이 된 올랜도가 세상만사를 잊은 듯, 오로지 로잘린드를 향한 연정에 사로잡히자 아든 숲은 본격적인 로맨스의 터전이 된다. 사태의 중심에 서서 로맨스를 주도하는 쪽은 로잘린드이고 공작과 그의 캠프는 배경으로 물러나게 된다. 올랜도가 구현할 것으로 예상되었던 로빈 후드 역할도 마치 그녀에게 할당된 듯, 로잘린드는 자유분방하게 기존의 남성 중심의 궁정 풍 연애를 비판하면서 남녀 간의 상호 신뢰와 평등에 기초한 보다 진일보한 로맨스를 구가하려 한다. 그녀는 숲에 당도하여 처음부터 사랑에 빠진 양치기들의 모습을 보았고 또한 자신에 대한 올랜도의 사랑을 확인하였다. 그러나 남장을 하고 그런 광경들을 목격하게 된 그녀는 자신도 사랑의 바이러스에 감염되었지만, 그런 내색을 하지 않고 일정한 거리를 두고 모든 사람의 연애에 개입할 수 있게 된다. 그리하여 그녀는 남장의 이점을 이용하고 자신의 능력을 최대한 발휘하여 자신의 로맨스를 온전하게 실현하는 것은 물론, 관련된 여러 쌍의 결혼을 성립시키는 역할을 성공적으로 수행한다. 무엇보다도 그녀는 판에 박은 궁정 풍 연애를 비판하는 반낭만적이고 우상 파괴적인 전망을 지닌 현대적 여성의 모습을 보여주기도 한다. 그러나 결국 그녀가 마법을 구사함으로써 꼬인 관계들이 해결되는 것은 동화적 비약에 해당하기는 하지만, 로잘린드와 올랜도는 셰익스피어의 다른 희극에서처럼 자신들의 의지와 상관없는 초자연적인 요소들이나 이런 저런 음모에 의해 사랑에 빠지지 않고 상호 자유롭게 열린 눈으로 자신들의 욕망을 실현한다(Nevo 180). 그럼에도 불구하고 동화의 논리에 상응하는 낭만 희극의 문법은 어떤 이해관계로부터도 독립적인 젊은 남녀의 순수한 사랑이 가족 관계의 회복은 물론 재산과 권력을 둘러싼 반목과 갈등을 해결할 수 있음을 입증한다.

남녀관계의 본질에 관해서는 실제 사랑에 빠진 로잘린드가 주로 반낭만적 견해들을 피력하지만, 남녀관계를 교환관계와 다름없는 것으로 파악하는 실리어의 전망이야말로 현대적으로 보인다.

> 그뿐만 아니라 연인의 맹세란 선술집 급사의 말과 다를 바 없어요.
> 쌍방이 다 틀린 계산서를 가지고 억지를 쓰는 격이라고요.
>
> (3.4.27-29)

남녀관계란 끊임없이 등가 교환을 추구하지만, 결코 등가 교환이 성립되지 않는 비대칭의 교환관계임을 암시하는 그녀의 비유는 분명 현대적 감각에 호소하는 바가 있다.

로잘린드의 경우 올랜도의 구애를 받아주는 연애 교사 역할을 하면서 그를 상대로 관습적인 궁정 풍 연애를 비판한다. 그녀는 사랑 때문에 죽은 전설적인 연인들인 트로일러스와 크레시더나, 히로와 레안더의 사연은 모두 허구이며, "남자들이 차례로 죽어서 구더기 밥이 되어왔지만, 사랑 때문에 죽은 사람은 한 명도 없어요"(4.1.101-102)라고 주장한다. 그녀의 전망을 매우 현대적인 것으로 공감하는 여성 배우들의 목소리에 따르면, 그녀는 낭만이 존재하지 않는 것을 개탄하지 않는다. 그녀는 사랑에 관한 낭만주의 전체가 허구임을 폭로한다. 그리고 여성들도 그들의 결점, 인간다움이 허용되어야 한다는 것을 올랜도에게 말하고 있는 것이다(Rutter 111).

그러나 그런 로잘린드도 올랜도와 헤어지고 실리어와 남게 되면 연인을 기다리며 초조해하는 모습을 감추지 못한다. 그녀는 연애 수업이 절정에 이르러 올랜도와의 가상결혼식까지 치르게 되지만, 그런 직후 올랜도가 공작의 초대를 받아 두 시간 동안 떠나있겠다고 하자 초조함을 감추지 못한다. 초조하게 올랜도를 기다리던 그녀는 올리버가 올랜도 대신 온 사연을 소개하면서 올랜도의 피 묻은 손수건을 약속 이행의 증거로 제시하는 순간 기절하고 만다. 이 대목에서 로잘린드가 기절하는 것은, 벨지에 따르면, 사랑에 깊이 빠진 낭만적인 주인공 로잘린드와 사랑은 단지 광증이라고 주장하는 남성 페르소나 개니미드의 분리와 불연속에 따른 긴장이 한계에 이르렀기 때문이다(24). 이 순간 그녀는 분명 사랑에 빠진 연약하고 여성스러운 동화의 여주인공의 모습을 보여준다. 하지만 이후 그녀는 자신의 남장이 야기한 혼란스러운 상황을 모두가 좋으실 대로 해결하는 마법의 능력을 보여주면서 기적과 동화의 세계로 인도하는 신과 같은 역할을 하기도 한다.

4

로잘린드의 마법으로 여러 쌍의 결혼이 동시에 이루어지게 되지만 올리버와 실리어의 결혼은 로잘린드의 마법에 영향을 받지 않으며, 오히려 올랜도와 로잘린드의 결혼을 촉진하는 계기로 작용한다. 올리버는 실리어의 원래 신분도 모른 채, 그녀를 숲에 사는 농장 주인으로 알면서, 첫눈에 반해 그녀와 함께 아든 숲에서 같이 살기로 결심한다. 그런 선택은 차가운 언덕배기에 잠을 자본 적이 없고, 풍찬노숙해본 적도 없으며, 양치기의 험한 노동은 아예 해본 적이 없는 궁정 귀족의 관념적, 감상적 선택일 수 있다(Ornstein 144). 그러나 올리버와 실리어 모두 자신들이 누렸던 신분과 재산의 수혜를 포기함으로써 상호수혜의 도리를 다하는 선택을 한 것으로 볼 수 있다. 두 사람의 결혼은 일종의 파격에 해당하는데, 이후 전 공작이 자신의 지위를 되찾아 최종적으로 기존 사회의 계급구조를 재확인하려 할 때 그 계급구조가 불안정하며 틈새가 있다는 것을 입증하는 역할을 한다(Segal 15).

반면 로잘린드와 올랜도의 결혼은 남장한 로잘린드가 원래의 그녀로 돌아오는 마법 아닌 마법을 빌려 이루어지는 가운데 마법이 자아내는 동화적인 외관에 의해 그 정치적 함의가 은폐되기 쉽다. 마법을 행하기에 앞서, 로잘린드가 "만약에"(ifs)의 어법으로 아버지 공작과 올랜도에게 원래의 로잘린드가 나타났을 때 결혼을 성사시키겠냐고 묻자, 아버지 공작은 "여부가 있겠나, 내가 여러 왕국을 갖고 있어 딸과 함께 모두 주는 한이 있더라도 말일세"(5.4.8)라고 화답하고, 올랜도는 "물론이오, 내가 모든 왕국의 왕이라고 해도 로잘린드를 아내로 삼겠소"(5.4.10)라고 화답한다. 두 사람이 로잘린드의 가정법에 가정법으로 화답하는 내용이 공통적으로 왕국을 가진 왕이었기를 바라는 것은, 공작은 언제나 왕으로 돌아가기를 꿈꾸고 있었으며, 올랜도 역시 신분 상승 욕에 사로잡혀 있었다는 것을 의미하는 듯하다. 그들의 가정법은 억압된 그들의 무의식적 욕망의 회귀를 증명한다. 전통적인 왕정 사회에서 공주의 결혼은 결코 순수한 사랑의 문제일 수 없으며, 국가의 미래가 걸려 있는 고도의 정치적 문제이다.

관련된 사람들이 그렇게 무의식적 소망을 투영하여 로잘린드의 제안에 화답한 후, 잠시 퇴장했던 로잘린드는 혼례의 신 하이먼(Hymen)을 대동하고 본래의 모습으로 나타난다. 하이먼은 “땅 위의 모든 일이 원만히 화합할 때 하늘에도 기쁨이 넘친다”(5.4.107-109)라며, 앞으로 그가 주관하게 될 혼례가 관련 당사자들의 합의와 조화로 성립되리라는 것을 선언한다. 그리하여 혼례 당사자들은 물론 무대 위의 인물들 모두 자신들 눈 앞에 펼쳐진 일련의 사건이 그들의 이해를 넘어서는 기적이요, 하늘의 뜻이라고 받아들이면서 오로지 행복한 혼례를 축하하는 일에 몰두할 무렵, 때마침 무대 밖에서도 그에 화답하는 기적 같은 일이 발생한다. 그 무렵 무대에 등장한 올랜드의 둘째 형 제이크스의 전언에 따르면, 군사를 이끌고 아든 숲에 당도한 프레데릭 공이 한 노수도사를 만나 문답을 나눈 뒤 크게 회개하여 모든 계획을 포기하고 속세를 떠날 결심을 하였다는 것이다. 그리고 추방한 형님께 모든 것을 양노하고 유랑 중인 귀족들에게도 몰수한 토지를 다시 돌려드리기로 했다는 것이다.

전 공작은 마치 그런 사태를 예견하고 있었던 듯이 차분히 그 소식을 받아들이면서 그에 합당한 조치를 취한다.

> 그대는 형제 두 사람의 결혼식에 훌륭한 선물을 가져왔구려.
> 한 사람에게는 몰수당한 토지를, 또 한 사람에게는
> 전 영토를, 그리고 강력한 왕국을 선물로 가져왔소이다.
> 우선 이 숲에서 잘 시작하여
> 잘 맺어진 사랑에 결말을 지읍시다.
> 그런 연후 나와 함께 밤낮으로 어려운 나날을
> 견디어온 분들 모두에게 이제 나에게
> 되돌아온 이 행복한 기쁨을 각기

지위에 합당하게 같이 나누도록 합시다.
하나 우선은 되찾은 지위를 잠시 잊어버리고
이 시골 잔치를 마음껏 즐깁시다. (5.4.166-176)

공작은 두 사람의 결혼에 때맞춰 그에 합당한 지참금이 마련된 것을 사필귀정인 것처럼 받아들이면서, 그들의 결혼이 숲에서 맺어진 순수한 사랑의 결실임을, 처음부터 재산과 신분의 이해관계를 초월한 사랑이었음을 강조한다. 그러니 되찾은 권력과 재산의 분배는 잠시 미뤄두고 지금은 숲에서 이루어진 아름다운 결혼을 마음껏 축하하자고 마무리한다. 순수한 사랑과 지참금 문제를 분리하는 공작의 발언은 반어적으로, 지참금을 고려하지 않은 순수한 사랑은 반드시 그에 합당한 지참금으로 보답받는다는 동화적 논리를 강조하는 듯하다. 그리고 모든 것이 자신이 바라는 대로 원상회복된 마당에, 망명을 통해서 그가 덤으로 얻은 것은 왕국의 미래를 이끌어 갈 강건한 사위, 즉 후계자를 얻은 것이다. 그로서는 과거의 왕국을 되찾은 기쁨 못지않게 왕국의 미래를 얻은 기쁨을 표현하는 것이 당연해 보인다.

공작이 언젠가는 모든 것이 원상회복될 것이라는 믿음으로 기다리는 태도를 보였다는 것은 그의 망명이 돌아갈 정치 현실을 염두에 둔 기획 망명이었다는 것을 말해준다. 그는 일방적인 증여 후 인내와 기다림을 실천하였고, 그 결과 일방적 증여는 보답으로 이어져 결국 상호수혜의 교환이 성립된 것이다. 그래서 냉소주의자인 제이퀴즈도 "공작님의 인내와 인덕의 결실이라고 생각합니다"(5.4.186)라고 마지막으로 공작이 듣고 싶었던 덕담을 건네게 된다.

하지만 최종적으로 궁정으로 복귀할 사람과 숲에 남을 사람들이 결정되는 순간 궁정에는 아무도 없게 된다. 이런 종결은 권력의 재개, 혹은 책임 있는 공적 봉사로의 회귀가 아니라 사랑의 세계 속에서 항상 행복하게 사는 것에 주안점을 두는 듯하다(Woodbridge 209-210). 궁정으로 돌아가는 사람들과 역할을 교환하여 숲에 남기를 선택한 프레데릭 공과 제이퀴즈의 경우가 말해주듯, 여전히 아든 숲은 세상사에 지친 사람들을 치유하고 대안적 삶을 제공하는 동화의 세상으로 남아 있다. 그러나 궁정으로 돌아갈 사람들이 혼례잔치를 즐기면서 여전히 행복의 숲에 머물러 있는 결말은 혼례와 함께 이루어진 재산과 권력의 교환과 분배는 잊어버려야 할, 혹은 가려져야 할 누추한 현실임을 암시한다고 볼 수 있다.

원래 가졌거나 가져야 할 것을 되찾은 사람들은 다시 궁정으로 돌아가게 되고 원래 자신의 것이 아니었던 것을 되돌려준 사람들은 아든 숲에 남게 됨으로써 아든 숲을 배경으로 증여와 보답에 의한 상호수혜의 교환은 완성된다. 그러나 올랜도가 누리게 될 수혜는 일방적 증여에 의한 상호수혜를 초월하는, 그야말로 잉여, 혹은 대박의 성격이 짙다. 그에 합당하게 그의 성공담은 남성 신데렐라 이야기를 구성한다. 귀족 교육을 받지 못했고, 재산도 물려받지 못해 농사꾼이나 다름없었던 올랜도가 오히려 귀족다운 인품과 자질을 입증하여 공주를 아내로 맞이하는 사연을 과연 관객들은 당대 영국 사회의 불합리한 신분 질서에 새로운 변화가 일어날 가능성의 암시로 받아들일 수 있었을까. 각박한 세상살이에 지친 사람들에게 동화 같은 이야기가 갖는 소위 치유의 기능을 논외로 하자면, 올랜도의 성공담은 비현실적인 예외로서 오히려 당대의 관객들에게 상대적 박탈감을 안겨주는 억압적 신화로 비칠 수 있다. 동화 논리가 사회적 문제나 갈등이 로빈 후드로 대변되는 반체제적 저항에 의하지 않고서도 해결될 수 있는 대안 논리로 제시됨으로써, 기존 지배층의 기득권과 헤게모니 재장악을 위한 정치적 전망을 함축하고 있는 것으로 해석될 여지가 크다. 왜냐하면 올랜도와 로잘린드의 결혼이 본질적으로 과거의 연고를 매개로 계층을 이루는 신분 사회이자 전통 사회로의 복귀를 의미할 수 있기 때문이다.

5

셰익스피어는 인클로저로 대변되는 초기 자본주의의 조악한 물질주의로 인해 공동체적 가치가 해체되는 현실을 목격하면서 아득한 과거 자신의 고향 근처 아든 숲에서 실현되었을 것으로 상상되는, 인간의 심성이 아직은 물질적 가치 대신 영적 가치를 추구했던 농업 공동체를 동경했을 법하다. 이 희극은 그런 좋았던 옛 세상에 대한 동경과 향수로 충만하다. 극의 무대가 되는 아든 숲은 아득한 옛날 좋았던 세상, 즉 이상적 농업 공동체에 대한 역사적 기억에 부합하는 장소로서, 초기 자본주의의 도래로 타락한 현 세상의 외부를 구성한다. 그럼으로써 실제라기보다 우리가 그렇게 되기를 바라는 일들이 벌어지는 동화의 무대가 된다. 그곳에서는 타락한 현 세상에서 빼앗기고 박탈당한 사람들이 조악한 물질주의에서 해방된 소박한 삶, 나아가 유유자적한 삶을 살 수 있다. 아든 숲으로 도피한 전 공작을 비롯한 궁정 귀족들은 교양과 지성의 가치를 새삼 되새기며 유유자적한 삶을 통해 타락한 현실이 파괴한 공동체적 가치를 복원할 수 있으리라 믿는다. 그런 믿음에 화답하듯, 빼앗고 내쫓은 가해자들이 그곳에 당도하는 순간, 자신들의 탐욕으로부터 홀연 해방된다. 그 결과 애초에 사람들을 아든 숲으로 도피하게 만들었던 재산과 권력의 교환과 분배를 둘러싼 갈등은 저절로 해결된다. 조악한 물질주의가 선이나 덕, 그리고 박애와 같은 가치의 실현으로 극복되는 동화의 논리가 펼쳐지는 것이다.

하지만 이런 동화의 논리에는 지배층의 헤게모니 재장악을 위한 이데올로기가 함축되어 있으며, 그것은 극의 표제인 "좋으실 대로"를 특히 주인공 올랜도가 '좋으실 대로'로 해석할 때 가장 잘 드러난다. 올랜도는 귀족 가문의 자제이지만 재산과 교육받을 기회를 박탈당해 농사꾼이나 다름없이 살아왔다. 그는 교육받은 궁성 귀족들보다 너 훌륭한 인품과 자질을 갖추고 있지만, 타락한 세상에서는 훌륭한 됨됨이가 오히려 박해의 원인을 제공할 뿐이다. 올랜도는 사회적 박탈과 저항의 아이콘이 될 수 있기에 그가 아든 숲으로 도피했을 때 옛날 로빈 후드의 길을 따르리라 기대되었다. 하지만 그는 아든 숲에서 전 공작을 만남으로써 다른 길을 걷게 된다. 그는 공작 일행이 추구하는 유유자적한 삶에 매료되면서 귀족의 진정한 본분과 덕성에 눈을 뜨게 되고, 마침내 처음 궁정에서 만났을 때 완전히 마음을 빼앗긴 로잘린드를 아내로 맞이하여 왕국의 후계자가 된다. 그의 귀족다운 귀족이 되겠다는 소망은 그렇게 분에 넘치게 이루어진다. 반면 로빈 후드 전설에 각인된 저항과 일탈은 오히려 신분과 성의 정체성을 넘나드는 카니발을 향유하는 로잘린드와 실리어에게서 구현되는 면이 있다. 그러나 그녀들의 카니발은 결혼의 해피엔드와 함께 끝나면서 암묵적으로 귀족 남성 지배층의 헤게모니를 위협하기보다 강화하는 기능을 할 수밖에 없는 한계를 지닌다.

극의 제목처럼 '모두가 좋으실 대로' 공동체가 복원되고 정의가 실현될 수 있다면 그것은 물론 여느 동화에서처럼 선이나 덕, 그리고 박애와 같은 가치가 실현되었기 때문이겠지만, 그런 가치들은 그에 합당한 물적, 인적 재화의 교환과 분배를 통해서 이루어지게 마련이다. 새로운 자본주의 세상을 타락한 세상으로 규정하면서, 그런 세상이 교정될 수 있는 전망을 아득한 옛날의 농업 공동체에서 찾는 이 희극은, 아득한 옛 공동체의 교환 이념을 서사의 기본원리 및 극의 주제로 삼는다. 극 중 인물들은 아득한 옛 농업 공동체의 교환의 이념인 증여와 보답을 통한 상호수혜를 추구한다. 그 결과 형제자매 간에, 그리고 주인과 하인 간에 재산과 권력, 그리고 심지어 삶의 방식의 교환이 모두가 좋으실 대로 이루어진다. 물론 이런 동화는 비현실적 예외를 제시함으로써 당대나 오늘날의 관객들에게 상대적 박탈감을 안겨주는 억압적 신화로 기능할 수도 있다. 또한 기존 지배층의 기득권과 헤게모니 재장악을 위한 정치적 전망도 내포되어 있을 수 있다. 하지만 여전히 사람들은 비현실적 동화로부터 세상살이의 시름에서 벗어나 위안을 얻기도 한다. 세상살이가 각박해질수록, 사회적 갈등 해결이 어려워질수록 더욱더 사람들은 유토피아를 갈망할 것이다.

제5장

『십이야』 환관 만들기와 관료주의 풍자

너희 패거리들 한 놈도 빼놓지 않고 앙갚음을 하고 말 거다! (5.1.377)

1

일전에 우리 사회에서 대통령의 일부 비서진들이 중국 후한말의 십상시에 비유되는 일이 있었듯이, 동서고금을 막론하고 권력자에 밀착한 채, 정보를 쥐고 활개를 치는 타락한 관료들은 환관에 빗대어지기 쉽다 『십이야』(1600-1601)의 '말볼리오(Malvolio) 이야기' 역시 당대의 청교도 관료를 연상케 하는 인물이 시대착오적인 환관에 빗대어지는 서사를 전개한다.

말볼리오가 극의 주인공은 아니지만 그를 중심으로 전개되는, 보조 플롯에 해당하는 소위 '말볼리오 이야기'는 주 플롯 못지않게 인기가 있어, 당시 공연기록에 의하면 1623년에는 제임스 1세(James I)의 궁정에서 아예 〈말볼리오〉라는 제목으로 공연되기까지 했다고 한다(Mangan 235). 극의 배경은 시대착오적인 가상의 나라인 일리리아이지만, 말볼리오에게 청교도라는 기표가 부여됨으로써 말볼리오 이야기는 동시대의 이야기로서 관객들의 주목을 받았을 것이다. 그리고 말볼리오의 극중 역할이 대가문의 집사이기에 관객들은 그에게서 당시 시의회 등에서 사무나 행정을 담당했던 청교도 관료들을 떠올리면서 그들에 대한 불만을 해소했을 법하다.

이 극의 제목인 "십이야"가 크리스마스이브 때부터 이어지는 "현현제"의 마지막 날인 열이틀째 날을 의미하는 만큼 말볼리오가 웃음거리가 되는 이야기는 카니발의 일환이며, 말볼리오에게는 그저 축제의 환관역이 부여되었을 뿐이라고 볼 수도 있다. 그런 의미에서 말볼리오를 웃음거리로 만드는 소동은 전통적으로 카니발을 즐겼던 민중이 카니발을 중지하려는 청교도의 금욕주의에 맞서 행한 "샤리바리"(charivari)의 의례로 해석되기도 한다(Kemper 44-47). 그러나 집사 말볼리오에게 행해진 샤리바리는 당대 청교도들의 금욕주의를 넘어 관료주의 전반에 관한 것으로 그 의미를 확장할 필요가 있다. 이뿐만 아니라 거기에는 사회적 유동성에 따른 갈등이 표출되어 있는바, 사회적 유동성에 따른 불안과 갈등이 당시 신흥 관료들로서 세를 확장하고 있었던 청교도들의 관료주의에 대한 불만으로 나타난 것으로 볼 수 있다.

『십이야』는 셰익스피어의 낭만 희극 가운데서 특이하게 주 플롯과 보조 플롯 모두 상전과 결혼하려는 하인들의 이야기를 함으로써 유독 당대 사회의 유동성에 따른 문제들을 부각하는 극처럼 느껴진다. 공식적 해피엔드를 성립시키는 주 플롯에서는 남장을 하고 상전을 모시는 주인공이 갖가지 소동을 겪은 끝에 여성으로서의 미덕을 인정받음으로써 상전과의 결혼에 성공한다. 이런 낭만 희극의 전형적 해피엔드에는 당대의 유동적 사회관계를 둘러싼 불안을 젠더 관계로 전이하여, 결혼의 이상을 통해 해결하는 이데올로기가 내재해있다(Malcolmson 31). 반면 말볼리오의 경우 여성 상전 올리비아(Olivia)에 대한 그의 욕망은 기존의 신분 체계를 위협하는 주제넘은 것으로 간주되어 희극적 처벌을 당하게 된다. 말볼리오 이야기에서는 특정 세력이나 집단을 희생양 삼아 사회적 유동성이 일으키는 불안을 해소하려는 사회적 기제가 발견된다. 그리고 말볼리오 이야기의 묘미는 바로 그런 사회적 기제를 그에 합당한 희극적 형식과 내용으로 풀어내는 데 있다.

여성 상전과의 결혼을 통해 신분 상승을 꾀하려는 청교도 집사 말볼리오에 대한 합당한 희극적 처벌은 그 스스로 음험한 남성 실격자, 즉 환관 같은 존재임을 폭로하게 하여 공동체의 웃음거리가 되게 하는 것이다. 그리하여 환관은 주인공 바이올라(Viola)가 남장을 하고서 수행하고자 했던 역할이었지만, 결과적으로 말볼리오에게 어울리는 것으로 판명됨으로써 음란한 청교도를 웃음거리로 만드는 최적의 기표로 기능한다.

지금까지의 문제 제기를 바탕으로 이 글은 구체적으로 말볼리오가 다른 구성원들의 원성의 대상이 되어 그에게 동시대의 청교도라는 기표가 부여되기까지의 갈등의 양상을 사회적 유동성에 따른 갈등의 관점에서 분석하고자 한다. 이어서 청교도 집사의 고지식한 얼굴이 스스로 상전에 대한 음란한 욕망으로 일그러져 공분을 사고 웃음거리가 되도록 하는 트릭이야말로 주제넘은 청교도 집사의 욕망에 대한 합당한 희극적 처벌임을 제시하고자 한다. 특히 위조된 연애편지가 말볼리오의 올리비아에 대한 욕망과 상호 구성 작용을 하는 대목을 중점 분석하여, 현대 관객들도 충분히 공감할 수 있는 말볼리오의 증상을 제시하고자 한다. 그리하여 그의 주제넘은 욕망에 대한 공동체의 처벌은 바로 그를 상징적으로 거세하는, 즉 그에게 환관의 기표를 부여하는 함의가 있음을 살펴보고자 한다. 마지막으로 결혼의 해피엔드에서 소외된 말볼리오가 집사로서 그의 정체성을 복원하면서 자신이 웃음거리가 된 것에 대해 복수를 다짐하는 결말과 최종적으로 연극이 끝났음을 알리는 광대 페스티(Feste)의 노래에 담긴 전망을 분석하고자 한다.

2

말볼리오는 남성 가부장이 부재한 올리비아의 가문에서 집안의 대소사를 처리하는 집사 역을 수행하기에 얼마간은 남성 가부장의 역할을 수행하는 면이 있다. 더욱이 올리비아가 7년간 죽은 오빠를 애도하는 일에 매달렸던 만큼 집안의 대소사 처리는 말볼리오의 몫이었을 것이다. 그리하여 말볼리오가 올리비아의 신임을 얻고 일정한 권한을 행사하게 됨으로써 다른 구성원들은 그를 질시하고 그와 마찰을 일으키게 마련이다. 특히 올리비아의 삼촌인 토비 경(Sir Toby)은 독신이 된 조카의 후견인 역할을 해야 함에도 그 역할의 상당 부분을 말볼리오에게 빼앗기고 조카 집에 얹혀사는 식객 처지로 전락했기에 말볼리오와 사사건건 대립하게 된다. 토비 경이 "근심 · 걱정이야말로 틀림없는 인생의 적이 아니던가"(1.3.2-3)라고 토로하는 것에서 알 수 있듯, 그는 세상사의 시름을 술과 여흥으로 달래려 한다. 하지만 그의 일상화된 음주나, 파트너도 없이 추는 춤은 페스티벌이 아니라 페스티벌의 그늘이며, 또 다른 관습의 지배일 뿐이다(Garber 523). 베리(Ralph Berry)에 의하면 토비 경의 행태는 모든 사회 수준에서 확인되는 실업자들의 고전적 권태를 잘 보여준다(69). 그뿐만 아니라 그는 조카 올리비아와의 혼사를 미끼로 아둔한 기사 앤드류 에이규츠크를 등쳐서 유흥비를 충당하는 기생충 같은 삶을 살기도 한다. 이렇듯 말볼리오와 토비 경의 반목과 대립에는 당대에 세를 얻고 있었던 중간 관료층과 타이틀로만 남은 일부 몰락한 귀족층 간의 사실상 신분의 역전에 따른 갈등이 투영되어 있다.

토비 경이 주도하는 음주가무의 향연에 참여함으로써 토비 경 못지않게 말볼리오와 반목하는 또 다른 인물은 직업 광대 페스티이다. 그는 올리비아 집안에 속한 광대지만, 소속에 구애받지 않고 누구에게라도 광대 짓을 하고 돈을 받는다. 그는 그렇게 일종의 프리랜서 역을 수행하면서 카니발, 혹은 레저는 비용이 든다는 사실을 환기한다. 그렇지만 그의 프리랜서 역할은 주인아씨의 시녀인 마리아(Maria)로부터 "멋대로 집을 비웠으니 아가씨는 널 교수형에 처할 거야"(1.5.4)라는 해고의 위협에 직면하기도 한다. 아씨를 대신한 그녀의 협박은 집안 구성원 누구라도 맡은 역할에 충실하지 않으면 언제라도 쫓겨날 수 있는 처지이며, 주인아씨의 총애를 얻기 위해 경쟁할 수밖에 없는 처지라는 것을 암시한다. 그렇지만 마리아가 전하는 해고의 협박과 달리 올리비아는 광대의 잘못에 대해서 관용을 베푼다. 올리비아는 관대한 처분을 내리면서 말볼리오에게 평가를 구하는데, 그는 아씨가 자꾸 너그럽게 봐줘서 그렇지 버릇없고 능력 없는 놈이라고 광대를 깎아내린다. 그런 말볼리오에 대해 올리비아는 그가 "저 잘난"(self-love)(1.5.89) 병에 걸렸다고 진단한다. 사실 극 전체에서 말볼리오는 광대에게 돈을 지급하지 않는 유일한 인물이기에 광대와 반목하는 면도 있다. 노래와 재담을 직업으로 하는 광대에 대한 말볼리오의 몰이해와 적대는 당시 셰익스피어의 대중극장에 대한 청교도들의 태도를 연상케 하는바, 이후 마리아가 그를 청교도 같은 위인이라고 칭할 수 있는 근거를 제공한다.

그러나 올리비아는 말볼리오의 편협함을 알고 있을지라도 "그는 품성이 성실하고 침착해서 지금의 내 처지에 하인으로서는 그만이라"(3.4.5-6)라며 그의 진가를 인정한다. 올리비아가 그를 신임하는 것은 그가 성실하고 침착하기 때문이지만, 그에 못지않게 유능하기 때문이다. 가령 그는 남장한 바이올라가 오시노(Orsino)를 대신해서 올리비아에게 구혼하러 왔을 때, 그녀의 외관을 꿰뚫어 보는 뛰어난 관찰력과 정확한 언어 구사 능력을 보여준다. 그는 올리비아가 문밖에 와 있는 바이올라가 어떤 사람이냐고 묻자 자신이 본 모습에 대해 자세히 묘사한다.

> 글쎄요, 성인 남자라고 하기에는 나이가 안 찬 것 같고, 소년이라고 하기에는 그렇게 어리지도 않고요. 콩알이 들어있지 않은 풋콩 또는 붉은 빛이 날락말락 한 풋사과라고나 할까요, 소년과 어른 사이의 어중간한 웅덩이라고나 할까요. 생긴 건 멀끔한데 입이 거칩니다. 그러면서도 어머니 젖살이 덜 빠진 못난이라고나 할까요.
>
> (1.5.157-164)

극의 거의 모든 인물이 바이올라의 성적 정체성을 간파하지 못하고 혼란을 겪는 가운데, 오직 말볼리오만이 바이올라의 감추어진 성 정체성을 꿰뚫어 본다는 것은 그가 공공연히 웃음거리가 될 바보 같은 인물이 아니라는 것을 의미한다(Segal 307-308). 물론 보기에 따라서는 그의 정교한 언어 구사가 인위적으로 느껴지는 만큼 그의 현학적 취미를 드러내는 것일 수도 있지만, 그가 다른 인물들에게서는 볼 수 없는 정확하고 균형 잡힌 언어를 구사하는 것은 분명하다. 그래서 온스틴(Robert Ornstein) 같은 평자는 말볼리오에게서 계산을 맞추거나 품목을 작성하는 데 익숙하고 정확한 구분과 묘사의 필요를 아는 인물, 즉 결코 공공의 안녕에 위험하지 않은 정부 관료나 학자와 같은 인물상을 읽어내면서, 그런 점잖고 책임감 있고 다소 위선적인 샌님은 웃음거리가 되도록 고통당해야 할 "침울 씨"가 아니라고 주장한다(164).

그렇지만 말볼리오는 집사로서 자신의 능력과 지위에 대한 자부심으로 인해, 올리비아가 지적하듯 우쭐하는 병에 걸려 있다. 그의 우쭐하는 태도는 특히 그가 개인적으로 싫어하거나 경멸하는 무위도식, 즉 유흥과 관련해서 두드러진다. 어느 날 밤 토비 경과 앤드류 경이 광대와 합세하여 밤이 깊도록 술을 마시고 고성방가하는 사태가 벌어지자 말볼리오는 "여러분, 정신이 나간 거요? 대체 무슨 짓들입니까? 분별이고 예절이고 체면이고 다 어디로 간 겁니까? 이 오밤중에 땜장이 집처럼 떠들어대니 말이오. 아가씨의 저택을 선술집으로 만들 작정입니까?" (2.3.87-89)라고 질책한다. 나아가 쫓아낼 수도 있다는 경고를 서슴지 않는다.

> 토비 경, 솔직히 말씀드리자면 아가씨께서 저보고 전하라고 하셨는데 친척이니까 모시고 있으나 이런 무질서한 짓거리들에 질렸다고 하셨소. 그러니 만일 향후 이런 짓거리를 삼간다면 몰라도 그렇지 않는다면 이 댁에서 나가주십사 하는 겁니다. 그땐 서슴지 않고 작별을 하시겠다는 말씀이오. (2.3.95-101)

그러자 격분한 토비 경은 "넌 집사 나부랭이에 불과하지 않은가? 그래, 네가 고지식하다고 술이고 안주고 절대 불가하다는 거냐?"(2.3.114-116)라고 말볼리오의 자존심을 건드린다. 사실 주인아씨의 명을 집행할 따름인 말볼리오는 예의를 갖춘 정확하고 경제적인 언어를 구사하려고 노력한다. 그렇기에 직책에 비추어 그의 언사가 무례하거나 도발적이라고 보기는 힘들다. 그로서는 주인아씨의 친척에게 경멸이 아닌 싫은 소리를 해야 하는 곡예에 가까운 임무를 그런대로 잘 수행하고 있는 셈이다(Ellis 117-118).

반면 집안에서 쫓아내겠다는 위협을 당하는 토비 경은 오히려 자격지심이 발동하여 말볼리오를 '집사 나부랭이'라며 경멸한다. 그는 신분이 귀족이고 집안의 어른이지만 전혀 그런 대접을 받지 못하는 자신의 처지에 대한 열등감과 울분을 말볼리오의 '고지식한' 외관에 대한 조롱과 의구심으로 표출하고 있는 것이다. 그러나 그의 항변은 또한 카니발을 상징하는 '과자와 맥주'를 공급할 수 있는 권한이 아씨의 명을 집행하는 말볼리오에게 있는 현실을 확인시켜줄 뿐이다. 그로서는 "꺼져라, 빵가루로 집사의 쇠사슬이나 닦아라"(2.3.118-119)라고 말볼리오의 천한 집사 직분을 조롱할 수 있을 뿐 달리 도리가 없다. 그래서 토비 경은 마리아에게 술을 가져다 달라고 청하지만, 이번에는 마리아가 말볼리오의 경고 대상이 된다.

> 마리아 님, 아가씨의 총애를 허술하게 생각하는 게 아니라면 이런 무례한 행태에 상관하지 말아요. 틀림없이 아가씨 귀에 들어갈 테니. (2.3.120-123)

말볼리오가 아씨의 총애를 들먹이면서 마리아에게 고압적인 태도를 보이는 것에서 알 수 있듯, 아씨 시중드는 일을 하는 두 사람 간에는 올리비아의 총애를 다투는 치열한 경쟁이 존재한다. 그래서 마리아는 누구보다도 말볼리오의 속내를 잘 알 수 있는 위치에 있는 만큼, 말볼리오를 웃음거리로 만들 수 있는 묘책 역시 그녀에게서 나오게 된다.

마리아가 말볼리오를 웃음거리로 만들 수 있는 약점으로 간파하고 있는 것은 바로 그가 "가끔씩 청교도처럼 군다는 것"(2.3.140)이다. 이 대목에서 환관이 있을 법한 이국적인 시대착오의 나라인 일리리아는 배경으로 후퇴하고 동시대의 전경이 펼쳐진다. 나아가 마리아는 말볼리오가 외관만 청교도 같지, 사실은 그런 주제도 못 되는 위인이라고 비난하면서 그의 약점을 이용해 복수할 계획을 밝힌다.

> 청교도라고 하지만 사실은 이것도 저것도 아니어서 그런 주제도 못 되지요. 그자는 시류에 편승하는 머저리고, 그럴듯한 말을 머리에 담아두었다가 그럴듯하게 지껄여대며 잘난 체하는 꼴은 누구도 따라올 사람 없으며, 세상에 뛰어난 자질을 다 가진 것으로

> 착각하고 있는 인간이라, 자기를 보면 누구라도 반한다고 굳게 믿으니 그런 약점을 이용하면 우리의 복수가 제대로 될 거예요.
>
> (2.3.147-153)

마리아는 올리비아가 지적한 말볼리오의 '우쭐하는 병'의 증상을 더욱 자세히 설명하는 듯하다. 마리아가 경멸하는 말볼리오의 행태는 토비 경이 비난한 집사로서의 '고지식'(virtuous)한 외관의 부정적 이면에 해당하는데, 이는 권력의 향배를 좇으면서 전문지식을 체득한 듯 그럴듯한 언행으로 대중에게 군림하는, 우리에게도 친숙한 근대 관료의 부정적 속성과 다름없는 것처럼 느껴진다. 당대의 관객들 또한 등장인물들과 함께 말볼리오를 비웃음으로써 당대의 청교도 관료들의 오만함을 비웃는 카타르시스를 경험할 수 있었을 것이다.

마리아가 저 잘난 맛에 사는 말볼리오를 웃음거리로 만드는 수단은 바로 연애편지다. 마리아가 연애편지를 기획한 것은, 같은 집사 역을 수행하면서 평소 올리비아를 대하는 말볼리오의 눈빛이나 태도에서 아씨에 대한 그의 억압된 욕망을 간파하고 있기 때문이다. 그래서 그녀는 올리비아의 필적을 위조한 연애편지로 말볼리오의 엄숙한 얼굴 뒤의 음란함을, 그리고 주제넘은 욕망을 폭로할 수 있으리라 장담한다. 그러나 아랫사람이 상전의 필체나 사인 등을 위조하는 행위가 범죄에 해당하지 않았고, 전통적인 대중의 불문율에 해당하는 일종의 샤리바리를 위한 것이라 할지라도 문제의 소지는 있다. 하인이 상전을 흉내내거나 복제한다는 것은 상전을 넘어설 수 없는 하인의 상전에 대한 종속을 의미하기도 하지만, 하인이 상전의 필체를 성공적으로 복제함으로써 상전의 필체가 지니는 권위는 훼손당하게 된다. 마리아의 행위는 이처럼 계급과 규범을 위반하는 행위에 해당할 수 있지만, 주인아씨인 올리비아 스스로 신분이 낮은 오시노의 시종에게 은밀히 연정을 표현함으로써 계급의 규범을 위반하는 측면이 있기에, 마리아의 경우는 극 전체의 맥락에서 상쇄되는 면이 있다. 반면 마리아의 위조 편지로 인해 폭로되는 말볼리오의 욕망은 신분과 규범을 위반한 주제넘은 것으로 여겨진다. 그 결과 마리아는 원하던 토비 경과의 결혼을 성취하는 반면, 말볼리오는 공동체의 웃음거리가 되어 해피엔드에서 소외된다. 이런 희극적 정의에는 당대의 유동적 사회관계를 둘러싼 갈등을 결혼의 전통적 이상으로 포섭하려는 가부장적 이데올로기가 내재해 있다. 여성 상전의 필적을 위소하여 동료 남성 집사를 웃음거리로 만들 수 있는 여성 집사의 능력과 수완이 반사회적이기보다 궁극적으로 결혼을 위한 것으로, 결혼에 의해 포섭될 수 있는 것으로 귀결되는 서사 전략이 거기에 해당한다.

토비 경과 앤드류 경에게 말볼리오와 달리 마리아는 위협적인 존재라기보다 쓸모 있고 심지어 사랑스러운 존재이다. 그들은 말볼리오를 웃음거리로 만들 마리아의 계획과 솜씨에 감탄한 나머지 그녀를 각기 아마존 여전사인 "펜테실리아"(2.3.177)나 "사냥개치고도 순종"(2.3.179)이라고 부르거나, "여장부"(2.3.180)라고 치켜세운다. 나아가 토비 경은 그녀의 계획대로 말볼리오를 마음껏 비웃을 수 있게 되자 마리아에게 장가들기로 마음을 굳히면서, "그저 이런 재미를 짜내면 지참금도 필요 없어"(2.5.182)라며 그녀의 능력이 곧 결혼 지참금임을 인정한다. 토비 경의 경우에서 알 수 있듯, 여성 하인의 능력과 수완은 현명하고 실용적인 아내가 될 수 있는 자질로 평가된다. 반면 말볼리오의 경우 집사로서 그의 능력은 결코 신분 상승의 수단으로 쓰여서는 안 될 위험한 것으로 간주된다. 즉, 유능한 남성 하인의 신분 상승 욕은 가부장 체제의 기존 질서를 뒤흔들 수 있기에, 그가 그런 욕망을 드러내는 순간 사회적 유동성이 야기하는 여러 불만이 겨냥하는 표적이 될 수밖에 없다.

토비 경과 앤드류 경이 마리아를 아마존 여전사로 칭하듯, 그녀는 마치 남성처럼 말볼리오를 공동체가 응시하는 대상으로 객체화하는 역을 주도하는 반면, 남성인 말볼리오는 마치 여성처럼 공동체의 관음적 응시의 대상이 됨으로써 두 사람의 성 역할이 전도되는 듯하다(Robertson 126-127). 그럼으로써 그의 상징적 거세가 시작되는데, 처음에 바이올라가 자신을 구해준 선장에게 남장한 자신은 남자도 여자도 아니기에 "환관"(1.2.56)으로 오시노에게 소개해달라고 부탁했었다. 그렇게 그녀에게서 도입된 이국적이고 시대착오적인 '환관'이라는 기표는 이후 말볼리오에게 전이되면서, 이미 그에게 새겨진 '청교도'라는 기표의 함의를 보충하는 기능을 한다. 그 결과 환관의 기표는 그를 위한 것으로, 나아가 원래 그에게 속했던 것으로 판명된다.

3

마리아가 떨어뜨린 편지를 집어 들기 전 말볼리오는 이미 자신의 판타지를 토비 경 일행과 관객들 앞에 상연하기 시작한다. 마리아의 증언에 의하면, "말볼리오는 햇빛에 나가 반 시간이나 그렇게 자기 그림자를 보고 절하는 연습을 하고 있다"(2.5.15-17). 이는 말볼리오의 집사로서의 언행이 부단한 연습을 통해 습득된 것임을 짐작하게 하지만, 한편 그는 구성원들로부터 소외를 즐기는 자기중심적인 인물이라는 것을 말해준다. 마리아는 바로 그런 말볼리오의 속성을 이용해서 그를 웃음거리로 만들 수 있게 된다.

마리아가 떨어뜨린 편지를 발견하기 전 말볼리오는 달콤한 환상에 젖어 든다.

> 운명이지, 모든 게 운 나름이야. 마리아가 언젠가 아가씨께서 날 좋아하신다고 말한 적이 있었지. 아가씨 자신도 만약 사랑을 한다면 이 말볼리오와 같은 성품의 사람이어야 한다는 말씀을 들었지. 그뿐만 아니라 그녀를 모시는 누구보다도 날 소중히 여겨주시거든. 대체 이걸 어떻게 해석해야 좋지. (2.5.23-25)

이 대목에서 말볼리오는 주변 사람들이 한 말을 자기중심적으로 해석하고 자아도취에 빠지는 소위 '우쭐하는' 병의 증상을 보여준다. 즉 그의 판타지는 아씨의 집사로서 자신에 대한 인정과 남성으로서 자신에 대한 관심을 동일시하는, 그의 자아도취와 과대망상의 소산이기 쉽다. 말볼리오에게 올리비아가 일종의 대타자에 해당한다고 할 때, 그의 환상의 시나리오는 대타자로서 그녀가 무엇을 원하느냐는 의문에 대해 나름대로 답을 구성한 것이다.

그 시나리오가 "그러니까 말볼리오 백작님이 되는 것"(2.5.35)이라는 대목에 이르는 순간부터 그를 엿보고 있던 남성들의 분노는 폭발하고, 그에게는 천하의 죽일 놈이라는 비난이 갖가지로 퍼부어진다. 말볼리오는 나아가 "전례가 없는 것도 아니지. 스트라치 백작의 아가씨는 의상 담당 하인하고 결혼하지 않았는가"(2.5.39-40)라고 실현 가능한 시나리오임을 확신한 뒤, 다음 장면을 구성하여 결혼 석 달 뒤 자신의 모습을 상상한다. 그는 "좌우에다 부하들을 쭉 불러다 세운다. 꽃나무를 수놓은 벨벳 가운을 걸친다, 막 낮잠에서 깨어나오는 길이지, 올리비아는 아직도 잠자고 있고"(2.5.47-49)라며 올리비아와의 결혼이 가져다준 백작 지위를 누리는 환상에 젖어 든다. 그는 또 "회중시계 태엽이라도 감고, 아니면 집사의 쇠줄—아니지, 집사의 쇠줄 대신 값진 보석을 만지작거린다. 그때 토비가 들어온다. 내게 공손하게 머리를 조아린다"(2.5.59-61)라고 자신을 집사 나부랭이라고 경멸했던 토비 경에게 군림함으로써 그에게 통쾌하게 복수하는 장면을 상상한다. 이러한 그의 시나리오는 그가 쾌락을 즐기는 토비 경의 특권적 삶을 비판했지만, 사실은 그런 특권을 갈망하고 있음을 드러낸다(Codden 314). 그리고 그가 올리비아와의 잠자리를 언급할지라도 그것은 올리비아에 대한 에로틱한 욕망을 충족하는 판타지를 구성하기보다 그것을 매개로 권력욕과 물욕을 충족하는 판타지를 구성한다. 그렇기에 그의 판타지는 심층 심리적으로는 그가 올리비아를 성적으로 원할 수도 없고 원하지도 않는다는 사실을 감추기 위해, 즉 자신이 거세된 환관 같은 존재라는 사실을 감추기 위해 상연된 것이라고 볼 수도 있다.

외견상 마리아의 편지는 그런 말볼리오의 욕망을 조직하도록 만들어줄 확실한 좌표로 기능하기 시작한다. 백일몽에 젖어 있던 말볼리오는 자신 앞에 떨어진 편지를 주워드는 순간 먼저 "이건 틀림없이 아가씨의 필적이야! 이 C자며 U자며 T자며 모두 아가씨의 글씨야. P의 대문자도 꼭 이렇게 쓰거든"(2.5.87-89)이라며 아씨의 필적임을 즉각 확인한다. 그가 편지를 개봉하면서 언급하는 위의 대문자들은 편지 속의 "M.O.A.I."라는 이니셜과 함께 해석을 요구하는 수수께끼인데, 말볼리오는 자신의 판타지에 부합하는 해석을 함으로써 결국 마리아가 의도하는 대로 공동체의 웃음거리가 되고 만다. 먼저 말볼리오는 편지를 개봉하면서 아씨의 글씨임을 확인하는 문자로 C.U.T.와 P's를 언급하지만, 그 문자에 대해 어떤 해석도 하지 않는다. 그러나 관객들은 그 단어들이 그가 웃음거리가 되는 맥락을 구성하기 위한 것이라고 이해할 수 있다. cut는 물론, P's의 발음이 생리 행위를 뜻하는 pees와 같은 만큼, 관객들은 두 단어가 올리비아의 신체의 은밀한 부분을 암시하는 것으로 해석할 수 있다. 그래서 캘러한(Dympna Callaghan) 같은 평자는, 이 대목에서 말볼리오에게 올리비아는 환상의 여왕이지만, 그녀의 육체는 그로테스크하게 기형화되어 그의 성적 그리고 사회적 야망의 보다 적절한 대상으로 바뀐다고 해석한다(436-437).

베일에 싸인 귀족 여성의 몸은 공동체 남성들의 성적 판타지의 대상이기 쉽다. 그런데 말볼리오는 그녀의 은밀한 부분을 독점하려는 욕망을 상연하는 셈이기에 그의 판타지는 다른 남성들의 질시를 유발하기 마련이며, 그 결과 상징적인 공동체적 처벌을 당하게 된다. 그 처벌은 바로 그가 발화하는 'CUT'의 또 다른 상징적 의미인 거세인데, 캘러한에 따르면 그가 공동체의 웃음거리가 되는 이야기는 남성으로서의 정체성을 확립하려 했던 그가 "여성화되고, 웃음거리가 되어, 결국 거세당하는 식으로 극화된다"(442).

마리아의 편지는 한편 그녀가 상전과 결혼하려는 말볼리오의 욕망의 상징적 질서로 진입하여 그녀 역시 상전에 해당하는 토비 경과 결혼하려는 자신의 욕망을 쓰고 있으며, 또한 아랫사람인 오시노의 시종에게 연정을 품는 올리비아의 판타지를 대신 상연하고 있는 것처럼 보인다(Osborne 69-70). 이는 말볼리오를 매개로 사회적 유동성을 반영하는 세 사람의 판타지가 교직 되는 가운데, 말볼리오가 타자들의 욕망을 대신 상연하고 있음을 의미한다. 그렇지만 기존의 신분 질서를 뛰어넘으려는 그런 판타지는 억압되어야 한다. 말볼리오를 상징적으로 거세하는 공동체의 트릭은 바로 말볼리오로 하여금 사회적으로 억압되어야 할 것을 공공연히 폭로하게 하여 대가를 치르게 하는 것이다.

말볼리오가 편지 내용 가운데, 특히 그 뜻을 음미하면서 낭독하는 부분들은 그의 판타지의 중핵을 드러내는데, 그는 먼저 "누구도 알아서는 아니 된다!"(2.5.102)라는 구절에 주목하면서, "그게 바로 그대 말볼리오라면!"(2.5.104)이라고 외친다. 이 대목은 그가 평소 아씨의 비밀을 알고 공유함으로써 그녀의 총애를 독점하려는 욕망에 사로잡혀 있음을 드러낸다. 관객들은 그의 이런 모습에서 개인적으로 권력자에게 밀착한 채, 정보를 쥐고 활개를 치는 타락한 관료들을 뜻하는 환관을 연상할 수 있을 것이다.

이어지는 편지의 결정적 기표들은 말볼리오로 하여금 그가 소망한 대로 그 편지의 수신인이 자신임을 확인하는 해석으로 빠져들게 만든다. 그는 아씨가 연모하는 대상을 암시하는 구절인, "M.O.A.I.가 제 삶을 지배하나니"(2.5.111)를 음미하면서 처음에는 자신의 이름에 해당하기도 하지만 반드시 그렇지는 않다는 합리적 의심을 한다. 그가 따지는 대로 'M.O.A.I'는 등장인물 모두에게 해당하는 철자이며, 그의 이름과 관련해서는 L이 빠져 있다. 그러나 그렇게 확신을 갖지 못하던 말볼리오는 본문을 읽으면서 편지의 수신인이 자신이 분명하다는 자기 합리화에 빠져든다. 왜냐하면 편지의 본문이 바로 자신의 판타지를 확인하게 해주기 때문이다.

> 이 편지가 당신 손에 들어가거든 깊이 생각해주시기 바랍니다. 비록 내 운명의 별은 당신보다 높은 곳에 있지만 귀하신 사람이라고 두려워 마세요. 무릇 사람은 타고난 신분이 높을 수도 있고 혹은 힘써 높은 신분을 성취할 수도 있고 또는 높은 신분으로 밀어 올려질 수도 있는 법입니다. 운명은 당신에게 두 팔을 벌리고 있으니 굳은 의지와 용기를 갖고 포옹하도록 하세요. . . . 저희 친척에게는 매정하게 대하며, 하인들에게는 오만하게 대하며, 말할 때는 국사를 논하세요. . . . 당신의 노랑 양말을 칭찬하고 당신의 열십자로 맨 대님을 보고 싶어 하는 사람을 잊지 마세요. 만일 원치 않는다면 당신은 늘 집사의 자리, 하인의 동료로 그칠 것이며 영원히 행운의 여신의 손은 잡지 못할 것입니다. . . .
>
> (2.5.143-156)

편지의 내용이 구구절절 평소 집사로서 그가 상상하던 것을 재현하고 있기에, 그는 더 이상 의심하지 않고 감격에 겨워 편지에 지시된 대로 실행하리라 다짐하기에 이른다. 이렇듯 말볼리오가 위조된 편지를 접하면서 그의 판타지의 시나리오를 공개해나가는 과정은 오스본(Laurie Osborne)에 의하면, "마치 편지의 기표들이 말볼리오가 점유하기를 원하는 장소에 놓임으로써 그의 개인적 판타지의 패턴을 직조하도록 유도하는 것처럼 보인다"(69). 그러나 역으로 말볼리오는 편지의 기표들을 통해 자신이 욕망하는 것이 무엇인지 알게 되기도 한다. 우리는 흔히 어떤 사건이나 어떤 기표와의 조우를 통해 무엇을 욕망하고 있는지, 무엇을 알고 있는데 모르고 있었는지, 소급해서 알게 되기도 하기에 편지의 기표와 말볼리오의 욕망은 상호 구성 작용을 하고 있다고 보아야 할 것이다.

한편 일종의 청교도로 간주하는 말볼리오의 모습에서 당대의 청교도 관료를 연상하는 관객들은 또한 이 대목에서 어렵고 모호한 글을 해석하는 일에 쾌감을 느끼는 현학적 관료의 어리석은 자아도취를 확인할 수 있다. 온스틴에 따르면, "말볼리오는 구제 불능일 정도로 현학적이기에 상투적 표현을 강력한 감정의 흘러넘침과 동일시할 준비가 되어있다"(164). 온스틴의 지적처럼 말볼리오가 편지의 암시들을 해독해 나가면서 쾌감과 희열을 느끼는 것은 그의 관료로서의 현학 취미를 드러낸 것이다. 그러나 보다 위대해지라는 초대, 구체적으로 '하인들에게 오만하게 대하며 말할 때는 국사를 논하라'라는 권고는 관료로서의 본원적 욕망을 일깨운다. 그런 그에게 편지는 마지막으로 근엄한 청교도 집사의 얼굴을 미소로 일그러뜨리기를 주문한다.

> 만약 저의 사랑을 받아 주신다면 미소를 지어주세요. 당신의 미소는 당신에게 잘 어울립니다. 그러니 제 앞에서는 언제나 얼굴에 미소를 잊지 마세요. (2.5.175-177)

그리하여 웃지 않는 청교도 집사인 말볼리오가 그 나름의 황홀한 미소로 일그러지는 순간은, 야흐닌(Paul Yachnin)에 따르면 "신분 체계의 매끄러운 작동이 진정 다른 어젠다의 압력과 대면하는 순간을 표시한다"(757). 신분 질서 체계를 교란하려는 새로운 어젠다가 설정되는 순간부터 그의 인식체계와 판단력은 중심을 잃게 되고, 그 결과 그는 아무런 주저나 의심 없이 편지에 지시된 대로 집사로서 자신의 외관을 기꺼이 바꾸려 한다.

편지에 지시된 대로 노란 양말을 신고 십자 대님을 매고서 웃는 얼굴을 한 그의 모습은 평소 그 자신이 싫어하는 모습임이 분명하다. 근엄하고 고지식한 그의 페르소나를 바꾸라는 이런 주문은 곧 그의 집사로서의 정체성을 포기하라는 것과 다름없다. 그러나 그는 자신의 새로운 모습이 그가 경멸했던 토비 경과 광대 페스티의 모습과 다름없으며, 그 자신이 금지했던 십이야 축제의 기괴한 광대의 모습이라는 생각에 미치지 못한다. 그는 대타자에 해당하는 올리비아가 응시하는 대로 자신을 응시하려 하는 것이다. 그럼으로써 그의 주체는 상상계 수준으로 전락하고 만다(Osborne 78). 그리하여 그가 남성 집사의 복장을 여성 복장에 가깝게 바꾸고서 만면에 웃음을 띤 채 아씨 앞에 나타났지만 그를 기다리는 것은 오로지 그의 욕망 자체가 주제넘은 웃음거리가 됨으로써 상징적으로 거세될, 즉 환관으로 전락할 운명이다.

그렇게 히죽히죽 웃는 모습으로 나타난 말볼리오에게 올리비아가 심각한 일 때문에 불렀는데 뭐가 그리 우스우냐고 핀잔을 주자, 말볼리오는 "열십자로 대님을 졸라매면 피가 잘 통하지 않습니다만 그러나 뭐 어떻습니까? 어느 한 분의 눈만 즐겁게 해드릴 수 있다면 저야 만족입니다"(3.4.19-21)라고 답한다. 그렇게 그가 피가 잘 통하지 않게 신체를 구속하면서 억지 미소를 짓는 것은 그가 편지를 개봉하면서 발화했던 '절단, 혹은 거세'(cut)를 마치 자신의 신체에 행하고 있는 듯한 느낌을 준다. 그러면서 그는 올리비아의 말 한마디 한마디가 편지의 비밀을 암시하는 것으로 믿는다. 가령 올리비아가 말볼리오가 피곤해서 그럴 수도 있다고 짐작하여 "말볼리오, 그만 잠자리에 드는 게 어때요?"(3.4.30)라고 하자, 그는 "잠자리요, 아 사랑하는 님, 그대 곁으로 가다마다요"(3.4.31)라며 반색한다. 나아가 올리비아에게 편지 구절 하나하나를 암송하면서, 집사의 직분을 벗어던지는 행운을 스스로 쟁취하여 올리비아의 새 주인이 되라고 주문하지 않았냐고 반문하기 시작한다. 그제야 올리비아는 마리아가 귀띔한 대로 말볼리오의 정신상태가 정상이 아니라는 것을 확인하지만, 그녀는 "이거야말로 한여름의 광기지"(3.4.55)라며 자신 역시 피장파장으로 신분이 낮은 오시노의 시동을 연모하는 광기에 빠져있음을 상기한다.

올리비아는 자신의 상태에 비추어 말볼리오의 비정상을 이해하는 듯하지만, 그녀가 말볼리오에게 관대한 것은 오로지 집사로서 그의 가치 때문이다. 그녀는 마리아와 다른 집사람들에게 그를 잘 보살펴달라고 명하면서, "내 재산 반을 없애는 한이 있더라도 이 사람에게 무슨 일이 생겨서는 안 되니까"(3.4.62-63)라고 한다. 이는 말볼리오의 집사로서의 가치를 인정하는 것이지만, 한편으로는 그를 지참금의 일부, 즉 소유물이나 재산과 다름없이 간주한다는 것을 의미한다. 이는 말볼리오가 결코 그녀에게 남성이 아니라 환관일 뿐이라는 것을 의미한다고 볼 수 있다.

말볼리오는 아씨의 분부를 받고 달려온 토비 경 일행이 그를 마귀에 홀린 사람 취급을 함에도 여전히 사태 파악을 못하고 그들을 하인 취급한다. 페이비언(Fabian)은 그런 그를 웃음거리로 만드는 장난에 대해 "이걸 무대에 올린다면 말도 안 되는 이야기라고 욕들을 할 겁니다"(3.4.128-129)라고 메타드라마적 언급을 하는데, 셰익스피어는 페이비언을 통해 극 전체에서 이 대목이야말로 가장 재미있는 대목으로서 관객들의 인기를 끌 것이라는 기대를 반어적으로 표현한 것처럼 보인다. 그를 미친 사람으로 몰아가는 토비 일행은 내친김에 그를 캄캄한 방에 처넣고 꽁꽁 묶어둔다. 그가 올리비아의 주인이 되는 판타지는 신분 질서를 뒤흔드는 것일 뿐 아니라 공동체 남성들이 은밀히 탐닉하는 성적 판타지를 독점 상연하는 것이기도 하다. 그렇기에 그것은 억압되고 감추어져야 하는데, 말볼리오가 그것을 공공연히 폭로하는 순간 그에게는 공동체의 상징적 질서를 위협하는 반사회적 청교도라는 낙인이 찍힐 수밖에 없다. 그가 캄캄한 방에 묶여서 심문당하는 것에는 그런 사회적 기제가 작용하고 있다고 볼 수 있는데, 여 상전에 대한 욕망을 탐하다가 결과적으로 그의 인신이 구속되는 것은 상징적으로 그가 거세되는 처벌을 받았음을 의미한다(Astington 26-29).

광인 취급을 받고 캄캄한 방에 갇히게 된 말볼리오는 기사인 토파스(Thopas) 목사로 변장한 페스티로부터 심문을 당하게 되는데, 광대는 두서없이 말볼리오에게 마귀에 들렸음을 인정하라고 다그친다. 그러나 말볼리오는 안간힘을 다해 자신이 미치지 않았음을 입증하려 한다. 가령 광대가 "야생 조류에 관한 피타고라스의 설"은 무엇인가 묻자, 말볼리오는 "영혼은 고귀한 것이라고 생각합니다. 그래서 그의 설에는 절대

찬성할 수 없습니다"(4.2.55-56)라며 자신의 견해를 굽히지 않는다. 그러자 광대는 그 윤회설을 받아들이지 않으면 마귀에 들린 것으로 간주하여 계속 암실에 가두겠다고 위협한다. 블룸(Harold Bloom)은 이 대목에서 말볼리오는 정신적 고문을 당하면서도 그의 견인주의적 부정을 당당하게 말함으로써 위엄을 유지하고 있다고 해석한다(243). 블룸의 해석처럼 철저히 웃음거리가 되는 상황에서도 말볼리오는 청교도 집사, 즉 관료로서의 견고한 정체성을 보여준다. 그는 그럼에도 여전히 자신을 가지고 노는 페스티에게 맞서 자신이 정상임을 증명하는 편지를 쓸 수 있도록 양초 한 자루와 잉크와 펜, 그리고 종이를 간청한다. 그가 편지를 쓸 수 있을 무렵에는 이미 장난이 끝나 있겠지만, 노란 양말과 십자 대님의 물신에 사로잡혔던 그가 평소 그의 집사 직무를 상징하는 물품들을 간절히 요청하는 상황은 집사로서의 그의 정체성이 복원되고 있음을 의미한다고 볼 수 있다.

이 대목에 이르러 토비 경 역시 허무주의적인 광대 페스티에 의한 말볼리오의 심리적 고문이 도가 지나치다고 느끼고, "이 장난도 이쯤에서 끝내는 것이 좋겠다"(4.2.69)라며 마무리를 시도한다. 공동체적 샤리바리, 혹은 공동체적 처벌은 적절한 지점에서 중단되지 않을 경우 폭력의 과잉을 낳고, 그 결과 그런 제의가 추구하는 웃음은 포용이 아닌 배제를 지향하기 쉽다. 셰익스피어는 토비 경의 입을 통해 청교도 집사에 대한 샤리바리가 바로 그 지점에 이르렀음을 알려주는 듯하다.

광대 페스티가 관객들 앞에서 말볼리오를 심문하는 트릭은 카니발적 조롱을 법적 절차로 변형시켜 법과 질서를 대변하는 관료를 심문하는 격이라고 볼 수 있다. 전통적인 샤리바리의 기능을 사법 체계와 관료제가 흡수하는 근대국가에서는 사법 체계와 관료제의 억압이야말로 민중의 원성의 대상이 된다. 그러나 법의 권위를 보충하는 전통적 사리바리의 여지가 없어진 마당에 대중은 셰익스피어의 연극과 같은 문화형식을 통해서 체제의 억압에 대한 불만을 해소하기 쉽다. 청교도 관료를 연상케 하는 말볼리오가 법적 절차의 형식으로 심문당하는 트릭은 관객들에게 그런 대리만족을 주는 전형적인 예에 해당한다고 볼 수 있다.

4

바이올라의 변장이 야기하는 정체성 오인의 소동들은 그녀의 쌍둥이 오빠 세바스찬(Sevastian)의 직시 출현으로 마무리가 된다. 그 결과 올리비아는 세바스찬과, 그리고 오시노는 바이올라와 맺어지게 되고 아울러 무대 밖에서도 토비 경과 마리아의 결혼이 이루어진다. 하지만 말볼리오는 결혼의 해피엔드에서 배제되어 결혼하는 그들의 웃음거리가 된다. 그렇게 그는 불모의 상징으로, 즉 환관과 같은 존재로 남지만, 셰익스피어는 결혼의 해피엔드를 성립시킬 수 있는 물적 기표를 그의 수중에 둠으로써 그는 일상사에 일정한 영향력을 행사할 수 있는 관료임을 상기시킨다.

오시노는 자신의 환관 노릇을 했던 바이올라가 매우 여성적이었음을 상기하면서 그녀가 완전히 여성으로 돌아왔을 때 그녀와 결혼하려한다. 그렇지만 바이올라는 그녀를 해변으로 데려온 선장이 옷을 간직하고 있었는데, 말볼리오의 고발로 소송에 휘말리어 구금 중이라는 소식을 전한다. 그렇게 결혼의 해피엔드를 연기시킬 권한이 말볼리오 수

중에 있음이 알려질 무렵에야 올리비아는 실성한 말볼리오를 기억한다. 이어서 광대와 페이비언이 등장하여 말볼리오가 암실에서 작성한 편지를 읽기 시작하면서 그에게 행해진 장난은 마무리 절차를 밟게 된다. 그의 편지는 자신이 아씨가 쓴 편지를 갖고 있으며, 그 편지가 아씨에게는 수치일 것이지만 자신의 입장을 변호해줄 수 있으므로, 자신이 당한 모욕을 견딜 수 없어 공개할 것이라는 취지를 담고 있다. 그러나 그의 편지는 그가 여전히 사태의 전모를 모르고 있음을 폭로함으로써 그를 다시 한번 웃음거리로 만든다. 말볼리오는 그렇게 자신이 당한 것을 재미있는 장난쯤으로 여기는 분위기가 무르익는 가운데 등장한다. 그리고 올리비아는 편지의 필체가 마리아의 것이고 말볼리오가 오해한 상황을 설명한다. 그러면서 그녀는 "어쨌든 사태를 주도한 사람과 동기를 알았으니 그대가 원고와 재판관이 되어 판결해보라"(5.1.352-353)라고 권한다. 광대 페스티가 그를 심문하는 카니발 적 조롱의 법정을 꾸몄다면, 이 대목에서는 입장이 바뀌어 페스티의 가짜 법정에 대한 책임을 물을 수 있는 말볼리오의 법정이 꾸려진 셈이다.

일종의 공개 법정에서 페이비언은 피고 일행을 대표해서 그들이 말볼리오에게 속임수를 쓴 것에 대해 "그분의 지나치게 완고하고 무례한 점이 저희의 비위를 상하게 해서 참을 수 없었다"(5.1.361-362)라고 주장한다. 나아가 페이비언은 그를 암실에 묶어두고 심문했던 속편은 "못된 장난"(5.1.364)이었음을 인정하면서도, 그저 웃고 넘길 일이지 앙갚음할 일은 아니라고 주장하면서 "피해야 쌍방에게 다 있는 것이니 피장파장이 아니겠느냐"(5.1.366-367)라고 변론한다. 그의 변론에 대해 올리비아는 "저런! 불쌍한 사람, 모두가 한통속이 되어 당신을 조롱했군요"(5.1.368)라며 말볼리오를 동정하지만, 가해자였던 광대 페스티는 말볼리오가 그를 경멸했던 말들을 흉내 내며, "이게 다 인과응보라는 거지"(5.1.375-376)라며 장난을 유발한 원인이 피고 말볼리오에게 있다고 주장한다. 이에 말볼리오는 발끈하여 "너희 패거리들 한 놈도 빼놓지 않고 앙갚음을 하고 말 거다!"(5.1.377)라고 외치면서 무대에서 퇴장한다.

말볼리오는 그를 위한 법정이 꾸려졌을 때 광대에 의해 조롱당한 법과 정의가 회복되리라 기대했을 것이다. 그러나 가해자들은 적반하장격으로 말볼리오의 집사로서의 태도가 유발한 장난일뿐더러 그 장난에 속는 말볼리오가 바보라고 주장한다. 그런 그들의 주장이 구성원 모두의 웃음으로 수용되는 법정에서 그의 반론은 또 다른 웃음거리를 제공할 뿐이다. 그는 샤일록(Shylock)과 마찬가지로, 자신을 위해 열렸던 것처럼 보였던 법정이 결국 자신을 배제하기 위한 법정이라는 것을 깨달은 듯, 응징을 다짐한다.

복수를 외치며 퇴장하는 말볼리오는 올리비아에 대한 그의 성적 환상이 그의 현실의 비루함을 견디게 하는 것이었지만, 이제 한순간 그 환상이 사라짐으로써 그는 자신의 이전 텅 빈 껍데기로서 계속 살아야 한다. 그는 올리비아에 대한 성적 환상을 탐닉하는 순간 올리비아의 집사라는 현실에 대해 내적 거리를 유지하면서 환상 속에서의 멋진 일들이야말로 실재의 삶이라고 믿었을 것이다. 그러나 마침내 그 환상을 현실로 바꾸려 할 때 환상과 현실의 기괴한 불일치를 경험하게 된 것이다. 그런 의미에서 그의 복수의 외침은 올리비아에 대한 환상이 이미 사라졌다는 것을 깨달을 때의 끔찍함의 표출이기도 하다.

그런 말볼리오의 외침을 뒤로하고 오시노 공작은 "쫓아가서 잘 달래고 화합하도록 해야겠지. 그에게서 선장 이야기는 미처 듣지 못했군"(5.1.379-380)이라며, 혼례를 위해서는 말볼리오 문제가 원만히 해결되어야 하는데, 그가 그렇게 퇴장함으로써 바이올라의 옷 문제 해결 역시 미루어졌음을 상기한다. 그러면서 그는 "좋은 때"(5.1.381)를 찾아 성스러운 혼례를 엄숙하게 올릴 것을 선언하면서 해피엔드를 마무리한다. 말볼리오가 오시노 공작이 원하는 바이올라의 여성적 정체성을 위해 필요한 기표를 소유한 채, 복수를 외치고 퇴장함으로써, 무대에 남은 사람들을 위한 해피엔드에는 여전히 말볼리오의 그림자가 드리워져 있다. 그리고 불과 몇십 년 뒤 청교도들에 의해 대중극장이 폐쇄되는 역사의 이행을 염두에 둘 때, 오시노가 희구하는 '좋은 때'는 기약 없이 연기되고 오로지 그런 시간에 대한 노스탤지어만 남은 것처럼 느껴지기도 한다.

이어지는 광대 페스티의 마지막 노래 역시 이제 연극, 즉 카니발이 끝났으니 법과 질서가 지배하는 일상의 시간으로 복귀할 준비를 해야 함을 환기한다. 4연으로 구성된 그의 노래는 첫 3연에서 한결같은 인생의 고난을 "비는 날마다 오시네"(5.1.391, 395, 399, 403)라는 후렴으로 반복하는데, 마지막 연에서 어쨌든 연극은 끝났음을 선언한다.

> 옛날은 천지가 개벽하던 날
> 헤이 호 바람이 분다, 비가 내린다.
> 이제는 무슨 상관이랴 연극이 끝났는데
> 우리는 날마다 여러분들을 즐겁게 해줄 겁니다. (5.1.404-407)

일견 극 전체와 독립적으로 보이는 그의 노래는 그러나 일정하게 극 전체의 의미를 재조망하는 기능을 한다. 라이언(Kiernan Ryan)에 의하면, 그의 노래는 희극의 해피엔드를 그것이 배제해야만 할 혹독한 실제와 대비시킴으로써 희극의 해피엔드가 순수 상상계적 세계임을 부각한다 (269-270). 동시에 이제는 법과 질서가 지배하는 상징계로 복귀할 시간임을 일깨워준다. 그의 노래는 말볼리오 이야기와 관련하여 관객들이 청교도 관료의 고지식한 얼굴 뒤의 음란함을 엿보고, 그를 환관과 같은 존재로 전락시킨 샤리바리의 시간은 끝났기에, 이제 또다시 그들이 회피할 수 없는 청교도 관료의 고지식한 얼굴과 대면해야 할 준비를 해야 함을 고지한다.

노래는 또한 말볼리오 역시 상상계적 차원에서 상징계적 차원으로 복귀해야 함을 암시한다. 노래는 그가 집사로서의 삶에 대한 내적 거리를 유지하면서 그 너머의 삶에 대한 백일몽에 젖어 드는 것은 실제로 그를 집사로서의 현실에 속박당하게 할 뿐이니, 아예 현실의 규범에 속박된 채 진정 집사로서 살고 있다고 철저히 인정함으로써 삶의 의미를 찾아야 함을 일깨워주는 듯하다. 이는 역설적으로 말볼리오로 하여금 그 자신은 환관일 뿐이라는 것을 철저히 인정하기를 요구하는 듯하다.

5

『십이야』의 말볼리오 이야기는 당대의 청교도 관료들을 풍자하는 내용이지만 일과 법, 그리고 사적 소유에 매인 채 살아가는 오늘날 관료 형 인간에 대한 풍자로도 유효하다. 청교도 집사인 말볼리오는 이십

세기 초 카프카(Franz Kafka)가 『심판』(*Der Prozess*)에서 그린, 한쪽에는 음란함으로 가득 찬, 엄숙한 무관심의 얼굴을 한 관료를 연상케 한다. 동서고금을 막론하고 그렇게 음험하고 타락한 관료들은 종종 환관에 빗대어지는데, 『십이야』에서 환관 역은 애초 남장으로 인해 성 정체성이 모호해진 여주인공의 것이었다. 그러나 남성 관료에 해당하는 말볼리오를 남성 실격자로 몰아가는 공동체의 트릭은 환관 역이 본질적으로 그의 역할이었음을 입증한다. 이런 희극적 서사에는 당대의 청교도 관료들을 사회적 유동성의 수혜 계층으로 간주하고, 그들을 사회적 유동성에 따른 불만을 해소하는 표적으로 삼는 사회적 기제가 투영되어 있다.

말볼리오를 웃음거리로 만드는 공동체의 트릭은 관료로서 그의 속성을 철저히 이용하는 것이기에 성공을 거둔다. 동서고금을 막론하고 관료들은 상관으로부터 자신의 능력을 인정받아 신분 상승하는 것을 목표로 하는 집단이다. 말볼리오는 관료의 그런 속성을 잘 보여주는데, 아리따운 미혼 여성 상전을 모시는 미혼 남성 관료가 그녀와의 결혼을 통해 신분 상승을 도모하는 환상에 사로잡히는 것이 결코 비정상은 아니다. 그런 환상이야말로 현실의 집사 노릇의 구차함을 견뎌 나갈 수 있게 해주는 원동력이 될 수 있기 때문이다. 그러나 그런 환상이 만천하에 공개되는 순간 그는 주제넘은 신분 상승 욕의 화신으로 낙인찍혀 그에 합당한 대가를 치러야 한다. 사실 말볼리오는 신분 질서를 뛰어넘으려는 다른 구성원들의 판타지를 대신 상연하는 셈이지만, 억압되고 감추어져야 할 것을 공공연히 폭로함으로써 그 자신이 반사회적 욕망의 화신으로 낙인찍히고 만다. 그리고 그가 지급해야 할 대가는 상징적으로 거세당하는 것, 즉 환관 같은 존재로 전락하는 것이다. 말볼리오가 상징적으로 거세당하는 과정은 상전에 대한 그의 판타지를 조직해주는 연애편지에 속아 상상계로 퇴행하는 과정인데, 그는 상전이 응시하는 대로 자신을 응시함으로써 오히려 스스로 여성화하여 모두의 웃음거리가 되기도 한다. 그 과정에서 그의 주체는 몰각되고, 그는 타자에 의해 동원될 수 있는 수동적 존재로 전락하고 만다. 그런 끝에 그는 환상과 현실의 기괴한 불일치를 체험한 후 원래의 관료 정체성을 회복하지만, 여전히 자신이 웃음거리가 되어야 하는 근본적 이유를 알지 못한 채 다른 구성원들에게 복수를 다짐한다. 그렇더라도 말볼리오가 자신을 소외시키는 해피엔드를 연기할 일정한 권한을 쥐고 있는 결말은 청교도 관료들의 역사적 복수가 성공하는 미래를 예지하는 듯하다. 이뿐만 아니라 극은 최종적으로 말볼리오가 그랬듯이 관객들 역시 청교도 관료를 환관과 다름없는 존재로 비웃을 수 있었던 판타지, 즉 연극이라는 상상계로부터 관료제가 지배하는 현실, 즉 상징계로 복귀해야 할 시간임을 다시 한번 알려준다.

지금까지 이 글은 우리 시대의 징후를 셰익스피어가 창조한 인물을 통해 읽어보려는 일종의 성격 비평을 시도하였다. 그리고 부패하고 타락한 관료를 환관에 빗대는 우리 시대의 징후가 『십이야』의 말볼리오 이야기에 이미 있었음을 밝혀보았다. 무엇보다도 말볼리오는 현대 관료의 증상을 지니고서 근대의 수 세기를 겪은 후 이제야 도래한 듯한, 그러나 애초부터 거기 있었던 인물이라는 느낌을 확인할 수 있었다.

제6장

『윈저의 즐거운 아내들』 신흥 부르주아 사모님들의 즐거움, 그리고 그 영악한 이면

돈이 사랑을 쫓으면 사랑은 그림자처럼 사라져버리고,
달아나면 쫓아오고 쫓아오면 달아나는 것.
(2.2.176-177)

1

『윈저의 즐거운 아내들』(1600-1601)은 흔히 엘리자베스 여왕(Elizabeth I)이 역사극에서 폴스타프의 역할과 성격에 매료된 나머지, 셰익스피어에게 사랑에 빠진 폴스타프를 그려보라고 해서 창작된 것으로 알려져 있다(Oliver, xliv). 하지만 냉소적이면서도 유쾌한 정신의 소유자인 동시에 그로테스크한 육체를 지닌 폴스타프에게는 낭만적 사랑의 화신 역할은 결코 어울릴 리가 없고, 오히려 사랑을 희화화하는 역할이 제격일 수밖에 없다. 그래서 그에게 주어진 역할이 사랑을 빙자하여 재산을 갈취하려는 사기꾼 역할인데, 그것마저도 그에게는 일종의 자기기만을 요구하는 것이어서, 그는 특유의 비상한 임기응변적 탈피를 보여주기보다 결국에는 한바탕 웃음을 주는 광대역에 머물고 만다.

그러나 폴스타프가 한바탕 웃음거리가 되는 소극의 이면에는 그의 존재 양식, 혹은 그가 대변하는 것의 역사적 퇴장이나 상징적 죽음의 함의가 있다. 왜냐하면 그는 이 희극에서 마치 "미래로 던져진 것처럼"(back to the future), 훨씬 근대화된 영국 사회에서 살아남기 위해 자신을 기만함으로써, 그리고 그 결과 시민계급의 웃음거리가 됨으로써, 상징적 죽음, 혹은 역사적 퇴장을 맞이하기 때문이다.

셰익스피어 극 중에서 유일하게 당대 영국의 시민들과 도시를 재현하고 있는 이 희극에서는 극 중 윈저가 단일한 계급, 즉 신흥 시민계급의 공동체임을 강하게 부각하듯 대부분의 대사가 산문으로 이루어졌을 뿐 아니라, 174번이나 "선생"(master)이라는 호칭이 언급된다(Berry 52-55). 그래서 바튼(Anne Barton)의 경우, 이 희극의 주인공은 폴스타프도 그 누구도 아니며, 통합적 실체로서 윈저 자체라고 주장하기도 한다(140-141). 그렇게 단일한 부르주아 공동체가 묘사되고 있는 만큼, 프렌치(Marilyn French)에 의하면 극의 주요 주제는 부르주아적 삶의 토대인 재산 소유, 여성 소유, 그리고 도둑맞는 것에 대한 두려움이다(106-107).

당대 신흥 부르주아들의 도시에 등장하는 폴스타프가 생존의 위기에 내몰려 윈저 부르주아의 재산과 아내를 넘보는 침입자가 되면서 윈저 부르주아들과의 차별성을 상실해 가는 반면, 그런 폴스타프를 물리치는 윈저 부르주아 사회는 그 과정에서 부르주아적 삶의 근간을 드러낸다. 그런데 폴스타프와 윈저 시민들의 싸움은 본질적으로 심각하고 처절한 싸움임에도 불구하고 싸움의 양상은 우스꽝스러운 소극에 가깝다. 그것은 물론 폴스타프가 빈틈없고 영악한 사기꾼이 아니라 어리석고 처량한 광대역을 수행하기 때문이기도 하지만, "윈저의 즐거운 아내들"이라는 표제에 함축되어 있듯, 남편이 아닌 남편의 소유물로 간주되는 아내들이 폴스타프를 직접 상대하여, 본질적으로는 치열한 싸움의 완충지대를 설정하면서 즐거움의 틈새를 창조하는 역할을 수행하기 때문이다. 반면 재산과 아내를 빼앗기지 않으려는 강박에 시달리는 남편 포드(Ford)의 경우, 부르주아적 삶의 병적 징후에 해당하는 그로테스크한 정신 분열 증세를 보여준다. 폴스타프의 침범으로 인해 즐거운 아내와 고통스러운 남편으로 부르주아 부부관계가 분열되는 듯 보일지라도, 그런 차이와 분열 역시 본질적으로는 재산 소유와 가정 유지에 집착하는 부르주아적 삶의 양면성 내지는 상호 보충적 이면으로 입증된다. 그런 의미에서 "윈저의 즐거운 아내들"이라는 표제는 셰익스피어의 어느 희극보다도 깊은 아이러니와 풍자를 내포하고 있다고 해도 과언이 아니다.

지금까지의 문제 제기를 바탕으로 이 글은 "윈저의 즐거운 아내들"에서 아내들의 즐거움에 함축된 복합적이고 모순적인 양상을 분석하고자 한다. 요컨대 아내들이 즐거운 것이 본질적으로 윈저 부르주아의 아내들이기 때문임을 살펴보고자 한다. 구체적으로는 아내들이 "즐겁되 정숙하다"라는 언명에 함축된 다중적이고 모순된 의미를 분석하고자 한다. 나아가 아내들의 즐거움과 폴스타프의 운명, 혹은 희생양 역할과의 상관관계를 살펴볼 것이며, 끝으로 해피엔드를 장식하는 귀족 펜튼(Fenton)과 윈저 시민의 딸 페이지(Page)의 결혼이 어떤 면에서 부르주아적 삶의 근간이 되는 판타지를 제공하는지 다루고자 한다.

2

윈저의 지방 치안판사인 쉘로우(Shallow)와 그의 사촌 슬렌더(Slender), 그리고 웨일즈 출신 에반스(Evans) 목사의 대화로 시작하는 극의 첫 장면에서 그들은 쉘로우의 치안 판사직을 대단한 것으로 추켜세우고 쉘로우의 오랜 가문의 문장을 주 화제로 삼는다. 그들이 대변하듯, 윈저 시민들은 새로운 기득권층으로 편입된 자신들의 정체성에 대한 자부심이 대단한 만큼 자신들의 공동체를 넘보는 외부 침입자에 대한 경계심 또한 대단하다. 폴스타프에게 주어진 역할은 바로 그런 윈저 공동체의 침입자가 됨으로써 그들의 자부심이 허구임을 폭로하는 것이다.

처음부터 쉘로우는 치안판사의 권한을 무시하고 윈저 시민들에게 피해를 주는 무법자 폴스타프와 그의 부하들의 행패를 소요죄로까지 다스려야 한다고 흥분한다. 하지만 폴스타프가 윈저 시민들에게 피해를 줄 수밖에 없는 것은 "나는 1주일에 겨우 10파운드로 살아가는 신세요"(1.3.7)라는 푸념에서 알 수 있듯, 경제적 곤궁에 기인한다. 이뿐만 아니라 그의 부하들조차 돈을 위해서는 서슴없이 폴스타프를 배신할 지경에 이르렀다. 그래서 폴스타프는 자신도 "별도리가 없으니 재주껏 등쳐먹는 수밖에 없다"(1.3.31-32)라고 작정하고는 그 대상을 윈저의 돈 많은 포드의 아내(Mistress Ford)와 페이지의 아내(Mistress Page)로 정한다. 그러고는 "이 두 여편네를 등쳐서 나에게 마음껏 돈을 대는 재무장관으로 삼는다 이 말씀이야. 이 두 여편네는 나에겐 동인도, 서인도 격이지. 이 양쪽 인도와 동시에 거래를 한다는 거지"(1.3.65-68)라며 과대망상에 빠져든다. 이 대목에서 당대 영국의 인도 식민지 경영을 빗댄 그의 거창한 비유는, 그 자신이 역사극에서의 폴스타프가 아니라 이제 미래로 던져진 폴스타프임을 확인하는 듯하다. 그래서 그는 전혀 낯선 냉혹한 세계에서 살아남기 위해 일종의 자기기만에 빠져든 것이다. 누구라도 냉혹한 세상에서 살아남자면 자기에게 유리한 방향으로 세상과의 관계를 설정하고, 자신이 그 세상과 특별히 우호적인 관계에 있는 것처럼 자신을 속이는 경향이 있기 마련이다. 폴스타프도 예외는 아니며 오히려 전형적인 예에 해당한다고 볼 수 있다.

그뿐만 아니라 폴스타프는 자신의 매력에 윈저의 아내들이 당연히 넘어오게 되어 있다는 과대망상에 사로잡혀 있어, 포드 부인에 대해서는 "그녀가 말을 걸지 않나, 손가락을 비비꼬지를 않나, 추파의 눈길을 주질 않나, 나에 대한 뜨거운 관심을 엿볼 수 있다"(1.3.41-42)라고 판단하며, 페이지 부인의 경우에는 한술 더 떠서 "그 여자도 방금 이상야릇한 추파로 내 온몸을 도배하지 않겠어? 그녀의 이글거리며 타는 눈빛이 내 발목에서부터 배까지 환히 비쳐댔어"(1.3.55-58)라고 간주한다. 다소 과장이 섞이기는 했으나, 그가 아내들이 자신을 응시하는 시선을 마치 탐나는 소유물을 응시하는 물신화된 시선으로 느끼는 순간, 그는 윈저 부르주아 아내들의 실체를 간파하고 있는 셈이다. 그리고 나아가 폴스타프는 윈저의 아내들의 물신화된 시선 밑에 감추어진, 억압된 욕망이 되돌아오기를 기대하고 있는지 모른다. 그리고 연애편지에 대한 아내들의 일련의 즉각적인 반응은 일면 폴스타프의 통찰이 사실임을 입증하는 면이 있다. 가령 아내들이 편지를 읽자마자 과도한 자기 점검이나 자기 검열, 혹은 자기반성에 몰두하는 것은 역설적으로 금지된 향락으로부터 자유롭지 못하다는 반증이기도 하다.

그렇지만 그가 획책하는 사기 구애를 허황된 망상으로 간주하는 부하들이 당사자들에게 고자질함으로써 그에게는 웃음거리가 되는 일만 남게 된다. 자신의 부하들이 이미 자신을 배반한 것도 모르는 채 폴스타프는 그런데도 과대망상에 젖어 자신의 계획대로 윈저의 아내들에게 연애편지를 보낸다. 폴스타프의 편지를 받은 아내들은 편지의 내용도 내용이지만, "틀림없이 그 인간은 이따위 편지를 천 통도, 아니 그 이상도 써 놓고, 이름 쓰는 칸만 비워놓았을 거야. 이건 재판 찍은 거겠지. 틀림없이 마구 인쇄해낼 거야"(2.1.71-74)라며 대량 복제된, 즉 상품화된 거짓 구애의 형식에 분개한다. 그런데 이 극의 보조 플롯에 해당하는 귀족 펜튼과 페이지의 딸 앤(Anne)의 결혼에 연루된 윈저 시민들이 보여주는 행태는 전형적인 물신숭배이다. 연애편지를 대량으로 인쇄하는 폴스타프의 물신화된 행태를 비난하는 페이지 부인도 예외가 아니다. 그런데도 아내들은 자신들 결혼의 본질은 망각하고 폴스타프의 물신화된 행태만 비난한다. 그런 의미에서 폴스타프는 윈저인들이 그럴듯한 외관으로 가리고 있는 물신숭배와 속물근성을 대면하게 하는 불편하고 불온한 존재인지 모른다. 그리고 그것이 그가 본질적으로 희생양으로 역할을 수행해야 하는 이유이다.

포드 부인이 폴스타프의 편지를 남편에게 즉각 알리지 않고 독자적으로 폴스타프를 응징하려는 이유는 그녀 말대로 "그것이 두고두고 남편의 질투감이 되기 때문이다"(2.1.97-98). 그녀가 잘 파악하고 있듯, 쉽게 질투에 빠지는 남편이라면 편지를 보는 즉시 아내도 부정의 빌미를 제공했을 것으로 의심할 것이다. 그리하여 이후 아내의 일거수일투족을 철저히 감시하여, 자신의 눈에 띄지 않는 아내의 영역 자체를 허용하려 하지 않을 것이다. 그렇기 때문에 아내는 더욱더 남편 모르게 자기 스스로 일을 처리하려 함으로써, 아내의 비밀과 프라이버시가 생겨나는 것이 질투의 역설이다. 그렇지만 부정을 의심받을 수 있는 상황에 대처하는 것이기에 아내들은 자신들의 비밀과 프라이버시가 불가피한 것일 뿐 아니라 공공선을 위한 것이라는 자기 확신에 빠지게 된다. 그래서 포드 부인은 "정조를 더럽히지 않는다면 무슨 짓이라도 해서 그 자를 골탕 먹입시다"(2.1.95-96)라고 다짐하는데, 그녀의 취지는 누구의 도움 없이도 외부의 유혹이나 침범으로부터 정조를 지켜낼 능력이 있음을 입증함으로써 남편의 질투가 부질없는 것이며, 나아가 공동체의 감시의 시선 또한 불필요한 것임을 입증하는 것이다. 다른 면에서는 그녀들이 말하는 "정조"는 서로 속이면서 속내를 털어놓지 않는 남편들과는 달리 상호 연대를 형성할 수 있는 그녀들 간의 정직을 자랑하는 개념일 수도 있다. 그렇지만 어쨌든 "정조를 더럽히지 않는다면"이란 말에서는 조신한 아내상의 이념으로 완전히 포섭되지 않는 일탈의 욕망의 잔여가 느껴진다.

폴스타프의 부하인 피스톨(Pistol)의 밀고로 폴스타프의 계획을 들은 포드는 부인의 짐작대로 너무나 쉽게 질투에 빠져든다. 피스톨의 고사실을 같이 들은 페이지가 영어도 제대로 구사하지 못하는 떠돌이의 말이라면서 일축하는 반면, 포드는 피스톨이 악티온 전설과 이마의 뿔을 상기시키자 폴스타프와 아내의 부정을 실제로 인식하기 시작한다. 그래서 그는 두 사람을 탐색하는 등 즉각 대처에 나서는 한편 그런 자신의 행동에 대해 "마누라가 깨끗한 것으로 증명되면 그것만으로도 헛수고는 아니지. 그 반대라고 해도 수고한 보람은 있는 법이지"(2.1.227-229)

라고 의미를 부여한다. 올리버(H. J. Oliver)에 의하면, 이 대목에서 포드는 마치 질투에 빠지지 않는 것이 어리석은 일이며, 질투는 감행해볼 만한 모험인 것처럼 합리화하면서 자신을 설득하는 정신의 작동 방식을 보여준다(lxxi). 정신의 그런 작동 방식은 곧 매사를 손익의 관점에서 따져보는 부르주아적 합리성에서 비롯된 것이다. 부르주아적 합리성은 그러나 진정 질투에 몰입하는 것을 방해하면서 끊임없는 피해망상에 시달리는 정신 분열을 낳기 쉽다.

질투의 모험을 감행하기로 한 그는 우선 폴스타프의 구체적인 계획을 파악한 뒤, 그것을 역이용하기 위해 브룩스(Brooks)라는 가상의 인물로 위장하고 폴스타프에게 접근하여 자신의 사연을 털어놓는다. 그가 폴스타프에게 브룩스의 사연이라고 들려주는 사연이란, 자신이 오랫동안 포드 부인에게 구애를 했지만 그녀가 꿈쩍도 안 하니 지체 높고 구변 좋은 폴스타프가 그녀를 함락시켜, 그녀의 약점을 만들어 주면 그것을 빌미로 그녀를 공략해보겠다는 것이다(2.2.188-200, 233-242). 그러면서 그는 자신의 사랑은 돈으로 추구한 사랑이라서 실패할 수밖에 없다고 털어놓기도 한다.

> 돈이 사랑을 쫓으면 사랑은 그림자처럼 사라져버리고,
> 달아나면 쫓아오고 쫓아오면 달아나는 것. (2.2.176-177)

그가 들려주는 브룩스의 사연이 어디까지 그 자신의 이야기에 해당하는지는 알 수 없으나 그의 결혼이 철저히 물적 이해관계에 예속되었음을 짐작게 해준다. 그는 폴스타프의 환심을 사기 위해 돈을 쓰면서, "돈

이 미리 가면, 만사형통이라 하지 않습니까"(2.2.163-164)라고 얼버무리기도 하는데, 자신의 결혼생활을 "남의 땅에다 지은 비싼 집이라고나 할까요, 즉 집터를 잘못 잡은 탓으로 집을 잃었죠"(2.2.209-211)라며, 점유권과 소유권의 충돌에 비유하는 대목에서는 더욱 확연히 부르주아적 사고와 인식을 드러낸다. 그런 그에게 아내는 본질적으로 재산이나 소유물에 불과하다. 따라서 그의 질투의 증상 역시 그 본질은 재산을 잃거나 빼앗기는 것에 대한 두려움에 불과할 수 있다.

한편 비록 제삼자의 경우에 빗댄 것일지라도 그것이 자신의 문제에 대한 정확하고 객관적인 분석의 수행이라면 최소한의 자기성찰이나 반성이 개입된다. 그러나 포드의 경우처럼 도덕적 성찰이나 반성 없이 자신의 진실을 마치 제삼자의 경우인 것처럼 천연덕스럽게 말하는 것은 일종의 자기기만이나 허위에 해당한다. 그런 포드에게 부르주아로서의 정체성을 환기하면서 그를 괴롭히는 상상은 역시 아내를 빼앗기는 것 못지않게 재산을 도둑맞는 것이다. 그래서 폴스타프가 "그 여편네를 열쇠 삼아 바람난 여편네를 둔 못난 놈 금고를 열자는 속셈이지. 한탕 크게 하는 거지"(2.2.262-264)라고 자신의 계획을 털어놓자 그는 무엇보다도 자신이 당할 모욕과 손실을 상상하면서 치를 떤다.

그가 브룩스라는 인물이 되어 실은 자신의 아내인 포드 부인을 폴스타프가 먼저 함락해달라고 천연덕스럽게 부탁하는 것은 남편의 도리를 벗어난 기이한 처사가 아닐 수 없다. 그래서 당사자인 폴스타프조차 "내 생각엔 당신의 처방은 어째 좀 황당한 것 같소"(2.2.230-231)라며 의아해할 정도이다. 물론 포드의 의도는 폴스타프와 아내의 밀회 현장을 덮쳐 아내의 불륜을 좌절시키고 폴스타프를 응징하려는 것이지만, 브룩스라는 가상 인물로서 그가 들려주는 기이한 사연이나 부탁에는 그를 사로잡고 있는 환영이나 무의식이 잘 투영되어 있다. 그가 폴스타프에게 대신 아내를 함락해달라고 사주하는 데에는 아내에 대한 콤플렉스가 무의식적으로 작용하고 있다고 볼 수 있다. 그리고 그것은 결코 아내가 무엇을 원하는지 알 수 없기에, 즉 눈에 보이지 않는 아내, 그가 믿을 수 없는 아내는 곧 그가 충족시킬 수 없는 타자이기에, 다른 남성을 통해 타자로서 아내가 원하는 것을 확인하려는, 즉 아내의 욕망의 심연을 들여다보려는 무의식적 충동이나 환영으로 볼 수 있다. 그런 의미에서 브룩스는 포드의 분열된 자아이며, 폴스타프는 그 자신이 욕망하되 억압해온 것을 충족시키려는, 자신을 대리하는 분신일 수 있다.

그렇게 질투로 인한 정신 분열 증상이 악화할수록 그의 행동은 더욱더 그로테스크해지게 마련이고, 그럴수록 아내들은 더욱더 비밀과 아슬아슬한 상황을 즐기는 상황의 역설이 성립된다.

3

폴스타프의 연애편지를 받은 아내들은 늙고 못생긴 폴스타프의 어설픈 수작에 대해 매우 불쾌해하지만, 곧 자신들의 처신에 문제가 없었는지 되돌아보는 자기 점검에 빠져든다. 그래서 페이지 부인은 그자를 한두 번밖에 본 적이 없지만, "내가 그때도 헤프지 않게 보이려고 조심했는데"(2.1.27)라고 스스로 반문한다. 그녀의 표현이 암시하듯, "조심" 혹은 "검약"은 정숙한 아내로서, 그리고 빈틈없는 가정 관리자로서 매사에 그녀들이 준수해야 할 덕목이다. 아내들은 외부 침입자인 폴스타프를 물신화된 시선으로 샅샅이 훑으며 경계하지만, 아이러니하게도 지나치게 외부인을 의식하는 아내들의 그런 주도면밀하면서도 부자연스러운 응시는 오히려 상대방의 관심과 접근을 더욱 유발할 수 있다. 한편 아내들은 매사에 빈틈이 없는지 남편과 공동체로부터 응시당한다. 그래서 아내들은 공동체가 자신을 관찰하듯 자기 자신을 점검하려고 노력하게 된다. 즉, 공동체의 감시의 시선을 자기 점검 혹은 성찰의 시선과 일치시키려고 노력하게 된다(Korda 94-95). 그런 의미에서 조심과 검약의 실천은 빈틈없이 살피는 주체로서의 자신을 스스로 객체화하여 반성하는 일종의 의식 분열에 빠지는 일이 아닐 수 없다.

편지를 받자마자 페이지 부인이 "아니, 한참 예뻤던 꽃다운 시절에도 연애편지 한 번 받아본 일이 없었는데, 이제 와서 이런 걸 다 받게 되다니"(2.1.1-3)라고 반응했듯이, 아내들은 폴스타프의 거짓 구애의 대상이 된 것에 분개하면서 자신들의 처신에 문제는 없었는지 되돌아보지만, 폴스타프의 출현 자체가 그들의 무미건조한 일상을 뒤흔들 수 있는 사건임을 부정하지는 않는다. 폴스타프에 대한 복수를 다짐하기 전, 포드 부인은 "대체 무슨 놈의 태풍이 배때기 속에 기름을 몇 톤씩 채우고 있는 고래를 우리 윈저 해안에 패대기쳤을까?"(2.1.61-63)라고 반응하는데, 폴스타프의 출현을 태풍과 고래에 비유하는 그녀의 언사에는 분명 앞으로의 사태 전개에 대한 흥분과 기대가 숨어있다고 해도 과언이 아니다. 아내들은 부르주아의 부유한 삶에 대체로 만족하지만, 물욕에 젖은 부르주아 남편들로부터는 충족되지 않는 낭만적 환상을 품을 수 있다. 젊은 시절부터 연애편지 한 번 받아본 일이 없는 윈저의 아내들이기에, 내심 기사들로부터 귀부인처럼 구애를 받는 환상을 더욱더 탐닉할 수 있는 것이다. 그러나 폴스타프의 추하고 늙은 외모와 그녀 자신들을 우습게 여기는 교만은 그녀들의 낭만적 환상과 기대를 철저히 좌절시켜 폴스타프에 대한 철저한 응징을 기획하게 만든다. 또한 그런 과정에서 아내들은 못생기고 가난한 존재에 대한 우월감을 만끽함으로써 즐거울 수 있다.

아내들이 품을 수 있는 낭만적 환상은 조심과 검약을 실천해야 하는 정숙한 아내상에 의해 억압될 수밖에 없지만, 아내들이 복수를 집행하는 과정에서 그들이 행할 수밖에 없는 연기는 묘한 일탈의 욕망을 충족시키는 면이 없지 않다. 아내들이 폴스타프로 하여금 사악한 욕정을 불타오르게 하려고 하는 연기는 남편과 상의하지 않고 은밀히 진행되는 아슬아슬한 연기일 수 있다. 그래서 아내들은 "정조를 더럽히지 않는다면"이란 분명한 목적의식으로 어떤 수단도 불사한다는 의지에 내재한 일탈의 가능성을 제어하려 한다. 하지만 그녀들은 태풍이 고래를 던져 놓은 일대 사건에 대한 흥분과 기대를 표현했었다. 즉, 아내들은 공동체가 요구하는 정숙한 아내상을 철저히 내면화하면서 일탈의 욕망을 억압해왔을지라도 그렇게 억압된 욕망은 자신들도 모르게 되돌아오게 마련이다.

폴스타프로부터 같은 내용의 편지를 받은 사실을 확인한 직후, 페이지 부인은 "이런 일을 당하고 보니, 나 자신의 정숙함을 의심하게 되네요. 나 자신이 나를 알지 못하는 남이 되어 생각해보고 싶어요" (2.1.82-84)라고 털어놓는다. 그녀는 이 대목에서 제삼자, 혹은 외부인의 시선으로 자기 자신을 스스로 점검할 필요가 있음을 말하고 있는데, 이는 그녀가 공동체의 감시의 시선을 내면화하려는 강박으로부터 벗어날 수 없음을 암시한다. 그리고 한편 단정하게 처신하지 못해서 외간 남자의 시선을 끌어들였다는 자책 속에는 역으로 다른 남자의 시선을 끌 만한 또 다른 내가 있었나 하는 자아도취가 있을 수 있다. 그러나 정숙한 아내에게는 그런 생각 자체가 죄라는 검열이 최종심급으로 작용하기에 폴스타프에 대한 복수로 매진할 수 있는 것이다. 그럼에도 포드의 아내가 폴스타프를 유혹하는 실제를 연기하는 밀회 장면은 정숙함의 이데올로기에 의해 포섭되지 않는 일탈의 욕망이 있을 수 있음을 드러낸다.

자신의 집에서 첫 번째 밀회를 하게 되었을 때 포드 부인은 폴스타프의 구애의 제스처에 대해 "아, 사랑하는 존 경!"(3.3.41)으로 화답하면서 그것을 즐기는 듯 아슬아슬한 연기를 펼친다. 물론 폴스타프의 혐오스러운 외모와 사악한 욕망은 분노를 자아낼 뿐이어서 그녀는 어디까지나 폴스타프의 사악한 욕정을 정화하기 위해 불가피하게 연기를 하는 것이라고 확신한다. 그렇지만 남편이 없는 틈을 타서 외간 남자를 끌어들여 그의 구애를 즐기는 상상에서 더 나아가 그런 상황을 연출하는 것만으로도 매우 흥분되는 일이 아닐 수 없다. 그리고 정말 낭만적 환상을 충족시킬 수 있는 상대였다면 자신이 과연 정숙한 아내상을 지킬 수 있을지 알 수 없는 일이라고 상상할 수도 있다. 남편 포드가 너무나 빨리 들이닥침으로써 그런 상상으로의 발전은 중단될 수밖에 없었지만, 그렇지 않았더라면 포드 부인은 아슬아슬한 상황 자체를 탐닉하려는 욕망과 정숙함을 지켜야 한다는 검열 사이에서 갈등으로 분열되었을 것이다. 그러나 결정적인 위기의 순간에는 최종심급의 검열인 죄의식이 작용하여 그녀들은 원래 정숙한 아내의 위치로 되돌아오게 마련이다. 그래서 포드 부인의 두 번째 밀회가 남편에게 발각될 결정적 위기의 순간 페이지 부인에 의해 그녀들의 주제는 선언된다.

> 이제 그 증거를 보여줄 거예요, 우리가 어떻게 하려는지
>
> 즐거운 아내들이지만 행실만은 정숙하거든요. (4.2.86-87)

그녀들은 분명 정숙한 아내로의 복귀를 선언했을지라도 즐거움과 정숙함을 연결하는 부정어인 "그렇지만"(and yet)이 나타내듯, "즐거움"과 "정숙함"의 갈등과 분열은 원초적으로 해결 불가능한 것인지 모른다.

아내들은 남편 포드가 들이닥침으로써 위기를 맞이하지만, 기지로 위기를 모면하고 오히려 질투에 빠진 남편을 망신시키기까지 한다. 아내들은 포드가 빨래 바구니까지 뒤지려 하자 "이제는 아예 빨래 참견까지 하시는군요"(3.3.144)라며 핀잔을 주는 여유를 즐긴다. 전통사회에서나 근대 사회에서나 빨래와 같은 집안일은 젠더 구분에 따른 분업상 전적으로 아내의 소관이다. 그러므로 빨래 바구니까지 간섭하는 포드 같은 남편은 남자답지 못한 남자로 간주당해 아내의 책망을 받아 마땅하다. 포드가 아내의 핀잔에도 불구하고 한사코 숨은 여우를 찾겠다고 법석을 떨자 일행인 에반스 목사는 "이건 매우 괴상한 기질인 데다 질투로군요"(3.3.158)라고 꼬집는다. 그렇게 포드가 망신당하는 모습을 지켜보던 그의 아내는 "내 남편을 속이는 것하고 존 영감을 속이는 것하고 어느 쪽이 더 즐거운지 모르겠군요"(3.3.164-165)라고 토로하는데, 이 순간만은 포드 부인이 남편을 속이는 것이 어디까지나 남편 자신과 가정을 위한 일이라는 도덕적 강박에서 벗어난 것처럼 보인다. 오히려 남자답

지 못한 두 남자, 즉 음흉한 외간 남자와 질투하는 남편을 가지고 놂으로써 그런 남자들에게서 충족되지 않은 욕망에 대한 보상을 얻어내려는 것처럼 보인다. 이렇듯 남편의 침범으로 인해 결과적으로 더욱 아슬아슬해진 상황을 즐길 수 있었던 아내들은 그렇기에 거기서 그치지 않고 수다쟁이 퀵클리(Quickly) 댁을 이용해서 다시 한번 폴스타프를 골탕 먹이려 한다.

아내들이 즐거웠던 것에 반해 불쾌하게 망신만 당했던 포드 역시 다시금 폴스타프를 찾아 자신이 왜 실패했는지, 어떻게 속았는지를 알아보려 한다. 그러나 폴스타프가 그렇게 당하고도 또다시 아내와의 밀회를 시도하려 하자 포드의 질투는 더욱더 그로테스크해져 간다. 그는 폴스타프에게서 빨래 바구니에 숨어 탈출한 사연을 듣자 “이번에는 잔돈 주머니 속이나, 후춧가루통 속에 기어들어 갈 수는 없겠지. 하지만 악마가 그자를 도와줄 수도 있으니 있을 수 있는 곳은 빠짐없이 모두 뒤질 테다”(3.5.135-138)라고 다짐한다. 질투에 빠진 그는 이미 자신의 눈에 보이지 않는 아내는 곧 부정한 아내로 간주하기에, 즉 자신의 감시에서 벗어난 어떤 곳도 용납하려 하지 않는다.

그리하여 포드는 두 번째로 들이닥쳤을 때는 지난번의 실수를 되풀이하지 않으려는 듯, 집 안 구석구석 온갖 물건들을 샅샅이 뒤지기 시작한다. 포드의 그런 행동을 예상하였던 아내는, 남편이 들이닥쳤다는 소리를 듣고 폴스타프가 다급하게 숨을 곳을 찾자, “찬장도, 금고도, 궤짝도, 트렁크도, 우물도, 다락도 다 안 돼요. 그런 곳은 모두 기억해두고 있으니까 일일이 대조해가면서 뒤질 거예요. 그러니 집 안에 숨는 것은 불가능해요”(4.2.53-57)라고 대꾸한다. 이 대목에서 그녀가 열거하는 가정용품의 세목은 무엇보다도 아내의 독자적 가정 관리 영역을 인정치 않는 포드의 관습적 감시와 규율의 극단적 성격을 부각한다(Korda 96).

포드는 마침 하인들이 빨래 광주리를 메고 나가려 하자 지난번에 폴스타프가 빨래 광주리에 숨어 위기를 모면한 사실을 알기에, 아내의 만류에도 불구하고 막무가내로 빨래 광주리를 뒤진다. 사실 아내가 그를 만류한 이유는 아녀자의 속옷 등이 외간 남자 앞에 펼쳐지는 수치를 면하기 위해서인데, 이미 아내를 부정한 여자로 간주하는 포드는 아내의 더러운 속옷을 들춰냄으로써 아내를 부정한 여자에 상응하는 칠칠맞은 여자로 만들어버린다. 포드의 그런 모습을 지켜보던 페이지는 포드가 미친 듯이 찾고 있는 폴스타프에 대해 "아무 데도 있을 리가 없죠, 당신 머릿속에 있으니까요"(4.2.146)라고 핀잔을 준다.

폴스타프가 포드의 눈에 띄지 않는 것은 아내들이 이번에는 그를 가정부의 숙모로 알려진 브레인포드(Brainford) 할머니로 변장시켰기 때문인데, 그 노파는 포드가 마귀할멈으로 간주하고 집안에 얼씬도 하지 못 하게 하는 가상의 인물이다. 그래서 그 노파로 변장한 폴스타프와 마주치자 포드는 욕을 하면서 그를 흠씬 두들겨 패준다. 하지만 가상의 노파의 이름이 '포드의 머리'를 의미하는 것이나, 그가 구타하는 대상이 실제로는 그의 또 다른 자아 역할을 수행하는 폴스타프인 상황은 포드가 자기 학대 혹은 자해를 하고 있음을 상징한다고 해도 과언이 아니다.

반면 폴스타프는 노파로 변장한 덕에 실컷 두들겨 맞기는 했지만 결정적 위기를 모면할 수 있었다. 그렇지만 셰익스피어 극 중 희극적 분위기를 주도하는 인물이 그렇게 여자 옷을 입고 웃음거리가 되는 경우는 폴스타프가 유일하다. 그래서 니보(Ruth Nevo)는 폴스타프의 희극적 에너지를 아내들이 전유하는 것을 “박카스 적 희극의 순치”(153)라고 규정하기도 한다. 사실 아내들이 폴스타프를 벌주기 위해 사용하는 도구인 “빨래 바구니”, “물통 막대”, “더러운 리넨” 등은 전통적으로 말괄량이나 부정한 아내들을 공개 처벌하는 도구들인데, 아내들이 이 도구들을 부정한 남자를 처벌하는 도구로 전용하는 것은 남성 관료나 성직자가 아닌 여성들이 독립적으로 사법권을 행사할 수 있는 영역이 있음을 명확히 한 것이다(Korda 100). 그렇게 아내들은 기존의 질서와 체제에 틈새를 만드는 여성 권력의 행사를 통해 즐거움을 만끽하지만, 그녀들의 즐거움은 근본적으로 정조 관념에 강박 되어 있다는 점에서 역사극에서 폴스타프가 구현하는, 이데올로기의 기만으로부터 자유로운 유희 정신과는 차원이 다르다고 해도 과인이 아니다.

아내들의 즐거움 혹은 득의만만함은 남편과 공동체의 시선을 벗어나서도 스스로 정조를 지킬 수 있었음을 남편과 공동체로부터 인정받으려는 인정 욕망의 충족에 지나지 않는다. 그것은 아내들이 공동체가 요구하는 정조의 이념을 철저히 내면화하고 있다는 것을 의미하지만, 아내들은 동시에 그 과정에서 아슬아슬하고 위험스러운 연기 자체를 즐기려는 욕망을 어찌할 수는 없었다. 정숙함의 이데올로기에 포섭되지 않는, 위험한 환상을 탐닉하려는 잔여 욕망, 즉 정숙함의 이데올로기에 의해 억압되었기에 되돌아오게 마련인 욕망은 어찌할 수 없는 것이다.

“즐겁되 정숙하다”에서 즐겁다는 것은 곧 정숙의 강박에서 해방되는 것을 의미할 수 있다. 정말 유쾌하고, 즐거운 순간 정숙은 잊히고 정숙으로부터 해방되기 때문이다. 그러나 표면적으로는 억압된 것이 되돌아오는 순간 최종심급의 검열이 작용하기에 아내들의 연기는 중단된다. 그래서 포드의 아내가 자신들이 해온 일들을 남편들에게 알리려 하자 페이지 부인은 "그래요, 꼭 그래요. 당신 남편의 머릿속에서 망상을 씻어버리기 위해서라도 말이에요"(4.2.202-203)라고 화답한다. 아내들이 연극을 그만두는 것은 현실적으로 폴스타프는 물론 남편을 더는 속일 수 없기 때문이겠지만, 남편의 증상이 치유 불능의 상태에 이르기 직전이기에 그쯤에서 연극을 중단하고 연극의 전모를 밝힘으로써 남편의 증상을 치유해야 할 필요가 있기 때문이다.

아내가 기대한 대로 자초지종을 들은 포드는 언제 질투의 증상이 있었냐는 듯이 유쾌한 남편으로 변모한다. 포드로서는 모든 것이 정상으로 돌아왔기에, 즉 아내는 물론 재산 또한 온전히 지켜졌기에 만족한다. 포드 같은 부르주아에게 질투란 삶의 기본 축이 붕괴하는 카오스의 경지가 될 수 없다. 행여 가진 재산을 도둑맞을까 가정용품을 일일이 대조하면서 아내를 감시하는 전형적인 부르주아 포드에게는 아내의 부정조차도 사실은 재산을 도둑맞는 것에 불과할 수도 있다(French 108). 그런 남편의 피해망상을 씻어내는 데는 폴스타프에 대한 분풀이가 제격이라고 판단한 듯, 포드 부인은 "내 장담컨대 그분들은 대중 앞에서 망신을 주라고 할 거예요. 내 생각엔 그가 대중 앞에서 망신당하지 않으면 이 희극이 끝나지 않을 거예요"(4.2.207-209)라며 남편들을 끌어들여 최종적으로 폴스타프를 공개 망신시키려는 연극을 기획한다. 이 대목에 이르러 아내들은 그렇게 자신들이 연출한 즐거움을 공동체의 것으로 반납하면서 원저의 정숙한 아내 입장으로 복귀한다.

원저의 정숙한 아내로 복귀했을지라도 폴스타프를 물리친 아내들이 또 다른 연극을 주도하는 만큼, 이제 아내들의 "즐겁되 정숙하다"라는 선언은 또한 아내들과 본질에서 다를 바 없는 행태를 보이는 윈저 시민들 모두를 위한 것으로 확장된다. 아내들이 폴스타프를 속이고 복수하는 부분을 제외한 극의 나머지 대부분은 윈저 시민들이 서로를 속이고 다투는 에피소드로 이루어져 있다. 극 중 윈저 시민들은 윈저의 일원이지만 외지 출신인 프랑스인 의사 카이어스(Caius)와 웨일즈 출신 목사 에반스 간의 싸움을 부추기면서 그들을 속이는 데 연루되어 있다. 그들은 가능한 한 갈등을 자극하고서는 사태가 심각하게 진행된 후에야 화해를 권고하는 행태를 보이는데, 그들에게 화해의 표준화된 패러다임은 해결 곤란한 문제를 회피하는 수단으로 새로운 장난 거리나 속임수에 열심히 참여하는 것이다(Erickson 119).

아내들의 경우 정조를 지키고 폴스타프의 사악한 욕정의 불꽃을 정화한다는 뚜렷한 목적을 표방하기는 하지만, 남을 속이고 망신시키는 수단을 강구한다는 점에서는 남편들과 마찬가지이다. 그리고 윈저 시민들의 경우와 본질적인 도덕적 차이가 있다고 보기도 힘들다. 그보다는 상대를 감쪽같이 속이는 솜씨와 능력에 있어서 아내들이 더 돋보일 뿐이다. 그런 의미에서 그녀들이 즐겁되 정숙하다는 주제는 남을 속이고 장난을 치되 악의만 없으면, 결과적으로 손해를 끼치지만 않으면 그만이라는 매우 이기적이고 편의주의적인 윈저인들의 사고방식과 행태를 위한 변명으로 확장된다. 그렇기에 폴스타프가 철저히 공개적으로 망신당해야 끝날 수 있다고 믿는 아내들이 주도하는 마지막 속임수 연극이 그들이 표방하는 폴스타프의 사악한 욕정을 정화하는 제의가 되지 못한다.

4

폴스타프는 윈저의 아내들에게 두 번씩이나 호되게 당하고도 헛된 망상을 버리지 못해 공개 망신을 당하기에 이른다. 윈저 숲에서 만나자는 아내들의 유혹에 넘어간 그는 숲에 당도하자, 스스로 사랑의 정염에 도취하여 사랑 때문에 신들조차 실수하는 법이니, 하물며 인간은 말할 것도 없는 만큼 자신의 모든 실수도 사랑에서 비롯된 것이라고 합리화한다(5.5.3-14). 이 대목에서 폴스타프는 정염의 상징인 사슴뿔을 머리에 쓰면서 자신이 마치 사랑의 화신이 된 듯 도취하지만, 성의 불모를 연상시키는 늙고 추한 외모는 오히려 사랑의 정염을 그로테스크하게 만든다. 그럴지라도 폴스타프는 이 대목에서 윈저 시민들과는 달리 오랜 윈저 숲에 깃든 마법과 신비의 기운에 감응할 수 있는 영성을 간직하고 있음을 보여준다.

반면 숲의 요정으로 변장하고 나타나 폴스타프를 꼬집고 불로 지지는 윈저 시민들은 숲의 정령의 기운을 느끼지 못하면서 단지 요정 놀이를 즐길 뿐이다. 그들은 폴스타프가 쓴 사슴뿔을 사악한 욕정의 표징으로 삼아 마치 정결한 요정인 듯 정화의 노래를 부른다.

> 아, 아니될지라 사악한 환상,
> 아, 아니될지라 욕정과 음탕!
> 욕정은 피로 물든 불길,
> 부정한 욕망으로 지펴진,
> 가슴을 태우니, 그 불길이 솟아오른다.

상념이 그 불길을 불어서 더 높이 높이. (5.5.94-99)

정화의 노래를 부를지라도 그들은 폴스타프에게 자신들이 혐오하거나 죄로 간주하는 사악한 욕정을 투영하여 그를 정화의 대상으로 낙인찍을 뿐, 자신들 역시 인간이기에 공유하는 사악한 욕정을 인정하고, 정화의 기운을 느끼지 못한다고 해도 과언이 아니다(Hinely 48-51).

요정 놀이의 와중에도 앤의 결혼에 연루된 대부분의 윈저인은 자신들의 속임수를 관철하는 데 여념이 없다. 각자 자신을 지지하는 페이지 부부로부터 요정 놀이에 참여하는 앤이 어떤 분장을 하고 있는지 알게 된 슬렌더와 카이어스는 폴스타프가 당하고 있는 틈을 타 요정 역한 명씩을 데리고 사라진다. 그리고 마지막으로 펜튼이 나타나 진짜 앤을 데리고 사라진다. 한마디로 윈저인들은 폴스타프를 공개 망신시킴으로써 제의적 희생양 만들기를 한 것이 아니라 오히려 그것을 패러디하고 있다고 해도 과언이 아니다. 그러므로 그들의 요정 놀이가 공동체를 정화하는 데 필수적이지도 않고 성공적이지도 않음은 너무도 당연하다(Freedman 164-165).

요정 놀이를 끝낸 윈저인들은 의기양양하여 웃음거리가 된 폴스타프에게 저마다 한마디씩 한다. 윈저 시민 중에서도 가장 의기양양한 포드는 "누가 부정한 일을 당했소?"(5.5.110)라고 폴스타프에게 반문하면서 부정한 짓을 시도한 폴스타프야말로 머리에 사슴뿔을 쓰는 것이 제격이라고 조롱한다.

폴스타프의 헛된 시도가 좌절되어 결과적으로 윈저 남편 누구도 아내의 부정으로 인해 머리에 뿔이 나는 사태가 발생하지 않았음에도 폴스타프가 사슴뿔을 뒤집어써야 하는 것은, 윈저 남성들을 사로잡고 있는 악몽을 액막음 하기 위해서이다. 아내의 정숙함이 입증되어 아내의 부정이 현실화하지 않았다고 해서, 그 가능성 혹은 개연성 자체가 완전 소멸한 것은 아니다. 윈저의 남편들은 일시적으로 악몽에서 해방되었을 뿐 언제라도 머리에 뿔이 나는 악몽에 사로잡힐 수 있다. 그리하여 그들은 자신들의 악몽을 일깨워주는 상징적 존재인 폴스타프에게 죄와 욕망을 투영하여 그것을 비웃고 조롱함으로써 자신들의 두려움과 불안을 떨쳐버리려 한다. 그런 의미에서 사슴뿔을 쓴 폴스타프는 희생양 역할을 수행한다고 볼 수 있다.

그런 자신의 희생양 역할을 수용하는 듯 폴스타프는 윈저인들의 조롱을 받아내면서 "자, 내가 당신들 밥이오. 당신들이 나보다 나으니까 내가 당한 거요"(5.5.162-163)라고 선언한다. 그럼으로써 우월감과 유쾌한 기분을 만끽하는 윈저인들은 서로 덕담을 주고받는 여유를 보이는데, 에반스 목사는 폴스타프는 물론 또 다른 당사자였던 포드에게 "제발 당신도 투기를 그만두셔야 합니다"(5.5.133)라고 충고한다. 그 충고에 대해 포드는 "다시는 아내를 의심하지 않을 겁니다. 목사님께서 유창한 영어로 아내에게 구애할 수 있다면 혹 염려할지는 모르겠지만"(5.5.134-135)이라고 되받는다. 포드의 대꾸는 물론 농담이지만, 그 농담은 그의 질투가 근본적으로 치유될 수 없는 것이며, 그는 다시금 정신 분열의 환영에 사로잡힐 수 있다는 것을 암시한다. 그리고 암암리에 에반스 목사를 유창한 영어를 구사하지 못하는 외지인으로 규정하는 그의 농담은 작품 전체를 통해 일관되는 윈저 시민들의 폐쇄성을 대변한다. 윈저인들은 표준영어를 구사하지 못하는 웨일즈 출신 에반스 목사나 프랑스 출신의사 카이어스를 놀리고 속이는 데 동참함으로써, 자신들이야말로 표준 영어를 구사하는 영국의 대표적인 시민이라는 강한 자부심과 그에 상응하는 외지인들에 대한 우월의식과 배타성을 드러냈었다.

그렇게 폴스타프 망신 주기가 마무리될 무렵 윈저인 모두를 기만하는 펜튼과 앤의 결혼이 발표된다. 펜튼은 앤을 통해 윈저 시민들이 폴스타프를 망신시키려는 계획을 자연스럽게 알게 되었고, 페이지 부부와 마찬가지로 그 연극을 이용하여 앤과의 결혼을 성사시키려 했다. 결국 폴스타프를 윈저 숲으로 유인하여 공개 망신시키려는 연극이 앤의 결혼을 둘러싼 관련 당사자들의 속임수가 충돌하는 장이 되었을 때, 이미 앤을 통해 페이지 부부의 속셈을 알고 있었던 펜튼이 모두를 속이고 최후의 승자가 된 것이다.

여관주인을 통해 귀족 펜튼이 자신의 딸과 결혼을 시도한다는 사실을 알게 된 페이지는 처음부터 "그 양반은 빈털터리요. . . . 그는 지체가 너무 높고 배운 것도 많소. 내 재산으로 팔자 고치려는 허튼 생각은 하지 않는 것이 좋을 거요. 내 딸을 데려가려거든 몸만 데려가라죠. 내 재산은 내 마음에 달렸소. 그런데 그분은 내키지 않아요"(3.2.65-71)라며 펜튼의 결혼 의도가 그의 재산을 노린 것이라고 경계한다.

앤 또한 다른 구혼자인 슬렌더에 대해 "저렇게 끔찍하게 생긴 사람도 연 수입 삼백 파운드라고 하니까 잘생겨 보여요"(3.4.32-33)라고 말할 수 있는 시민계급의 딸이다. 그래서 그녀는 처음에는 아버지의 말이 맞을지 모른다고 판단하기도 했다. 하지만 펜튼이 "솔직히 고백하자면 당신에게 처음 구혼했을 때는 당신 아버지의 재산을 노렸던 게 사실이오. 하지만 당신을 사랑하다 보니 금화나 돈 보따리보다는 당신이 더 가치가 있다는 사실을 깨닫게 되었소. 지금 내가 원하는 것은 바로 당신이라는 보물뿐입니다"(3.4.12-18)라고 고백하자 그를 믿게 된다. 펜튼의 고백은 진심일 수도 있으나 이왕 자신의 본심을 간파당한 마당에 차라리 솔직히 인정함으로써 신뢰를 얻으려는 임기응변일 수 있다. 그의 태도 변화가 앤을 통해서 페이지의 결혼 반대 이유를 알고 난 이후이기에 더더욱 그렇게 보인다. 그는 또 재산이 아닌 앤 자신을 사랑하게 되었다고 말하지만, 셰익스피어의 여러 낭만 희극의 경우와 달리 이 극에서는 그런 사랑을 확인할 수 있는 결정적인 장면이 없기에 그의 진의는 여전히 의심스럽기만 하다.

그는 폴스타프가 당하는 순간을 이용하여 앤과 결혼하려는 경쟁자들을 보게 좋게 따돌리고 비밀 결혼에 성공함으로써 윈저인들을 뺨치는 수완과 능력을 발휘했다. 그는 거기서 그치지 않고, 자신들의 비밀 결혼을 당당히 합리화한다.

> 따님이 범한 죄는 신성한 죄입니다.
> 부모님을 속인 것도 간계나 불복종이나
> 불효라는 오명을 받을 만한 것이 아닙니다.
> 강요된 결혼을 했다면 따님은 신을 배신한
> 오랜 저주의 나날들을 두고두고
> 면하지 못하게 되었을 것입니다. (5.5.222-227)

그는 이 대목에서 신분의 우월을 재확인하려는 듯, 나름대로 표준영어라고 자부하는 윈저인들의 산문과 구분되는 경건한 분위기의 운문을 구사한다. 이뿐만 아니라 그는 자신의 결혼이 오로지 사랑으로 맺어진 신성한 것이라고 주장하며, 암암리에 사랑보다 재산을 추구하는 윈저 인들의 속물근성에 대해 훈계한다. 그러나 그의 결혼이 과연 그의 선언대로 부르주아들의 물신숭배를 극복하는 신성한 것인지는 의문이다. 그는 필요할 때마다 돈을 쓰면서 사람들의 환심을 사고 사람들을 부렸으며, 모든 정보를 동원하고 심지어는 속임수를 써서 원하는 결혼에 성공했다. 물론 그의 말대로 그 과정에서 앤에 대한 사랑이 싹텄을 수도 있지만, 그의 행태는 윈저 부르주아들의 행태와 다를 바가 없어 보인다. 술수를 부정하는 그의 도덕적 언술은 윈저의 즐거운 아내들의 방식을 반영하고 있을 뿐이다(Erickson 123).

사랑과 결혼조차도 점차 완전히 물신주의에 따라 침윤되는 근대 자본제 사회에서 돈보다 사랑이라는 낭만적 결혼의 이상은 물신숭배와 상업주의를 한층 더 철저하고 교묘하게 관철하기 위한 이데올로기로 기능한다. 사실 낭만적 사랑의 이상과 서사는 근대 자본주의의 발흥과 더불어 착상되었고, 자본제가 심화할수록 더욱더 당연한 이상과 서사로서 뿌리내렸다. 그런 만큼, 낭만적 사랑의 이념은 물신숭배에 젖어 들수록 사람들이 더욱더 상투적으로 표방하는 이념이나 환상이 되기 쉽다. 달리 말하자면 낭만적 사랑의 이상은 그 이상이 비현실적이라는 것을 너무나 잘 아는 사람들이 그 정반대의 현실을 살아가는 데 필요한 자기기만의 환상인지도 모른다.

펜튼의 설교에 감동하여 즉각 화답하는 인물이 포드라는 사실과 더불어 그의 화답의 내용은 펜튼의 설교가 허구임을 강하게 암시한다. 포드는 페이지 부부에게 기왕 그렇게 된 마당에 두 사람의 결혼을 허락하라고 권하면서, "사랑은 하늘이 인도하시는 겁니다. 땅은 돈으로 살 수 있지만, 아내는 운명으로만 살 수 있는 것입니다"(5.5.229-230)라며 화답한다. 그는 아내는 돈으로 살 수 없는 것이라고 말하지만, 그런 주장이 철저히 상업적 용어로 점철되는 것은 역설적으로 돈으로 구매할 수 없는 아내보다는 돈으로 구매할 수 있는 땅이야말로 확실한 현실이라고 웅변하는 듯하다. 즉, 현실적으로 땅이나 재산이 있어야 아내도 점지될 수 있는 것 아닌가, 과연 땅과 재산 없이 아내를 얻을 수 있느냐는 반문을 담고 있는 듯이 보인다. 그리고 이런 반문은 최종적으로 펜튼에게 적용될 수밖에 없다. 셰익스피어 낭만 희극의 경우 선남선녀의 로맨스와 결혼은 공동체를 구성하고 있는 본질적 요소의 균형에 변화를 가져오는 계기가 되고, 공동체는 그 결혼이 야기하는 변화를 즐겁게 수용하는 패턴을 취한다. 그러나 펜튼과 앤의 결혼 과정과 내용은 윈저 공동체의 기존 질서와 체제에 틈새를 만들고 변화를 가져오는 것이기보다 오히려 그것을 철저히 구현하는 것이기에 사랑의 도피행각일 뿐이다(Bryant 300).

그리고 페이지 부인이 폴스타프를 식사에 초대하는 것도 윈저 공동체가 폴스타프와 진정 화해하고 그를 받아들인다는 의미의 제스처로 볼 수 없다. 이미 폴스타프를 공개 조롱하면서 페이지가 "욥 같은 빈털터리"(5.5.156)라고 규정하는 것에서 알 수 있듯, 빈털터리인 폴스타프는 윈저 부르주아들로부터 한 끼 식사는 대접받을 수 있을지언정 결코 그 사회의 일원이 될 수 없다. 생존을 위해 윈저의 아내를 넘보았던 폴스타프가 여전히 뿌리 뽑힌 빈털터리 신세로 생존을 위해 또다시 그들의 가정을 침범하는 한 그들에게는 언제라도 에일리언 같은 존재일 뿐이다.

그렇게 폴스타프가 쓸쓸히 퇴장하는 운명에 대해 블룸(Harold Bloom)은 셰익스피어 자신이 진정한 폴스타프와 동일시하는 어떤 것이 거부되는 개인적인 두려움을 거짓 폴스타프를 희생양으로 삼음으로써 떨쳐버리고 있다고 셰익스피어의 심리적 기저를 분석한다(318). 윈저로 대변되는 세속적인 신흥 부르주아들의 세상에서 소유와 정착을 거부하는 폴스타프의 비상한 임기응변적 탈피는 더 발붙일 곳이 없게 되었다. 어쩌면 셰익스피어는 자기에게도 매력 있는 폴스타프를 냉정하게 물리치면서 그런 세상의 도래를 씁쓰레한 웃음으로 맞이하고 있는지도 모른다.

5

빈털터리 사기꾼과 탐욕스러운 부자의 싸움을 그린 희극에서는 대체로 전자가 승리한다. 그래야 재미있는 법이고 그 반대의 냉혹한 현실을 뒤집는 대리만족이 있는 법이다. 반면 『윈저의 즐거운 아내들』은 후자가 전자를 물리치고 즐거워하는 그 반대의 이야기를 하고 있다. 그게 말이 되려면 전자가 후자에 비해 매우 부도덕하거나 어리석어야 한다. 그렇지 않다면 풍자나 아이러니가 성립되기 쉽지 않다. 그런데 이 희극의 빈털터리인 폴스타프는 부도덕하고 영악스럽기보다는 처량하고 우스꽝스럽다. 그의 우스꽝스러운 과대망상은 그의 패배를 당연한 것으로 만드는 동시에 본질적으로 치열한 싸움의 성격을 완화한다. 반면 팔자에 없는 거짓 사랑을 해야 하는 처량한 신세는 관객들의 동정심을 자아내는 만큼, 그를 물리치는 윈저 시민들의 즐거움에 공감할 수 없게 만든다.

폴스타프를 물리치는 싸움에서 윈저의 남편들이 아닌 아내들이 특별히 즐거울 수 있는 것은 폴스타프의 침입으로 인해 부르주아 남편과 아내의 소유, 종속관계에 일시적으로 틈새가 발생하기 때문이다. 재산과 마찬가지로 아내 역시 소유물로 간주하는 부르주아 남편은 빼앗기는 것에 대한 두려움과 빼앗기지 않으려는 강박으로 인해 정신 분열 증세를 보이는 반면, 그런 강박에서 상대적으로 자유로운 아내들은 지켜야 할 남편의 소유물이 아니라 자신을 스스로 지키는 싸움의 주체가 되는 상황을 연출함으로써 즐거움을 만끽하게 된다. 그러나 아내들의 즐거움은 부르주아적 삶의 근간을 뒤흔들거나 틈새를 만드는 일탈에서 비롯된 것이 아니라, 궁극적으로 그것을 유지, 강화하는 역할 수행을 인정받으려는 욕망의 충족에서 비롯된 것으로 판명된다. 아내들은 스스로 연출하는 상황을 즐기면서도 "즐겁되 정숙해야 한다"라고, 즉 정숙함이 곧 즐거움을 규정하는 외관이어야 한다고 선언한다. 그리고 그녀들의 선언이 윈저 사회 전체에 적용되는 주제로 확장될 무렵, 그녀들은 자신들의 연출이 자아내는 즐거움을 공동체를 위해 반납하면서, 원래 윈저의 정숙한 아내 자리로 복귀한다.

윈저가 재산과 가정을 소유한 부르주아들의 도시라면 아내들 또한 그런 윈저에 속한 아내들인 것이다. 아내들의 즐거움 또한 근본적으로 재산과 가정의 소유가 가져다주는 즐거움을 초월한 것일 수 없다. 선남선녀의 결혼으로 마무리되는 해피엔드 역시 그런 윈저 사회의 본질을 변화시킬 수 있는 대안적 가치나 전망을 내포하고 있기보다는, 윈저의 부르주아적 체제를 정당화하고 강화하는 판타지를 제공할 뿐이다. 그 순간 이미 웃음거리가 된 폴스타프는 볼품없이 잊혀야 하는 존재가 되고 만다. 비록 그가 식사 초대를 받았을지라도 그것이 빈털터리에 대한 우월감과 값싼 동정심의 발로가 아니라고 볼 이유도 없다. 그렇게 셰익스피어는 거짓 폴스타프를 희생양 삼아 진정한 폴스타프가 거부되는 세상의 도래를 씁쓰레한 웃음으로 받아들이고 있는지 모른다.

제7장

『겨울 이야기』 다시 희극으로, 그리고 겨울 이야기, 속의 겨울 이야기

겨울에는 슬픈 이야기가 제격이지요. 제가 아는,
귀신과 요정이 나오는 이야기를 해드릴게요.
(2.1.24-25)

1

『겨울 이야기』(1610-1611)는 노골적인 시대착오나 다양한 장르와 신화가 뒤섞여, 딜(Huston Diehl)은 "기이하게 잡종적인 세계를 창조한다"(70)라고 평한다. 달리 말하자면, 『겨울 이야기』는 마치 동화에서나 있음법한 내용으로 충만하다. 특히 동상이 사람으로 부활하는 마지막 대목은 기이하고 기상천외한 장면으로 악명이 높다. 겨울 이야기라는 극의 타이틀은 바로 그런 말도 안 되는 내용을 그저 옛날이야기라고 간주하고 봐달라는 주문일 수도 있다. 극에 자주 등장하는 장르적 정체성을 환기하는 소위, 메타드라마적 설정이나 논평들은 일정하게 그런 기능을 한다.

겨울 이야기는 통상 여성들이 긴긴 겨울밤 화롯가에 모여 앉은 아이들에게 들려주던 이야기를 의미했다. 그래서 겨울 이야기는 통상 문자 교육을 제대로 받지 못했던 여성들의 소통방식으로, 진지하고 깊이 있는 창작물로서 대접받지 못했다. 이미 당대 최고의 극작가 반열에 오른 셰익스피어는 그런 겨울 이야기를 표방하면서 아마도 여성들의 전통적 겨울 이야기와는 다른 성인 관객들을 위한, 인생의 겨울에 해당하는 이야기를 들려주려 했을 것이다. 그래서 셰익스피어는 어른들의 심금을 울리면서도 동심을 자극할 수 있는 인생의 겨울에 해당하는 이야기가 있다면 자신도 경험한, 자식을 잃은 부모의 비극이 제격일 것이라고 간주하고, 남편의 터무니없는 질투로 인해 창졸간에 어린 아들을 잃고 갓 출산한 딸과는 생이별함으로써 혹독한 인생의 겨울을 맞이하는 어머니의 기구한 사연을 풀어낸다. 이야기는 그리하여 변화무쌍하고 기상천외한 사건들을 전개한 끝에 결국은 어머니가 소망한 대로 잃어버린 딸과 상봉하는 기적을 성취하는 해피엔드로 마무리된다.

그런데 셰익스피어는 자식을 잃은 어머니가 인생의 혹독한 겨울을 이겨내는 겨울 이야기를 시도하면서 그런 여성들이야말로 겨울 이야기의 주인공인 동시에 재현의 주체일 수 있음을 깨달은 듯 마지막 대목, 즉 동상이 부활하는, 문제가 되는 장면을 통해 인생의 혹독한 겨울을 이겨낸 여성들로 하여금 죽음을 부활로, 견딜 수 없는 고통을 축복으로 바꾸는 기적의 트릭을 연출하게 한다. 두 여성이 연출하는 부활의 기적은 비록 거대한 트릭으로 판명될지라도 옛이야기에나 있을 법한, 도무지 믿을 수 없는 일을 믿음의 기적으로 받아들이게 만드는 최상의 재현의 힘을 보여준다. 이는 셰익스피어의 겨울 이야기가 결국 여성들의 재현의 자격과 힘을 인정하는, 여성들의 겨울 이야기에 관한 이야기로 읽힐 수 있음을 의미한다.

지금까지의 문제 제기를 바탕으로 이 글은 구체적으로 겨울 이야기 속의 겨울 이야기의 전개 과정을 세 부분으로 나누어 분석할 것이다. 첫 번째로는 극 중의 왕자 마밀리어스(Mamillius)가 어머니 허마이어니(Hermione)에게 겨울 이야기를 들려주는 역할로 설정된 것과 그런 그가 아폴로의 신탁이 공개되어 허마이어니의 결백이 밝혀지는 순간 죽음으로써 그의 겨울 이야기가 중단되고, 진짜 허마이어니의 시련이 시작되기까지 겨울 이야기의 모티브가 어떻게 다루어지고 있는지 분석할 것이다. 다음으로는 왕자의 죽음과 갓 출산한 딸이 버려지는 충격으로 유령 같은 삶으로 자신을 던진 허마이어니의 본격적인 겨울 이야기의 의미를 다룰 것이다. 그리고 마지막으로는 문제적 장면인 허마이어니의 동상이 부활하는 장면을 중심으로 셰익스피어가 여성들의 겨울 이야기를 전유하려는 시도가 결국은 여성들을 원래 겨울 이야기의 주체로서 재정립하는 것으로 귀결되고 있음을 밝힐 것이다. 즉, 셰익스피어를 대신해서 여성 주인공들이 어른들을 위한 동화, 겨울 이야기를 상연하는 것으로 마무리되는 것의 의미를 살펴볼 것이다.

2

『겨울 이야기』의 배경이 되는 시실리 왕국은 아폴로 신을 섬기는, 동화의 나라처럼 설정되어 있지만, 바야흐로 그 왕국에 암울한 겨울이 닥치게 되는 것은 동화에서와 같은 초자연적 힘이나 마법 때문이 아니라 통치자의 오만함과 우매함 때문이다. 사태의 발단은 시실리의 왕 레온티스(Leontes)의 터무니없는 질투의 광기에서 비롯된다. 레온티스는 죽마고우였던 보헤미아 왕 폴릭세네스(Polixenes)를 국빈 초대하여 아홉 달이나 머물게 한 후 한 주만이라도 더 머물러 달라고 청하지만 폴릭세네스는 본국의 사정을 들어 귀국해야겠노라고 거절한다. 그러자 레온티스는 "왕비는 말을 못 하오? 말씀해 보시구려"(1.2.28)라며 대신 나서기를 청한다. 그런 레온티스의 어투에는 국왕이자 가부장으로서의 권위 의식이 묻어난다. 이는 왕비가 나서 폴릭세네스를 설득하는 데 성공할지라도 레온티스가 왕비의 노고를 치하하고 왕비의 능력을 인정하기보다는 질시할 수 있음을 암시한다.

두 왕이 주고받는 방문과 환대가 양국의 주요한 이해관계를 위한 것이라기보다 오로지 죽마고우 시절에 대한 향수를 달래기 위한 것이라면 이는 일종의 퇴행인바, 신하들에게 불필요한 부담을 안기는 등 부작용을 낳기 마련이다. 첫 대목에서 시실리의 신하 카밀로(Camillo)가 보헤미아 왕의 방문에 대한 시실리 왕의 답방이 다가오는 여름에 이루어질 것이라고 하자 보헤미아의 신하 아키다무스(Archidamus)는 "저희 사정은 제가 잘 알고 있기에 드리는 말씀인데, 저희는 성대한, 아니 뭐라고 표현해야 옳을지 모르겠지만, 전대미문의 접대는 할 수 없을 것입니다"(1.1.11-13)라고 토로한다. 브리스톨(Michael Bristol)에 의하면 양국 왕들의 이런 환대 경쟁은 "사실은 명예와 위엄을 위한 심각하고 잠재적으로 끔찍한 투쟁이다"(156). 그리고 그 방식은 과도한 환대로 상대를 항구적 부채 상태로 몰아넣는 소위 '포틀래치'(potlatch)의 실천이라고 볼 수 있다. 레온티스 왕의 이런 퇴행적이고 전근대적인 통치는 시실리 왕국에 암울한 겨울이 닥치게 한 주요 원인으로 작용한다.

허마이어니는 레온티스와 달리 퇴행적인 경쟁의식에 사로 잡혀있지 않기에 훨씬 더 자유롭게 폴릭세네스의 거절의 명분과 논리를 파악하고 그에 대응하는 명분과 논리를 제시할 수 있었다. 그리하여 왕비가 설득에 성공하자 예기치 못한 왕비의 능력에 놀란 레온티스는 "이보다 더 잘 설득한 적이 없었소"(1.2.87)라고 하면서 "오로지 단 한 번"(1.2.89)을 제외하고, 라고 강조하자 허마이어니는 그 한 번이 언제냐고 묻는다. 그러자 레온티스는 바로 허마이어니가 자신의 청혼을 받아들이면서 "신첩은 영원히 전하의 것이옵니다"(1.2.105)라고 한 맹세를 결코 잊지 않았음을 강조한다. 레온티스의 언사는 이 대목에서 이미 그의 질투가 시작되었음을 암시한다. 자신을 남편으로 맞이하는 맹세의 언어와 폴릭세네스를 설득하는 언사를 동등한 것으로 간주하는 것은 허마이어니가 아니라 레온티스 자신인 것이다. 그런 레온티스의 심리 변화를 알지 못한 채 허마이어니는 "나는 두 번 다 목적에 맞게 말했노라"(1.2.107)라고 거리낌 없이 답한다. 하지만 레온티스는 이미 허마이어니가 친구이자 경쟁자인 폴릭세네스를 남편인 자신과 동등하게 여긴다고 간주하면서 참을 수 없는 열등감과 모욕감에 빠져들고 있었다. 그런 피해의식에 싸인 그는 허마이어니의 폴릭세네스가 손을 잡는 것을 보는 순간 갑작스러운 "가슴 떨림"(*tremor cordis*) 증상이 엄습하는 것을 느낀다. 이후 레온티스는 눈으로 직접 보는 것과 환영이 자아낸 것을 혼동하면서 불륜의 장면들에 대한 환상에 사로잡히기 시작한다. 그는 자신을 혼란에 빠트리는 여러 동기를 매우 이성적으로 분석하지만 그럴수록 결국 더욱더 환영을 보는 악순환에 빠져든다. 그 결과 그는 자신의 환영을 신하들에게까지 진실로 믿도록 강요하는데, 신하 카밀로에게 자신의 환영이 자아낸 불륜의 장면들을 열거하면서 "이래도 아무것도 아니라고, 그렇다면 세상도 아무것도 아니고, 그 속의 모든 것이 아무것도 아니군, . . .내 아내도 아무것도 아닌즉, 아무것도 아닌 이 모든 것들이 죄다 아무것도 아닌 것이 되는 군, 이것이 아무것도 아니라면"(1.2.292-296)이라고 토로한다. 이처럼 세상 모든 것을 부정하는 허무주의의 나락으로 떨어진 레온티스에 대해 블룸(Harold Bloom)은 레온티스는 이아고와 에드먼드의 뒤를 잇는, "'무'(nothing)의 허무주의에 사로잡힌, 셰익스피어가 창조한 최고의 무의 성직자 중 한 명이다"(642)라고까지 평가한다.

레온티스는 폴릭세네스를 은밀히 독살함으로써 복수하려고 하지만 실패하자 그 분풀이로 왕비가 폴릭세네스는 물론 카밀로와 공모하여 자신을 살해하려 했다는 혐의까지 덧씌워 대역죄인으로 몰고 간다. 레온티스는 왕비를 공개 재판정에 세워 대역죄인으로 심판하기 전 왕자를 왕비와 떼어놓기 위해 왕비의 내실을 침범하는데, 그 순간은 왕자가 왕비에게 겨울 이야기를 들려주기 직전이었다. 왕자가 왕비에게 "겨울에는 슬픈 이야기가 제격이지요. 제가 아는, 귀신과 요정이 나오는 이야기를 해드릴게요"(2.1.24-25)라고 하자 왕비가 "동궁은 그런 이야기를 참 잘하지요"(2.1.28)라고 칭찬하는 순간 레온티스가 들이닥쳐 두 사람을 강제로 떼어놓는다. 이 대목에 이르기까지 극은 레온티스의 원인을 종잡기 힘든 질투의 광기가 초래하는 일련의 사태를 박진감 있게 사실적으로 그려내고 있었다. 그런데 이 대목에서 극은 처음으로 겨울 이야기를 하는 셰익스피어의 자의식, 즉 겨울 이야기의 프레임을 가시화한다.

셰익스피어는 전통적인 성 역할을 전도시켜 어린 왕자가 어머니에게 겨울 이야기의 화자로서 인정받는 설정을 통해 어쩌면 여성 관객들에게 그녀들이 듣고 싶은 이야기, 아니 미처 못다 한 이야기, 그리고 진짜 하고픈 이야기를 들려주리라는 포부를 드러내고 있는지도 모른다. 그러나 이후 셰익스피어는 왕자의 겨울 이야기를 중지시킬 뿐 아니라 결정적 대목에서부터 왕자를 부재하는 존재로 각인시킴으로써, 여성들의 겨울 이야기를 전유하는 남성 극작가의 한계를 인정함과 동시에, 겨울 이야기의 주체로서 여성들이 재현하는 힘의 원천을 탐구하는 서사로 방향을 튼다.

그렇게 왕자가 들려주려 했던 가상의 겨울 이야기가 중지됨과 동시에 레온티스가 의뢰한 아폴로 신탁의 판결이 공개되면서 극은 옛이야기다워지고 진짜 겨울 이야기가 선개된나. 스스로 합리적이고 어진 군주라고 믿는 레온티스는 왕비의 부정에 대해 자신이 알고 있는 것을 신하들은 모를 수 있다는 오만한 판단에 근거하여 "비록 내가 확신하는 바, 내가 알고 있는 것보다 더 알 필요도 없지만, 신탁이라면 다른 모두를 안심시켜줄 것이다"(2.1.188-191)라며 모두가 승복할 수 있는 아폴로 신의 판결을 구했음을 선언한다. 그래서 그가 이미 델포스에 있는 아폴로 신전에 사신들을 파견하여 신탁을 받아오도록 조치했음을 신하들에게 알렸을 때, 당사자 왕비는 물론 신하들 모두 현실적으로 왕의 독단에 맞서 진실을 밝힐 길이 없었기에, 신탁의 판결을 불감청이언정 고소원이라는 심정으로 반긴다.

폴리나(Paulina)는 이때 처음 등장하는데, 목숨을 걸고 군주의 불의에 맞서는 그녀의 역할과 존재감은 다른 모든 남성 신하를 압도한다. 그리고 이는 극을 관류하는 전통적인 젠더 역할 뒤집기의 주제를 강화한다. 그녀는 하옥된 왕비가 누구와도 접촉하게 해서는 안 된다는 레온티스의 명을 어기고 옥리를 제압하여 막 산고를 치른 왕비를 돌볼 뿐 아니라, 갓 태어난 공주를 데려와 레온티스에게 보여주면서 왕비의 억울함과 진실을 밝히려 한다. 그녀는 "이런 일에는 여자가 제격이지" (2.2.31)라며 레온티스의 왕비에 대한 처사가 무엇보다도 출산과 산후조리, 그리고 육아와 같은 기본적인 여성의 권리를 짓밟는 폭거임을 일깨우려 한다. 그녀는 또한 갓 태어난 공주가 부모들의 죄와는 무관한, 대자연의 이치로 태어난 독립된 생명임을 강조한다.

> 이 아기씨는 태 속에 갇혀 있다가, 대자연의 법과
> 절차에 따라 풀려나 자유를 찾게 된 것이니,
> 전하의 노여움과도 무관하고, 설사 왕비 마마께
> 어떤 죄가 있다고 하더라도 왕비 마마의 죄와도
> 무관한 것이오. (2.2.59-63)

폴리나가 선언하는 공주 탄생의 의미는 이후 아폴로 신탁의 예언에서 더욱 구체화하고 강화됨으로써 장차 겨울 이야기가 죽은 왕자를 대신하는 공주의 사연을 중심으로 전개되리라는 것을 암시한다. 레온티스는 폴리나가 왕비와 공주에 대한 자신의 처사에 대해 격렬히 항의하자, "사내나 다름없는 마녀"(2.3.68)요, "교활하기 짝이 없는 뚜쟁이"(2.3.69)라고 원색적으로 비난한다. 레온티스는 내심 왕비에게 퍼붓고 싶은 비난을 폴리나에게 하고 있는데, '사내나 다름없는 마녀'라는 낙인에는 남성을 압도하는 여성의 수완이나 능력에 대한 남성들의 질시와 열등감이 투영되어 있다고 볼 수 있다. 폴리나는 레온티스가 내친김에 허마이어니와 갓 태어난 공주는 물론 자신까지도 화형에 처하겠다고 위협하자, 한 치도 물러서지 않고 무고한 생명들을 화형에 처하겠다고 위협하는 레온티스야말로 폭군일 뿐 아니라 "이단자"(2.3.115)라고 비난한다. 폴리나는 그 과정에서 레온티스를 빼닮은 생김새를 지적해가면서 공주가 레온티스의 핏줄이라고 항변하지만 이미 보고 싶은 것만 보고, 보고자 하는 대로 보는 소위 확증편향에 빠진 레온티스는 끝내 공주를 사생아로 규정하고 내다 버릴 것을 명한다.

부모에게 버림받는 아이의 이야기는 여성들의 겨울 이야기와 같은 옛이야기에서는 흔한 것일 수 있다. 그런데 보트(Jennifer C. Vaught)에 의하면 이런 내용의 동화에서는 자신의 자식을 잡아먹으려는 욕망을 품은 존재는 대개 계모와 같은 악한 어머니들인데, 셰익스피어의 겨울 이야기에서는 전통적인 성적 역할이 뒤바뀌어 아버지 레온티스가 그런 어머니처럼 행동한다는 것이다(167-170). 레온티스는 자신이 마치 자식을 잡아먹으려는 괴물 같은 부모 역할을 하는 줄은 미처 모른 채, 이제 델포스 신전에 파견된 신하들이 가져온 아폴로의 신탁을 공개 법정에서 개봉함으로써 왕비의 죄를 만천하에 알리고 그에 합당한 조치를 내려 사태를 마무리하려 한다. 신탁의 결정을 개봉하기 전 레온티스는 왕비의 기소장을 낭독하게 하는데, 왕비는 기소 내용이 모두 허위임을 논리정연하게 반박한다. 그럴수록 레온티스의 비난이 점점 더 격해지자 왕비는 "전하께서는 소첩이 이해할 수 없는 말씀을 하십니다"(3.2.79)라며 두 사람 사이의 소통은 이제 불가능하며, 부부관계도 끝이라고 탄식한다. 왕비는 또 자신에게 내려질 죽음의 처벌은 두렵지 않으나 왕자는 물론 갓 태어난 공주마저 자신으로부터 떼어놓는 처사는 도저히 감내할 수 없다고 호소하면서, 그 과정에서 모든 여성에게 허용되는 산후조리의 특권마저 박탈당한 여성으로서 참을 수 없는 모멸감과 박탈감을 토로한다. 그래서 레온티스보다 허마이어니가 더 절박하게 "만장하신 대신 여러분, 저는 신탁에 제 운명을 맡기겠습니다. 아폴로 신이시여 저의 판관이 되어주소서"(3.2.112-114)라며 신탁의 결정에 호소한다.

레온티스가 신하들을 파견하여 아폴로의 신탁을 받아오게 한 것은 왕비의 진실을 밝힐 모든 합리적 수단을 동원하고서도 해결되지 않아서가 아니라 그런 합리적 해결의 수단을 강구할 필요가 없다는 오만에서 비롯된 것인 반면, 왕비의 경우 더는 합리적 해결의 수단이 없기에 운에 맡길 수밖에 없는 절박한 심정으로 신탁에 호소하는 것이다. 동화 같은 이야기에서는 그런 경우 진인사대천명이요, 지성이면 감천이다. 그러나 왕비의 결백이 밝혀지는 바로 그 순간, 왕비에게 즐거움을 주는 친숙한 겨울 이야기를 들려주려 했던 왕자가 사망함으로써, 자식을 모두 잃은 어머니의 고통스러운 겨울의 현실이 전개된다.

3

극에서 아폴로 신은 레온티스를 비롯한 시실리 백성들이 절대적으로 믿는 신으로 설정되어 있지만, 아폴로의 뜻이 그들에게 현시되는 내용이나 방식은 모호하고 종잡기 힘들다. 펠페린(Howard Felperin)에 의하면, "신탁의 문제는 그것이 충만한 현전이 아니라, 매개된 것이라는 사실에 중점적으로 기인한다"(18). 펠페린의 지적처럼, 신탁은 아폴로의 목소리가 시실리 법정에 현전하는 것이 아니라 신관에 의해 텍스트로 만들어지고 봉인되는 과정을 거쳐 다시 시실리 법정에서 인간에 의해 낭독되는 매개 과정을 거칠 뿐 아니라 그 내용 또한 해석의 매개 과정을 요구함으로써, 사태 해결의 실마리를 제공함과 동시에 불확실성을 제고하기도 한다. 그렇더라도 극이 화롯가에서 듣던 옛이야기를 표방하는 만큼 아폴로의 신탁은 레온티스의 질투의 광기만큼이나 합리적 이해를 벗어나는 것이기에 주어진 것으로 받아들일 필요가 있다. 그런 신탁이 드디어 담당관에 의해 공개된다.

> 허마이어니는 순결하고, 폴릭세네스는 무죄이며, 카밀로는 충신이다. 레온티스는 질투에 눈먼 폭군이고, 그의 죄 없는 아기는 그의 자손이다. 그리고 레온티스 왕은 후계자 없이 살 것이다, 만약 잃어버린 그 아기를 되찾지 못한다면. (3.2.131-133)

왕비의 진실에 관한 내용은 너무나 단순하고 명확해서 갤러거(Lowell Gallagher)의 해석처럼, "어떤 진실을 계시한다기보다 레온티스가 이미 상황 속에서 읽을 수 있는 진실을 거창하게 확인시켜줄 뿐이다"(493). 그래서 신탁의 격정은 자신의 확신을 타인에게 강요하는 레온티스의 오만함과 누구나 다 보는 것을 보지 못하는 그의 우매함을 조롱하는 듯이 보인다. 그런가 하면, 신탁은 레온티스의 후계 문제를 버려진 공주의 운명과 연관 짓는 수수께끼를 제시한다.

왕비와 모든 대신이 신탁의 판결 내용을 너무나 당연한 것으로 받아들이면서 크게 기뻐하는 반면, 레온티스는 "신탁 내용에 진실이라고는 전혀 없다. 재판은 계속될 것이다. 이 신탁은 허위에 불과해"(3.2.138-139)라고 즉각 반발한다. 갤러거에 따르면, 레온티스가 애초에 왕비의 부정에 관한 심판을 신탁에 의뢰할 때, "신탁은 그가 이용할 필요가 있는 초월적 중재자의 전략적 위치를 점하고 있었다"(493). 즉, 아폴로 신의 절대적 권위를 정치적 목적으로 이용하려는 오만에 젖어 있던 그이기에 한순간 배신감을 주체하지 못하고 반발할 수 있었던 것이다. 바로 그때 시종이 등장하여 왕자가 사망했다는 소식을 전하자 레온티스는 그제야 "아폴로 신께서 진노하시고, 천지신명이 직접 나서서 나의 부당한 처사에 일격을 가하는구나"(3.2.144-145)라며 신탁의 결정을 받아들인다. 레온티스가 왕자의 돌연한 죽음 소식을 듣는 순간 자신의 불의를 깨닫는 것은 '레온티스는 후계자가 없이 살 것'이라는 신탁이 즉각 실현되는 공포를 느꼈기 때문이라고 볼 수 있다. 이어서 왕자의 죽음 소식을 듣고 왕비마저 혼절하자 레온티스는 "아폴로 신이시여, 용서해주소서, 준엄한 신탁을 무시했던 저의 큰 불경죄를!"(3.2.152-153)이라며 아폴로 신에게 용서를 구한 뒤, 그동안 자신이 행했던 잘못들을 바로잡겠노라고 맹세한다(3.2.155-171).

그런데 마치 "레온티스의 구원을 위해 필요한 희생물이 된"(이행수 439) 왕자는 이후 레온티스는 물론 왕비로부터도 기억되거나 애도 되지 않음으로써, 마치 애초부터 부재한 존재였던 것처럼 느껴질 지경이다. 왕자가 아폴로 신의 노여움을 달랠 신성한 제물로 바쳐졌다면 그런 왕자를 위한 진혼의 의례는 불필요할 수도 있다. 그러나 아들을 잃은 어머니의 상실 트라우마와 관련해서 셔만(Donovan Sherman)은 "『겨울 이야기』는 왕자를 완전히 사라지게 하고 그에 대한 어떤 표시도 남기지 않음으로써 서사의 결여인 부재를 상연한다"(212)라고 분석한다. 셔만의 주장처럼, 너무나 소중한 대상을 갑자기 잃을 경우, 어떤 애도나 서사로도 그 트라우마가 치유하지 되지 않기에 그 대상의 영원한 부재만 각인될 수 있다. 이는 레온티스에게는 해당하지 않을지 몰라도 허마이어니에게 해당하는 진실임이 틀림없다. 한편 왕자가 겨울 이야기의 화자로서 셰익스피어와 동일시되는 기능을 한다면, 셰익스피어로서는 이제 겨울 이야기의 프레임을 닫고 퇴장할 때가 되었음을 표시하는 의미가 있을 것이다.

허마이어니는 신탁의 결정이 공개되어 억울한 누명을 벗게 되었지만 그 순간 모든 것을 잃어버렸다. 갓 낳은 공주와는 생이별했고 이제 아들마저 죽어 자식을 모두 잃은 비련의 어머니가 된 것이다. 그녀로서는 살아있더라도 살아있는 것이 아니고, 살아있는 것 자체가 고통이기에 살아있어야 할 이유가 없어진 것처럼 보인다. 자식을 잃은 고통과 슬픔을 겪어본 셰익스피어는 자식을 잃는 것이야말로 어떤 애도나 서사로도 달랠 길 없는 영원한 부재의 각인임을 경험했을 법하다. 그래서 셰익스피어는 허마이어니의 경우처럼 자식을 모두 잃는 비극이야말로 진정한 인생의 겨울 이야기일 것이라고 간주하고 겨울 이야기라는 표제를 택했을 법하다.

그렇게 [illegible] 자식을 잃고 혼절한 왕비를 데리고 나갔던 폴리나는 혼자 돌아와서는 왕비의 승하 소식을 알린다. 폴리나가 되돌아오는 사이에 허마이어니와 함께 어떤 계획을 구상했었는지는 마지막 대목에 이르러서야 미루어 짐작할 수 있지만, 허마이어니는 분명 아들과 딸을 모두 잃어 살아있는 것 자체가 고통이기에 차라리 유령 같은 삶으로 자신을 내던지는 결단을 했다고 볼 수 있다. 그녀는 때로는 죽음이 더 나은 삶을 위해 필요하다는 것을 깨달은 사람들만이 할 수 있는 결단을 한 것이다. 그녀가 할 수 있는 일은 버려진 딸이 장차 후계를 잇게 되리라는 신탁의 예언에 희망을 걸고 그날이 올 때까지 끈질기게 기다리는 것뿐이지만, 그 기다림은 수동적인 자포자기가 아니라 반드시 뜻을 이루리라는 적극적 의지로 뒷받침된 것이다.

공식적으로 승하한 것으로 알려진 왕비는 갓 출생한 공주가 보헤미아의 황량한 해변에 버려지는 다음 대목에서 유령으로 출현함으로써 그녀의 죽음에 관한 진실을 더욱 모호하게 만든다. 신탁의 예언이 실현되는 것은 천지신명의 뜻인 만큼 인간의 이해를 초월하는 것일 수 있으나, 인간들이 보기에 필연으로 소급될 수 있는 수많은 인간의 의지와 열망이 우연처럼 작용한 결과이기도 한 것이다. 화롯가의 겨울 이야기에서는 무엇보다도 인간의 간절한 소망과 믿음이 하늘을 움직이는 필연이기 쉽다. 즉, 지성이면 감천의 이치를 기본적인 도덕으로 삼기 쉽다. 그래서 동화 같은 이야기에서는 자식이 위험에 처했을 때 죽은 어머니들이 유령으로 출몰하여 자식을 구하기도 한다. 그런 겨울 이야기답게 허마이어니 역시 출산하자마자 생이별한 공주를 보살피기 위해 유령이 되어 앤티고너스(Antigonus)의 꿈에 나타난다.

앤티고너스는 공주를 버리는 임무를 수행하기 전, 왕비가 자신의 꿈에 나타나 "그 아기는 영원한 미아가 되는 만큼, 부디 퍼디타(Perdita)라고 불러주시오"(3.3.31-32)라는 부탁과 함께, "주상 전하가 그대에게 명했다고는 하나, 이 잔혹한 임무를 수행하였으니, 경은 다시는 경의 아내인 폴리나를 보지 못하게 될 것이오"(3.3.33-35)라고 자신에게 경고했다고 고백한다. 앤티고너스의 꿈은 일면 양심의 갈등이 상연되는 것일 수 있다. 그런데 아직 신탁의 결정을 모르는 상황에서 왕비의 유령이 꿈에 나타난 것에 대해 앤티고너스는 "틀림없이 허마이어니 왕비께서 처형당하신 것이야. 그리고 아폴로 신께서도, 이 아기가 폴릭세네스 왕의 핏줄이기 때문에, 이곳에 버리시기를 원하는 것이야"(3.3.40-43)라고 유추한다. 신탁의 결정도 왕비의 죽음에 관한 진실도 모르는 앤티고너스로서는 그렇게 판단하고 레온티스의 명을 집행한다. 그리고 그 대가는 이국땅에서 곰에 물려 끔찍한 죽음을 맞이하는 것이다. 그리하여 앤티고너스는 극에서 왕자와 더불어 레온티스의 질투의 광기의 희생자가 되고 마는데, 아울러 그의 죽음은 신탁의 결정을 둘러싼 모호함과 모순의 일단을 입증하기도 한다. 그러나 무엇보다도 왕비가 앤티고너스로 하여금 공주의 이름을 짓게 한 것은 신탁의 예언대로 장차 왕국의 후계를 이을 공주가 레온티스 왕이 아닌 허마이어니 왕비를 통해 그 정체성을 부여받은 딸이며, 오로지 왕비의 간절한 소망대로 신탁의 예언이 이루어지리라는 것을 암시한다.

어린 아들이 어머니에게 들려주려 했던 유령이 출몰하는 가상의 겨울 이야기는 이렇듯 그 아들이 죽음으로써 어머니가 진짜 유령이 되는 진짜 겨울 이야기로 프레임을 전환한다. 그리고 가상의 겨울 이야기를 들려준 화자인 왕자가 여성들의 겨울 이야기를 전유하는 남성 극작가 셰익스피어와 동일시될 수 있는 일종의 메타드라마적 설정에 비추어, 이제 왕자의 역할이 "저자로서 침묵하는 비가시적 역할"(Sherman 207)로 바뀐 대목에서부터 우리는 셰익스피어가 프레임 전환을 시도하고 있다고 유추할 수 있다. 셰익스피어는 이 대목 이후 본격적으로 허마이어니의 겨울 이야기를 전개하면서 남성 극작가로서 여성들의 겨울 이야기를 전유하는 것이 결국 여성들을 겨울 이야기의 주체로서 재정립하기 위한 것임을 입증한다. 극은 그리하여 진정한 겨울 이야기는 삶과 죽음의 경지를 넘나든, 혹은 어떤 문턱을 넘어가본 여성들이 들려줄 수 있는 것임을 암시한다. 그리하여 혹독한 인생의 겨울을 이겨내는 허마이어니와 폴리나가 왕국에 겨울을 초래하게 한 장본인인 레온티스를 비롯한 모든 사람에게 믿음의 기적을 감동적으로 체험케 하는 겨울 이야기를 상연하는 이야기가 된다.

4

공주를 보헤미아의 황야에 버린 앤티고너스가 곰에 물려 죽는 반면, 버려진 공주는 양치기들에게 거두어져 미지의 생을 이어가게 된다. 운명의 조화인 듯, 이렇게 생과 사가 엇갈리는 장면을 끝으로 겨울 이야기는 3막에서 잠시 중지된다. 이어서 등장한 의인화된 '시간'(Time)은 "여러분이 참고 허락해주신다면 저는 모래시계를 돌려, 마치 여러분께서 주무시는 동안 일어난 일인 듯이 제가 꾸민 장면을 진행할 것입니다"(4.1.15-17)라며, 앞으로 시공을 뛰어넘어 새로운 이야기가 전개될 것을 예고한다. 그리하여 이야기는 십육 년이 흐른 후, 양치기의 딸로 성장한 퍼디타와 보헤미아의 왕자 플로리젤(Florizel)이 보헤미아의 아름다운 전원을 배경으로 펼치는 로맨스를 그려낸다. 즉, 허마이어니의 겨울 이야기가 퍼디타의 봄 이야기로 바뀐다. 하지만 퍼디타의 생환 이야기는 결국 겨울 이야기를 마무리하기 위한 과정에 해당하는 것으로 볼 필요가 있다. 벨지(Catherine Belsey)에 따르면, 극을 『백설공주』 같은 동화로 간주하지 않는다면, 긴 분량을 차지하는 퍼디타의 로맨스는 겨울 이야기로의 복귀 이전의 "서곡"으로 보아야 한다(77-81).

양치기의 딸로 자란 퍼디타는 타고난 미모와 후천적으로 습득한 지혜로 플로리젤 왕자를 사로잡지만, 부왕 폴릭세네스는 그들의 로맨스를 결코 용납하려 하지 않는다. 그러자 왕자는 부왕의 뜻을 거스르고 사랑의 도피를 감행하려 한다. 한편 십육 년 동안 레온티스를 떠나 폴릭세네스 왕을 충직하게 섬긴 카밀로는 고국 시실리로 돌아가려는 열망으로 가득 차 있다. 그런 그의 열망이 두 연인의 시실리 행을 주선하게 함으로써 공주가 생환하여 어머니와 재회할 운명의 시간, 즉 카이로스의 시간이 무르익는다. 이렇듯 수많은 사람의 의지와 열망이 어우러져, 즉 수많은 우연이 필연처럼 작용하여, 인간의 이해를 초월하는 신탁의 예언은 실현된다.

한편 십육 년이 흐른 후 시실리의 대신들은 이제 왕국의 후계가 끊길지 모른다는 위기를 느끼면서 레온티스 왕에게 더 늦기 전에 후계자를 가질 것을 탄원하기에 이른다. 그러자 그동안 레온티스가 오로지 죽은 왕비의 추모에 몰두하도록 유도해온 폴리나는 '잃어버린 공주를 되찾을 때까지 후사가 없을 것'이라는 신탁이 "인간의 이성에 비추어보면 괴이한 일이지만"(5.1.41) 반드시 실현될 것이니, 레온티스가 재혼하는 것은 신탁의 예언을 거스르는 불경이라고 반박한다. 이미 신탁의 예언이 실현되는 공포를 경험한 레온티스로서는 결국 폴리나의 뜻대로 폴리나의 동의가 있을 때까지는 절대로 재혼하지 않겠다고 맹세한다.

그런 와중에 리비아의 공주로 변장한 퍼디타가 플로리젤 왕자는 물론 카밀로와 그 밖에 많은 손님을 이끌고 시실리에 당도한다. 퍼디타는 왕비를 닮기도 했지만 왕비를 능가하는 빼어난 자태로 모든 시실리 사람의 넋을 빼앗는데, 그녀는 그때까지 자신의 출생과 타고난 신분에 대해 아무것도 모르는 채 사실 그것을 가장 잘 드러내는 모습으로 나타난 것이다. 그녀는 자신의 출생과 신분에 대해 아무것도 모르기에 오히려 정체성이 고정되지 않은 채 타고난 자질과 후천적인 자질이 어우러진 다양한 정체성을 구현할 수 있었다(Belsey 69-71).

퍼디타는 양치기 축제의 여왕 역할을 할 때 변장한 폴릭세네스 왕과 함께 "자연"(nature)과 "인간의 솜씨"(art)의 관계에 관해 토론한 바 있다(4.4.87-103). 퍼디타가 원래의 자연을 훼손할 수 있는 인간의 손길을 탐탁지 않게 여기는 반면(4.4.86-87), 폴릭세네스는 자연을 개량하는 인간의 손길 또한 자연의 일부라고 반박하였다(4.4.88-97). 퍼디타는 폴릭세네스의 반론을 수긍하면서도, 사랑에 관한 한 원래 자신의 천성(nature)이 아닌 예쁘게 꾸민 모습에 왕자가 반하기를 바라지 않는다고 재반박하였다(4.4.101-103). 그런데 리비아 공주로 변장한 퍼디타는 변장, 즉 인간의 손길에 의해 꾸며짐으로써 오히려 자신의 타고난 천성이 발현된다. 이렇듯 퍼디타는 자신의 타고난 신분을 되찾기까지 변화무쌍한 삶을 살도록 신탁에 따라 그 운명이 점지됨으로써 자신도 모르게 자연, 즉 타고난 천성과 인간의 솜씨, 즉 후천적 자질이 통합될 수 있는 새로운 인간형의 출현 가능성을 암시한다.

그렇게 잃어버렸던 공주 퍼디타가 시실리 왕국에 봄을 가져오는 여신으로서 화려하게 도래하는 반면, 왕비는 오로지 신탁의 예언이 실현되어 공주를 만날 날만을 기다리며 오랜 세월 유령 같은 삶을 살아왔다. 왕비는 자식을 모두 잃고 살아있는 것 자체를 스스로 용납할 수 없는 듯, 세상 사람들에게 죽은 사람이 되고자 하였다. 그런데 그녀의 간절한 소망이 이루어져 공주가 살아 돌아오자, 그녀는 무엇보다도 공주를 만나기 위해, 공주를 낳고 공주에게 이름까지 부여한 어머니로서 부활하고자 한다, 그리고 공주가 생환하기까지 신탁의 예언이 실현될 것을 믿고 유령 같은 삶을 살아온 의미를 공주는 물론 세상 사람들에게 알리고자 한다.

여러 관련 당사자의 증언과 그들이 제시한 물증으로 공주의 신분이 밝혀지자 모든 사람은 신탁의 예언이 실현되는 기적이 일어났다고 감격한다. 하지만 그 과정은 무대 밖 사건으로 처리되고 세 명의 남성에게 목격담으로 보고된다. 가령 공주의 신분이 밝혀지는 기적 같은 사건에 대해 두 번째 신사는 "이번 일이 사실로 밝혀지기는 했지만, 어찌나 옛날이야기 같은지, 그 진위가 매우 의심스럽소"(5.2.27-29)라고 논평한다. 이렇듯 남성 보고자들은 사람들의 이해와 판단을 넘어서는, 즉 기이한 일들은 흔히 옛이야기에 비유됐다는 것을 환기하게 한다. 이는 겨울 이야기 프레임을 가시화하는 메타드라마적 논평으로서, 남성 관객들에게는 이후 허마이어니와 폴리나가 상연할 부활의 기적 역시 그 진위를 알 수 없는 겨울 이야기에 해당하리라는 것을 암시한다. 이는 또한 두 여성이 연출할 장면을 보고 있는 남성 관객들은 곧 겨울 이야기를 듣는 아이들과 같은 입장이 될 수 있음을 암시하기도 한다.

만약 두 여성이 그렇게 겨울 이야기를 하는 셈이라면 관건은 성인 관객들 역시 겨울 이야기를 듣는 아이들처럼 불신의 의도적 중지하에 이야기에 몰입하여, 결정적 대목에서 어떤 기적 같은 일이 일어나길 바라고 그 바람이 이루어지는 감동과 기쁨을 누릴 수 있는가일 것이다.

이는 겨울 이야기의 화자의 능력에 달린 일이기도 한데, 허마이어니와 폴리나는 그런 능력을 십분 발휘하여 성인 관객들이 마치 어린 시절 여성들이 들려주던 겨울 이야기에 꼼짝없이 사로잡힌 것과 다름없는 상태에 빠지게 한다. 이렇듯 여성 화자들은 무대 밖의 사건을 전하는 남성 보고자들에게는 없는 믿음과 마법의 힘을 소유하고 있는 것처럼 보인다. 이후 허마이어니의 동상이 부활하는 장면에서 최종 확인되지만 허마이어니는 사실 살아있었다고 볼 수 있기에 폴리나의 마법의 힘으로 부활한 것은 분명 아니다. 그럼에도 폴리나는 허마이어니가 어떤 마법의 힘으로 부활한 것처럼 느끼게 하는 데 성공한다. 로젠펠드(Kirstie Gulick Rosenfeld)에 따르면, "여성의 시련이 통상 그들에게는 거부되었던 자기 재현의 힘을 갖게 한다"(110). 로젠펠드의 주장처럼 여성들은 시련을 겪음으로써, 특유의 자기 재현의 자격을, 겨울 이야기를 할 권위와 능력을 갖게 된 것이다.

퍼디타의 생환을 굳게 믿으며 십육 년의 죽음 같은 삶을 견뎌온 허마이어니와 폴리나는 그 믿음이 실현되자, 생환한 딸이 살아있는 어머니를 만나는 또 다른 기적을 위한 거대한 트릭을 준비한다. 아버지 레온티스를 만난 퍼디타는 죽은 것으로 알려진 어머니의 동상을 알현하기 위해 폴리나의 내실로 안내되고, 거기서 마치 살아있는 듯이 서 있는 어머니의 동상과 마주한다. 드디어 모든 사람이 입회한 가운데 폴리나가 휘장을 젖히자 허마이어니의 조각상이 모습을 드러낸다. 그리고 폴리나는 레온티스에게 마음의 준비를 하고 "마치 죽음을 조롱하는 영원한 잠처럼, 살아생전의 모습을 빼닮은 모습을 보십시오"(5.3.19-20)라고 주문한다. 그러자 레온티스는 조각상이 왕비와 똑같은 모습을 한 것에 감탄하면서도 "그런데 폴리나 부인, 허마이어니 왕비는 이렇게 주름이 많지도 않았고, 이처럼 나이가 들어 보이지도 않았소"(5.3.26-28)라며 의아해한다. 왕비의 주름에 관한 레온티스의 언급은 왕비가 실제 살아있음을 암시하는 것이지만, 남편과 아내로서 두 사람이 함께하지 못했던 잃어버린 십육 년의 시공을 환기하기는 씁쓸한 여운을 남긴다.

반면 퍼디타는 자신의 오늘이 있게 한 어머니에 대한 그리움과 존경의 마음으로 동상 앞에 무릎을 꿇고 축복을 기원한다.

> 허락해주시고,
> 부디 미신이라고 말씀하지 말아주시옵소서. 소녀는 무릎을
> 꿇고 왕비 마마의 축복을 빌겠사옵니다. 어마마마,
> 소녀가 태어났을 때 돌아가신 경애하는 왕비 마마,
> 소녀에게 손을 주시어 입 맞추게 해주소서. (5.3.43-47)

셰익스피어가 퍼디타로 하여금 어머니 동상에 무릎을 꿇고 축복을 기원하는 행위를 미신으로 간주하지 말아달라고 하게 한 것은, 흔히 짐작할 수 있듯이, 당대의 프로테스탄트(Protestant)들이 퍼디타의 행위에서 구교의 마리아 숭배를 연상하고 비난한 것을 염두에 두고 있기 때문이다. 그래서 셰익스피어는 퍼디타의 행위가 특정 신앙과 관계없는 인간 본성에서 우러난 자연스러운 것임을 강조할 필요가 있었다. 어머니의 축복을 간구하는 퍼디타의 행위는 무엇보다도 허마이어니로 하여금 이제 때가 되어 그 간구를 들어주기 위해 부활하게 만든다.

한편, 레온티스를 비롯한 폴릭세네스나 카밀로 등은 마치 생전의

왕비를 보는 듯, 너무나 생생한 조각상에 감탄하기에 여념이 없는데, 레온티스는 조각상이 이미 숨을 쉬고 핏줄에 따뜻한 피가 흐르고 있는 것 같이 느끼면서 명장의 솜씨에 감탄한다. 그래서 레온티스가 입맞춤을 시도할 지경에 이르지만, 폴리나는 아직 마법의 효과가 나타나기에는 이르다고 판단하고 다시 휘장을 치면서 레온티스에게 곧 조각상이 실제로 움직이도록 하여, 손을 잡게 해드리겠다고 약속한다. 그러면서 폴리나는 "하오나 그리되면 여러분은 (신첩은 절대로 그렇지 않지만) 신첩이 악마의 도움을 받은 것이라고 여기실 것입니다"(5.3.89-91)라고 덧붙인다. 애초부터 왕비가 살아있었다면 왕비의 조각상은 연기를 한 것이고, 그런만큼 두 사람은 환상을 자아내는 거대한 연극을 상연하고 있는 것이다. 그리고 그 연극에 몰입한 관객들은 마치 겨울 이야기를 듣는 아이들처럼 결정적 대목에서 그들이 원하는 기적이 일어나는 것에 대해 감격하는 것이다. 즉, 폴리나는 곧 관객들이 경험하게 될 기적은 결코 마법에 의한 것이 아니라 그들의 간절한 소망이 이루어낸 것으로 믿게 만들려 한다.

폴리나의 주문대로 이미 레온티스는 "조각상이 무슨 짓을 하게 해도, 과인은 보고만 있을 것이오"(5.3.92-93)라며, 앞으로 어떤 일이 일어나더라도 다 받아들일 준비가 되어 있다. 그러자 폴리나는 결정적인 주문을 한다.

> 여러분들 모두 믿음을
>
> 일깨워주셔야 합니다. 그러면 모두 가만히 서 계십시오. 혹시—
>
> 신첩이 하려는 일이 불법행위라고 여기시는 분들은, 이 자리를
>
> 떠나주세요. (5.3.94-97)

이 대목에서 폴리나는 이제 레온티스의 마음이 조각상이 진짜 왕비였으면 하는 소망으로 충만해져가고 있으며, 그럼에 따라 그 소망이 이루어진다면 그것이 설사 마법에 따른 것이라도 개의치 않을 상태에 도달해가고 있다고 판단한 듯하다. 달리 말해서, 폴리나는 모든 이의 절실한 믿음과 소망을 일깨우는 자신의 작업이 비록 거창한 속임수일 수도 있지만, 공동선을 위해 불가피한 일인 만큼 불법이 아님을 강조한 것이라고 볼 수 있다.

폴리나의 주문에 대해 레온티스가 마음의 준비가 된 듯, "진행하시오. 아무도 움직이지 마시오"(5.3.96-97)라고 명하자, 이윽고 음악이 흐르고 폴리나의 지시에 따라 허마이어니가 걸어 내려온다. 그리고 폴리나는 "이리 오세요. 보고 계시는 모두를 경탄케 해주세요. 어서요! 신첩은 마마의 무덤을 메우겠습니다"(5.3.99-101)라고 외친다. 폴리나가 허마이어니의 무덤을 언급한 것은 그녀가 마치 실제 무덤에서 부활한 것처럼 믿게 하기 위해서이지만, 나중에 그동안의 사연을 밝혀 사람들의 기억 속에 자리 잡은 왕비의 죽음의 잔상을 지우려는 의도에서일 것이다. 폴리나는 다시 한번 "놀라지 마세요. 왕비 마마의 움직임도 신첩의 주술이 합법적인 것 못지않게 신성한 것입니다"(5.3.104-105)라며 합법적인 일이 진행되고 있음을 강조하면서, 레온티스가 걸어 내려오는 허마이어니에게 손을 내밀어 다시 한번 왕비의 구혼자가 되라고 주문한다. 폴리나의 주문대로 왕비의 손을 잡은 레온티스는 이전에 결코 경험하지 못했던 벅찬 감동을 느끼면서 폴리나의 주문에 화답한다.

오, 따뜻하구나!

만약 이것이 마술이라면, 이 마술을 먹는 일만큼이나

합법적인 행위로 인정하노라. (5.3.109-111)

폴리나가 지적했듯, '잃어버린 공주를 되찾을 때까지 후사가 없을 것'이라는 신탁은 '인간의 이성에 비추어 보면 괴이한 일'이지만, 레온티스를 비롯한 모든 사람은 그 괴이한 일이 실현되는 기적을 체험했다. 공주의 생환으로 신탁의 예언이 실현되는 기적을 경험한 레온티스는 지금 자신의 눈앞에서 왕비가 부활하는 기적을 마주하면서, 이성이 마비되고 담론이 작동하지 않은 상태에서 새롭게 자신을 엄습한 벅찬 '가슴 떨림'(*tremor cordis*)에 충실할 수 있다(Kuzner 273). 그는 이전에 허마이어니나 폴리나처럼 여성이 남성을 능가하려 하거나 남성의 권위에 맞설 때 마녀라는 낙인을 찍었으며, 인간의 이성적 판단에 비추어 괴이한 일들은 마술이라고 비난했었다. 그런 그가 이제 자신 속에 이성을 초월하는 믿음이 일깨워지고 그 믿음대로 이루어지는 벅찬 감동을 느끼면서, 그렇게 만드는 두 여성의 능력에 대해 괴이한 마술과는 차원이 다른, 거의 신의 솜씨를 대신하는 자연스러운 '인간의 솜씨'(art)의 합법적 경지를 인정하기에 이른다.

레온티스가 두 여성이 연출하는 기적을 마술이 아닌 자연스러운 인간의 솜씨로 합법화한 뒤, 셰익스피어는 폴리나가 겨울 이야기와 관련된 논평을 하게 한다.

왕비 마마께서

살아계신다고 말로만 들으셨다면, 아마도 모두들 옛날이야기에나 있을 법한 일이라고 야유하셨을 것입니다. 하오나 왕비 마마께서는 아직 말씀만 하지 않으셨지, 살아계신 듯하옵니다. (5.3.115-118)

폴리나에 앞서, 두 번째 신사는 무대 밖에서 이루어진 기적 같은 일에 대해 "이번 일은 사실로 밝혀지기는 했지만, 어찌나 옛날이야기 같은지, 그 진위가 매우 의심스럽소"라고 논평한 바 있다. 그러나 이 대목에서 폴리나는 주로 여성들이 들려주는 옛날이야기에 대한 남성들의 견해를 답습하기 위해 옛날이야기를 언급한 것이 아니다. 그녀는 두 번째 신사처럼 생각하는 사람들은 지금 벌어지고 있는 기이한 광경에 대해 야유하기보다는 넋을 놓고 빠져들게 될 것인바, 그것은 그들의 이성을 초월하는 믿음의 문제임을 암시한다. 겨울 이야기의 맥락으로 환원하자면, 그들은 마치 어머니의 겨울 이야기를 듣는 아이들과 마찬가지로 이제 결정적인 대목에 이르러 그들이 바라는 기적이 일어나기를 기대하는 상태에 있게 된 것이다.

이렇듯 기적을 연출하는 당사자인 여성에 의해서 최종적으로 겨울 이야기와 연관된 메타드라마적인 논평이 이루어졌다는 것은 겨울 이야기의 화자로서 여성의 최종 권위와 위상을 확인하는 의미가 있다. 즉, 겨울의 시련을 이겨낸 여성들의 자기 재현의 자격과 힘에 대한 남성 극작가의 인정이 담겨있다고 볼 수 있을 것이다.

그리하여 폴리나는 모든 이가 가장 기대하는 왕비의 완전한 부활을 주문하는데, 퍼디타에게 무릎을 꿇고 어머니에게 축복을 빌어달라고 부탁하고는 허마이어니에게는 "마마 돌아서소서, 우리의 퍼디타 공주를 되찾았사옵니다"(5.3.120-121)라고 말한다. 이혜경에 따르면, 허마이어니는 이 대목에서 "축복을 내릴 수 있는 자로 복원되었다"(864). 그런 허마이어니는 드디어 입을 열어 공주에게 천지신명에게 빌어 축복을 내리고 공주가 어떻게 생환했는지를 묻는 한편, 지금 자신의 부활 기적을 목격하고 있는 모든 이에게 그 연유에 대해 생각하게 한다.

> 내 이제야 하는 말이지만,
> 폴리나 부인으로부터 네가 살아있을 것이라는 신탁의 희망을
> 듣고, 그 결과를 직접 확인하기 위해 지금까지 목숨을
> 부지했던 것이다. (5.3.124-127)

허마이어니는 사실 그동안 자신이 죽은 것으로 알려졌지만 다만 유령 같은 삶의 경지로 자신을 내던졌던 것뿐임을 밝힌 셈이다. 즉, 『백설공주』에서처럼 마술에 걸려 죽음 같은 잠에 빠진 허마이어니가 폴리나의 마법으로 깨어난 것이 아니다. 그렇다면 실제는 어떤 기적도 일어나지 않는 가운데, 갤러거에 의하면, "레온티스의 활성화된 믿음과 폴리나의 비즈니스가 짝을 이루어 피그말리온의 판타지가 다시 쓰인 것이다"(490).

레온티스를 비롯한 시실리 사람들에게 신탁의 예언은 인간의 이성에 비추어보면 괴이한 일이었다. 그래서 실제 퍼디타가 생환함으로써 예언이 실현되자 예기치 못한 기적으로 받아들인다. 즉, 그들에게는 신탁의 예언이 실현되는 것은 여전히 그 이치를 알 수 없는 미지의 신의 뜻으로 남아 있다. 그러나 퍼디타의 생모인 허마이어니에게 잃어버린

딸을 되찾는 일은 그녀의 삶 전체가 걸린 일이었다. 자식을 모두 잃은 그녀는 잃어버린 딸이 살아 돌아오리리라는 신탁의 예언에 희망을 걸고 유령 같은 삶을 견뎌온 것이다. 만약 허마이어니의 간절한 소망과 믿음이 없었다면 신탁의 예언이 실현될 수 있었을까? 즉, 그녀의 믿음이 흔들려, 소망을 버리고 자포자기했더라도 기적이 일어날 수 있었을지는 알 수 없는 일일 것이다. 신의 섭리, 즉 하늘의 뜻은 인간에게는 언제나 미지의 것이지만 인간의 간절함이 신을, 그리고 하늘을 움직였다고 읽는 것이 겨울 이야기를 표방하는 이 극을 겨울 이야기답게 읽는 것일 수 있다. 허마이어니와 폴리나가 연출하는 부활의 기적은 비록 트릭에 의한 것일지라도 겨울 이야기를 듣는 아이의 마음, 즉 결정적인 대목에서 기적 같은 일이 일어나기를 바라는 믿음, 성인이 되어서는 이성에 비추어 괴이한 것들을 믿지 않고 잃어버리는 믿음과 소망과 사랑의 힘을 일깨우는 동화에 해당한다고 볼 수 있다. 그래서 흔히 이 극은 셰익스피어 극 가운데서 가장 기독교적인 극으로 평가되기도 하지만, 극이 겨울 이야기를 표방하는 만큼, 무엇보다도 겨울 이야기의 전통이나 문화와 관련하여 극을 읽을 필요가 있다.

벨레트(A. F. Bellette)에 따르면, "마지막 대목에 집중되는 옛이야기에 관한 언급은 극의 초기에 그런 이야기가 잔인하게 중지되었음을 상기한다"(75). 이는 왕자가 들려주려 했던 겨울 이야기가 종국에는 허마이어니와 폴리나에 의해 복원된다는 것을 암시한다. 잃어버린 딸을 만나기 위해 유령 같은 삶으로부터 부활한 어머니는 이제야 비로소 자신에게 겨울 이야기를 들려주려다 죽은 아들을 애도할 수 있게 된 것이다. 이제 어머니는 그동안 자신으로 인해 죽은 아들을 위해 자신이 겪었던 진짜 겨울 이야기를 들려줄 수 있게 된 것이다. 그런 의미에서 그녀가 죽은 왕자를 대신하는 퍼디타를 다시 만나 축복하기까지 폴리나와 함께 상연한 부활의 기적은 죽은 왕자를 위한 진혼제의 의의도 있다고 볼 수 있다.

해피엔드는 가장 높은 지위의 인물에게 할당되는 셰익스피어 극의 관행에 따라 레온티스에게 주어지는데, 그는 자신에게 왕비를 되찾게 해준 폴리나의 공을 높이 사, 남편을 잃은 그녀를 카밀로와 맺어준다. 사실 겨울 왕국에 봄을 도래하게 하는 데 있어서 두 사람은 주어진 상황 속에서 최선을 다했다. 허마이어니의 간절한 소망이 하늘을 움직였을 수도 있었겠지만, 신탁의 예언이 실현될 수 있었던 데에는 또한 폴리나와 카밀로 같은 사람들의 '주어진 상황'(nature)을 타개하려는 노력, 즉 '인간의 솜씨'(art)의 우연들이 필연처럼 작용했었기 때문일 수도 있다. 극의 해피엔드는 한편, 죽은 왕자를 대신하는 퍼디타가 이렇게 유능하면서도 다양한 가치를 구현하는 여러 사람과 함께 도래함으로써, 장차 시실리는 레온티스가 다스렸던 전근대적 포틀래치 경제의 나라에서 근대화된 시장경제의 나라로 도약하리라는 전망을 담고 있다고 볼 수 있다.

하지만 정작 레온티스와 허마이어니의 관계가 완전히 복원될 수 있을지는 미지로 남아 있다. 허마이어니는 부활하는 과정에서 폴리나의 지시대로 가장 먼저 레온티스의 손을 잡아 그의 구혼을 받아들였으나, 끝내 그에게는 한마디도 하지 않으면서 자신이 부활하게 된 것은 오로지 퍼디타를 만나기 위해서였노라고 밝혔다. 레온티스에 대한 허마이어니의 침묵은 십육 년 동안 각기 다른 삶을 살아온 간극이 결코 쉽게 메워지지 않을 것임을 함축한다. 그래서 해피엔드에도 불구하고 "겨울에는 슬픈 이야기가 제격"(2.1.25)이라는 왕자의 말이 여운처럼 남는다.

그러나 겨울 이야기와 관련하여 폴리나가 허마이어니와 함께 믿기 어려운, 말도 안 되는, 즉 옛날이야기에나 나올 법한 기적의 장면을 상연하면서 합법성을 인정받으려고 취했던 겸손과 종속의 제스처는 또 다른 여운을 남긴다. 폴리나의 행위는 겨울 이야기의 주체로서 여성들의 한계를 인정하는 것처럼 보일 수도 있다. 그런데 셰익스피어는 자신의 여러 극에서 돈을 받고 공연하는 대중극장의 배우들이 주제넘은 공연을 했다면 양해해달라는 마무리를 통해서 자본과 국가권력에 포섭될 수밖에 없는 대중극장의 한계를 인정하기도 하지만, 그런 겸양 속에 또한 대중극장의 재현이 힘, 즉 환상을 창조하는 예술의 영향력에 대한 자부심을 새겨넣기도 한다. 같은 맥락에서 셰익스피어는 말도 안 되는 이상한 이야기처럼 보이지만 합법적인 것으로 간주해달라는 폴리나의 겸양하는 몸짓에 남성 극작가가 결코 전유할 수 없는, 인생의 겨울을 견디어낸 여성 특유의 인생에 대한 감수성과 이야기하기 능력에 대한 자부심을 새겨넣고 있는 것처럼 보인다. 그렇게 셰익스피어는 최고의 남성 극작가로서 여성들의 겨울 이야기를 전유하면서, 궁극적으로는 보살핌과 연대를 바탕으로 한 여성들이 주도하는 겨울 이야기 공동체의 소중함을 되새기는 작업을 한 것처럼 보인다. 그렇게 겨울 이야기 공동체가 복원된 바탕 위에서야 겨울에는 슬픈 이야기가 제격일 수 있는 것이다. 그러나 무엇보다도 겨울 이야기는 늙은 여인네들이 들려주어야 제격이다.

5

당대 최고의 극작가 반열에 오른 셰익스피어는 『겨울 이야기』를 쓰면서 전통적으로 개연성이 떨어지는 황당한 이야기 취급을 받아왔던 여성들의 겨울 이야기와는 다른 감동적인 인생의 겨울 이야기를 들려주려 했다. 하지만 자식을 모두 잃고 그야말로 한순간 인생의 겨울을 맞은 어머니의 기구한 사연을 전개하면서, 종국에는 과연 남성 극작가인 자신이 여성들의 전통적인 겨울 이야기를 전유할 자격이 있는지에 대한 성찰에 이른 듯, 동상이 부활하는 문제적 장면에 이르러 인생의 극한 시련을 이겨냄으로써 재현의 힘을 갖게 여성들이 성인 남성들을 상대로 일종의 겨울 이야기 상연을 수행하게 한다.

폴리나의 주문에 따라 허마이어니의 동상이 허마이어니 자신으로 부활하는 퍼포먼스는 환각을 자아내는 트릭이다. 그러나 레온티스를 비롯한 남성 관객들은 그 과정을 이성에 비추어 괴이한 일로 여기지 않고, 폴리나의 주문대로 그들의 믿음과 소망이 이루어낸 기적이라고 착각하면서 감동한다. 폴리나와 허마이어니는 이렇듯 남성 관객들을 마치 어머니가 들려주는 겨울 이야기를 듣는 어린아이와 다름없는 상태로 유도하는 재현의 능력을 보여준다. 그 과정에서 폴리나는 줄곧 국왕 레온티스로부터 자신이 행하는 트릭을 합법적인 마법으로 인정받으려 함으로써, 이성에 비추어 괴이한 이야기를 하는 것은 원래 여성들의 몫이라는 남성우월적 편견으로부터 자유롭지 못한 모습을 보여주는 듯하다. 하지만 그보다 폴리나는 인생의 겨울을 견뎌낸 여성들 특유의 인생에 대한 감수성과 이야기하기 능력에 대한 자부심을 표현하고 있는 것처럼 보인다.

셰익스피어는 더러 기상천외하고 황당한 내용에 대해서 극 중의 남성 보고자들에게 옛이야기에나 있을 법하다고 논평하게 함으로써, 자신이 시도하는 겨울 이야기가 여성들의 겨울 이야기와 다름없음을 인정하기도 했다. 나아가 극 중의 왕자 마밀리어스에게 여성들을 위해 겨울 이야기를 하는 화자 역을 맡김으로써, 여성들의 겨울 이야기를 전유하고 있는 자신을 투영하면서 겨울 이야기의 프레임을 가시화하기도 했다. 그리고 왕자의 죽음과 함께 겨울 이야기의 프레임을 닫은 뒤, 셰익스피어는 마지막 동상이 부활하는 장면에서 인생의 모진 겨울을 견뎌낸 여성들이 자신을 대신해서 겨울 이야기를 완성하게 함으로써, 즉 겨울 이야기의 주체로 정립함으로써, 겨울 이야기의 프레임을 겨울 이야기 자체와 통합한다. 애초 겨울 이야기를 들려주려 했던 왕자가 죽음으로써 중지되었던 겨울 이야기는 그렇게 어머니 왕비에 의해 완성된다. 그리하여 왕자가 말했던 것처럼 겨울에는 슬픈 이야기가 제격일 수 있는 것은, 여성적 보살핌과 연대의 겨울 이야기 공동체가 다시 복원되었기 때문이다. 그러나 무엇보다도 극은, 겨울 이야기는 역시 늙은 여인네들이 들려주어야 제격임을 확인하고 있다.

물론 여성 역을 남성 연기자들이 연기한다는 당시의 기본적인 제약을 논외로 한다면, 허마이어니와 폴리나 그리고 퍼디타와 같은 뛰어난 여성 인물을 창조하고, 그들의 활약을 바탕으로 셰익스피어 극 가운데서 어쩌면 가장 여성 친화적이고 종교적인 극이 탄생할 수 있었던 것은, 아이러니하게도 위대한 남성 극작가가 제대로 된 창작물로 대접받지 못했던 여인네들의 겨울 이야기를 전유하려 하면서 그 한계를 인정했기 때문일 것이다.

참고문헌

서문

기든스, 안소니. 『현대사회의 성 · 사랑 · 에로티시즘』. 배은경, 황정미 옮김. 서울: 새물결, 1999.

지젝, 슬라보예. 『전체주의가 어쨌다구』. 한보희 옮김. 서울: 새물결, 2008.

하우저, A. 『문학과 예술의 사회사―근세편 상』. 백낙청, 반성완 옮김. 서울: 창비신서, 1980.

Heller, Agnes. *Renaissance Man*. Trans. Richard E. Allen. London: Routledge & Kegan Paul, 1978.

제1장 **『한여름 밤의 꿈』** 아방가르드의 꿈과 대중극장의 한계

Belsey, Catherine. *Why Shakespeare*. Basingstoke, U.K.: Palgrave Macmillan, 2007.

Bloom, Harold. *Shakespeare: The Invention of the Human*. New York: Riverhead Books, 1998.

Howard, Skiles. "Hands, Feet, and Bottoms: Decentering the Cosmic Dance in *A Midsummer Night's Dream*." *Shakespeare Quarterly* 44.3 (1993): 325-342.

Kott, Jan. *Shakespeare Our Contemporary*. London: Methuen & Co LTD., 1967.

Lee, Youn-Ja. "Postcolonial Feminist Reading of Shakespeare's *The Taming of the Shrew*." *The New Studies of English Language & Literature* 54 (2013): 131-150.
[이연자. 「탈식민페미니즘으로 읽는 셰익스피어의 『말괄량이 길들이기』」. 『신영어영문학』 54 (2013): 131-150.]

Levine, Laura. "Rape, Repetition, and the Politics of Closure in *A Midsummer Night's Dream*." *Feminist Readings of Early Modern Culture: Emerging Subjects*. Ed. Valerie Traub, M Lindsay Kaplan, and Dympna Callaghan. Cambridge: Cambridge UP, 1996. 210-228.

MacCary W, Thomas. *Friends and Lovers: The Phenomenology of Desire in Shakespearean Comedy*. New York: Columbia UP, 1985.

Mebane, John S. "Structure, Source, and Meaning in *A Midsummer Night's Dream*." *Texas Studies in Literature and Language* 24.3 (1982): 255-270.

Montrose, Louis. *The Purpose of Playing: Shakespeare and the Cultural Politics of the Elizabethan Theatre*. Chicago: Chicago UP, 1996.

Ornstein, Robert. *Shakespeare's Comedies: From Roman Farce to Romantic Mystery*. Newark: U of Delaware P, 1986.

Ovidius. *Metamorphoses* 1, 2. Trans. Lee, Yun-Gi. Seoul: Minumsa, 1998.
[오비디우스. 『변신 이야기 1, 2』. 이윤기 옮김. 서울: 민음사, 1998.]

Parker, Patricia. *Shakespeare from the Margins: Language, Culture, Context*. Chicago: U of Chicago P, 1996.

Shakespeare, William. *A Midsummer Night's Dream*. Ed. Harold E. Brooks. London: Methuen, 1979.

Uman, Deborah. "Translation, Transformation and Ravishment in *A Midsummer Night's Dream*." *Allegorica* 22 (2001): 68-91.

Wells, Stanley. "Translations in *A Midsummer Night's Dream*." *Translating Life: Studies in Trans-positional Aesthetics*. Ed. Shirley Chew and Alistair Stead, Liverpool: Liverpool UP, 1999. 15-31.

제2장 『베니스의 상인』 경제 논리와 경제윤리의 문제

Burchkhardt, Gigurd. *Shakespearean Meanings*. Princeton: Princeton UP, 1968.

Cohen, Walter. "*The Merchant of Venice* and the Possibilities of Historical Criticism." *English Literary History* 49 (1982): 765-789.

Danson, Lawrence. *The Harmonies of The Merchant of Venice*. New Haven: Yale UP, 1978.

Finin, Kathryn R. "Performative Subversion: Portia, Language and the Law in *The Merchant of Venice*." *Justice, Women, and Power in English Renaissance Drama*. Ed. Andrew Majeske and Emily Deter-Goebel, Madison. N.J.: Fairleigh Dickinson UP, 2009. 27-45.

French, Marilyn. *Shakespeare's Division of Experience*. New York: Summit, 1986.

Girard, Rene. "To Entrap the Wisest." *William Shakespeare's The Merchant of Venice*. Ed. Harold Bloom. New York: Chelsea, 1986. 91-105.

James, Max H. *Our House in Hell: Shakespeare's Troubled Families*. New York: Greenwood Press, 1989.

Jennifer, Rich. "The Merchant Formerly Known as Jew: Redefining the Rhetoric of Merchantry in Shakespeare's *The Merchant of Venice*." *Early Modern Literary Studies* 13.3 (January 2008): 1-19.

Kitch, Aaron. "Shylock's Sacred Nation." *Shakespeare Quarterly* 59.2 (Summer 2008): 131-155.

Kott, Jan. *Shakespeare Our Contemporary*. Trans. Boleslaw Taborsky. New York: W. W. Norton & Company, rpt., 1974.

MacInnes, Ian. "'Ill luck, Ill luck?': Risk and Hazard in *The Merchant of Venice*." *Global Traffic: Discourse and Practices of Trade in English Literature and Culture from 1550 to 1700*. Ed. Barbara Sebek and Stephen Deng. New York: Palgrave Macmillan, 2008. 39-55.

Marx, Carl. "On the Jewish Question." *The Marx-Engels Reader*. Ed. Robert C. Tucker. New York: W. W. Norton & Company, 1978. 26-52.

Moody, A. D. "The Letter of the Law." *The Merchant of Venice: Critical Essays*. Ed. Thomas Wheeler, New York: Garland, 1991. 79-101.

Mukherji, Subha. *Law and Representation in Early Modern Drama*. Cambridge: Cambridge UP, 2006.

Mullaney, Stephen P. *The Place of Stage: Licence, Play, and Power in Renaissance England*. Chicago: U of Chicago P, 1988.

Nevo, Ruth. *Comic Transformation in Shakespeare*. London: Methuen, 1980.

Ornstein, Robert. *Shakespeare's Comedies: From Roman Farce to Romantic Mystery*. Newark: U of Delaware P, 1984.

Potter, Nick. "*The Merchant of Venice*." *Shakespeare: The Play of History*. Eds. Graham Holerness et al. London: Macmillan Press, 1987.

Shakespeare, William. *The Merchant of Venice*. Ed. John Russell Brown, London: Routledge, 1988.

Shell, Marc. "The Wether and the Ewe: Verbal Usury in *The Merchant of Venice*." *Money, Language, and Thought: Literary and Philosophical Economies from the Medieval to the Modern Era*. Berkeley: U of California P, 1982.

Sherman, Anita Gilman. "Disowning Knowledge of Jessica, or Shylock's Skepticism." *Studies in English Literature 1500-1900* 44.2 (Spring 2004): 277-295.

지젝, 슬라보예. 『그들은 자기가 하는 일을 알지 못하나이다』. 박정수 옮김. 서울: 인간사랑, 2002.

Bloom, Harold. *Shakespeare: The Invention of Human*. New York: Riverhead Books, 1998.

Cook, Carol. "'Sign and Semblance of Her Honor': Reading Gender Difference in *Much Ado About Nothing*." *PMLA* 101 (1986): 186-202.

Drakakis, John. "Trust and Transgression: The Discursive Practices of *Much Ado About Nothing*." *Post-Structuralist Readings of English Poetry*. Eds. Richard Machin and Christopher Norris. Cambridge: Cambridge UP, 1987. 59-84.

Hays, Janice. "Those 'soft and delicate desires' *Much Ado About Nothing* and the Distrust of Women." *The Woman's Part: Feminist Criticism of Shakespeare*. Eds. Carolyn Ruth Swift Lenz and Crol Thomas Neely. Urbana: U of Illinois Press, 1980. 79-99.

Holderness, Graham. "*Much Ado About Nothing*: men without women." *Critical Essays on Much Ado About Nothing*. Eds. Linda Gookson and Bryan Loughrey. London: Longman Literature Guide, 1989. 74-87.

Hollindale, Peter. "Serious Voices in a Comic World." *Critical Essays in Much Ado About Nothing*. Eds. Linda Gookson and Bryan Loughrey. London: Longman Literature Guide, 1989. 9-20.

Howard, Jean E. "Renaissance antitheatricality and the politics of gener and rank in *Much Ado About Nothing*." *Shakespeare Reproduced: The Text in History & Ideology*. Eds. Jean E. Howard and Marione F. O'Connor. New York: Methuen, 1987. 163-187.

Levin, Richard A. "Crime and Cover-up in Messina." *Modern Critical Interpretations: William Shakespeare's Much Ado About Nothing*. Ed. Harold Bloom, New York: Chelsea House Publishers, 1988. 71-104.

MacCary, W. Thomas. *Friends and Lovers: The Phenomenology of Desire in Shakespearean Comedy.* New York: Columbia UP, 1985.

Neely, Carol Thomas. *Broken Nuptials in Shakespeare's Plays.* New Haven: Yale UP, 1985.

Ornstein, Robert. *Shakespeare's Comedy: From Roman Farce to Romantic Mystery.* Newark: U of Delaware P, 1986.

Potter, Nicholas. "Romance and Realism in *Much Ado About Nothing.*" *Critical Essays in Much Ado About Nothing.* Eds. Linda Gookson and Bryan Loughrey. London: Longman Literature Guide, 1989. 54-62.

Shakespeare, William. *Much Ado About Nothing.* Ed. A. R. Humphreys. New York: Routledge, 1989.

Turner, John. "Claudio and the Code of Honour." *Critical Essays in Much Ado About Nothing.* Eds. Linda Gookson and Bryan Loughrey. London: Longman Literature Guide, 1989. 21-30.

Westlund, Joseph. *Shakespeare's Reparative Comedies: A Psychoanalytic View of the Middle Plays.* Chicago: U of Chicago P, 1984.

제4장 『**좋으실 대로**』 경제적 교환의 이상과 동화적 해결의 문제

Belsey, Catherine. "*As You Like It and The Golden Goose.*" *Why Shakespeare?* Basingstoke, U.K.: Palgrave Macmillian, 2007. 21-41.

Garber, Marjorie. "*As You Like It.*" *Shakespeare After All.* New York: Pantheon Books, 2004. 437-465.

Kojin, Karatani. *Transcritique.* Trand. Sabu Kosho. Cambridge, MS.: The Mit Press, 2003.

Milward, Peter. "Religion in Arden." *Shakespeare Survey* 54 (2001): 115-121.

Montrose, Louise A. "The Place of Brother in *As You Like It: Social Processes and Comic Form*." *Shakespeare Quarterly* 32 (1981): 28-54.

Nevo, Ruth. *Comic Transformations in Shakespeare*. London: Methuen & Co. LTD, 1980.

Ornstein, Robert. *Shakespeare's Comedies; from Roman Farce to Romantic Mystery*. Newark: U of Delaware P, 1986.

Rutter, Carol Chillington. Ed. *Clamorous Voices: Shakespeare's Women Today*. New York: Routledge, 1989.

Ryan, Kiernan. "'Ducdame': *As You Like It*." *Shakespeare's Comedies*. Basingstoke, U.K.: Palgrave Macmillian, 2009.

Segal, Janna. "'And Browner than her brother': Misprised Celia's Racial Idendity and Transversality in *As You Like It*." *Shakespeare* 4.1 (March 2008): 1-21.

Shakespeare, William. *As You Like It*. The Arden Shakespeare. Ed and "Introduction." Agnes Latham. London: Methuen, 1975.

Wilson, Richard. "'Like the Old Robin Hood': *As You Like It* and the Enclosure Riots." *Shakespeare Quarterly* 43 (1992): 1-19.

Woodbridge, Linda. "Country Matters: *As You Like It* and the Pastoral-Bashing Impulse." *Revisions of Shakespeare: Essay in Honor of Robert Ornstein*. Ed. Evelyn Gajowski, Newark: U of Delaware P, 2004. 189-214.

제5장 『십이야』 환관 만들기와 관료주의 풍자

Astington, John. "Malvolio and the Eunuchs: Texts and Revels in *Twelfth Night*." *Shakespeare Survey* 46 (1993): 23-34.

Berry, Ralph. *Shakespeare and Social Class*. Atlantic Highlands, NJ.: Humanities Press International, INC., 1988.

Bloom, Harold. *Shakespeare: The Invention of the Human.* New York: Riverhead Books, 1998.

Callaghan, Dympna. "'All is semblative a Woman's Part': Body Politics and *Twelfth Night.*" *Textual Practice* 7.3 (Winter 1993): 428-452.

Codden, Karin S. "'Slander in an Allowed Fool': *Twelfth Night's* Crisis of the Aristocracy." *SEL: 1500-1900* 33 (1993): 309-325.

Ellis, David. "The Ideal Victim." *Shakespeare's Practical Jokes: An Introduction to the Comic in His Work.* Lewisburg, Pa.: Bucknell UP, 2007. 110-135.

Garber, Marjorie. *Shakespeare After All.* New York: Achor Books, 2004.

Kemper, Becky. "A Clown in the Dark House: Reclaiming the Humor in Malvolio's Downfall." *Journal of the Wooden O Symposium* 7 (2007): 42-50.

Mangan, Michael. *A Preface to Shakespeare's Comedies* 1594-1603. New York: Longman, 1996. Ithaca, New York: Cornell UP, 1991.

Malcolmson, Cristina. "'What You Will': Social Mobility and Gender in *Twelfth Night.*" *The Matter of Difference: Materialist Feminist Criticism of Shakespeare.* Ed. Valerie Wayne. Ithaca, New York: Cornell UP, 1991. 29-58.

Ornstein, Robert. *Shakespeare's Comedies: from Roman Farce to Romantic Mystery.* Newark: U of Delaware P, 1986.

Osborne, Laurie. "Letters, Lovers, Lacan: Or Malvolio's Not-So-Purloined Letter." *Assays* 5 (1989): 63-89.

Robertson, Karen. "A Revenging Feminine Hand in *Twelfth Night.*" *Reading and Writing in Shakespeare.* Ed. David M. Bergeron. Newark: U of Delaware P, 1996. 116-130.

Ryan, Kiernan. "'Nothing that is so, is so': *Twelfth Night.*" *Shakespeare's Comedies.* Basingstoke, U.K.: Palgrave Macmillan, 2009. 235-273.

Segal, Erich. "*Twelfth Night*: Dark Clouds over Illyria." *The Death of Comedy.* Cambridge, Mass.: Harvard UP, 2001. 305-328.

Shakespeare, William. *Twelfth Night*. Eds. J. M. Lothian and T. W. Craik. New York: Methuen & Co Ltd., 1986.

Yachnin, Paul. "Reversal of Fortune: Shakespeare, Middleton, and the Puritan." *ELH* 70.3 (Fall 2003): 757-786.

제6장 『윈저의 즐거운 아내들』
신흥 부르주아 사모님들의 즐거움, 그리고 그 영악한 이면

Barton, Anne. "Falstaff and the Comic Community." *Shakespeare's Rough Magic: Renaissance Essays in Honor of C. L. Barber*. Eds. Peter Erickson and Coppélia Kahn. Newark: U of Delaware P, 1985. 131-148.

Berry, Ralph. *Shakespeare and Social Class*. Atlantic Highlands, NJ: Humanities Press International, 1988.

Bloom, Harold. *Shakespeare: The Invention of Human*. New York: Riverhead Books, 1998.

Bryant, J. A. Jr. "Falstaff and the Renewal of Windsor." *PMLA* 89.2 (1974): 296-301.

Erickson, Peter. "Order of the Garter, the Cult of Elizabeth, and class-gender tension in *Merry Wives of Windsor*." *Shakespeare Reproduced: The Text in history & Ideology*. New York: Methuen, 1987.

Freedman, Barbara. "Falstaff's Punishment: Buffoonery as Defensive Posture in *Merry Wives of Windsor*." *S Studies* 14 (1981): 163-174.

French, Marilyn. *Shakespeare's Division of Experience*. New York: Summit Books, 1981.

Hinely, Jan Lawson. "Comic Scapegoat and the Falstaff of *Merry Wives of Windsor*." *Shakespeare Studies* 15 (1982): 37-54.

Korda, Natasha. "'Judicious Oeillades': Supervising marital property in *Merry Wives of Windsor.*" *Marxist Shakespeares.* Eds. Jean E. Howard and Scott Cutler Shershow. London: Routledge, 2001.

Nevo, Ruth. *Comic Transformations in Shakespeare.* London: Methuen & Co. LTD., 1980.

Shakespeare, William. *The Merry Wives of Windsor.* Ed. Oliver, H. J. The Arden Shakespeare. London: Methuen, 1979.

제7장 『**겨울 이야기**』 다시 희극으로, 그리고 겨울 이야기, 속의 겨울 이야기

이행수. 「『겨울이야기』에 대한 생태여성주의적 비평」. *Shakespeare Review* 39.2 (2003): 433-450.

이혜경. 「『겨울이야기』에 나타난 모성의 상실과 복원」. *Shakespeare Review* 39.4 (2003): 851-871.

Belsey, Catherine. *Why Shakespeare?* Basinstoke, U.K.: Palgrave Macmillan, 2007.

Bellette, A.F. "Truth and Utterance in *The Winter's Tale.*" *Shakespeare survey* 31 (1978): 65-75.

Bloom, Harold. *Shakespeare: The Invention of the Human.* New York: Riverhead Books, 1998.

Bristol, Michael D. "In Search of the Bear: Spatiotemporal Form and the Heterogeneity of Economics in *The Winter's Tale.*" *Shakespeare Quarterly* 42.2 (1991): 145-167.

Diehl, Huston. "'Does not the stone rebuke me?': The Pauline Rebuke and Paulina's Lawful Magic in *The Winter's Tale.*" *Shakespeare and the Cultures of Performance.* Eds. Paul Yachin and Patricia Badir. Aldershot, U.K.: Ashgate, 2008. 69-82.

Felperin, Howard. "'Tongue-tied our queen?': The Deconstruction of Presence in *The Winter's Tale*." *Shakespeare and the Question of Theory*. Eds. Patricia Parker and Geoffrey Hartman. London: Metheun, 1985. 13-28.

Gallagher, Lowell. "'This seal'd-up Oracle': Ambivalent Nostalgia in *The Winter's Tale*." *Exemplaria* 7 (1995): 456-498.

Kuzner, James. "*The Winter's Tale*: Faith in Law and the Law of Faith." *Exemplaria* 24.3 (2012): 260-281.

Rosenfeld, Kirstie Gulick. "Nursing Nothing: Witchcraft, and Female Sexuality in *The Winter's Tale*." *Mosaic* 35 (2002): 95-112.

Shakespeare, William. *The Winter's Tale*. Ed. Pafford, J. H. P. The Arden Shakespeare, London: Methuen, 2000.

Sherman, Donovan. "The Absent Elegy: Performing Trauma in *The Winter's Tale*." *Shakespeare Bulletin* 27.2 (2009): 197-221.

Vaught, Jennifer C. *Masculinity and Emotion in Early Modern English Literature*. Aldershot, U.K.: Ashgate, 2008. 160-176.

찾아보기

nothing — 85

- ㄱ -

가버Marjorie Garber — 116
가슴 떨림tremor cordis — 207, 226
가정 유지 — 175
갈등의 불가피성 — 8
갈등의 종국적인 해결 불가능성 — 8
감시의 시선 — 179, 183, 184
갤러거Lowell Gallagher — 213~214, 228
『겨울 이야기』*The Winter's Tale* — 15, 17, 203, 205, 214, 232
경제 논리 — 15, 46~49, 51~54, 56, 58~59, 61~67, 69, 73~81
경제방정식 — 56, 69, 80
고리대금업자 — 46, 49~52, 56, 62, 64, 67, 72, 75, 79
고진Karatani Kojin — 117
공공의 적 — 107
공리주의 — 13, 38
관료주의 — 16, 144
궁정 풍 연애 — 85, 93, 111, 133~134
근대적 사랑의 이념 — 7~8, 10
기든스Anthony Giddens — 11
기사도 — 25~26, 92~93, 100, 105

- ㄴ -

남성 신데렐라 — 139
남성 실격자 — 145, 170
남성 중심 사회 — 86, 92, 96, 100
남성군인 집단 — 84, 87, 95
농업 공동체 — 16, 117, 128, 140, 142
니보Ruth Nevo — 188
닐리Carol Thomas Neely — 102

– ㄷ –

대리구혼 — 88, 90, 93~94
대타자 — 9, 104, 112, 155, 161
댄슨Lawrence Danson — 53
도그베리Dogberry — 98
도덕적 승리 — 8
돈 존Don John — 13, 89~91, 94~96, 98, 107
돈 페드로Don Pedro — 87~92, 94~98, 100~102, 106~108
돈놀이 — 49~50, 52, 63
디미트리우스Demetrius — 37
딜Huston Diehl — 203

– ㄹ –

라이언Kiernan Ryan — 127, 169
랜슬롯Launcelot — 55
레나토Leonato — 87, 89, 91~92, 94, 97, 99~100, 106~107
레빈Laura Levine — 25
레온티스Leontes — 206~215, 217~219, 222~226, 228, 230, 232
로렌조Lorenzo — 64, 73
로맨틱 코미디 — 7
로빈 후드Robin Hood — 118, 122, 124~126, 133, 140~141
로잘린드Rosalind — 116, 123~125, 131~136, 140~141
로젠펠드Kirstie Gulick Rosenfeld — 222
리스크 관리 — 77~78

– ㅁ –

마가렛Margaret — 107
마르크스Karl Marx — 46
마리아 숭배 — 223
마리아Maria — 147~148, 151~157, 162, 165~166
마밀리어스Mamillius — 205, 233
마키아벨리즘 — 13
말볼리오Malvolio — 13, 16, 143~171
맥카리Thomas MacCary — 101
맥킨즈Ian MacInnes — 78
메타드라마metadrama — 20, 163, 203, 217, 221, 227
몬트로스Louise Monstrose — 20, 31, 116
무교양 — 92
문제극 — 8
문화유물론 — 46
물신숭배 — 14, 178, 197

- ㅂ -

바사니오Bassanio — 51, 54~55, 57~62, 72, 74, 76~78
바울식의 언어 — 27, 29
바이올라Viola — 145, 148~149, 154, 165, 168
반낭만적 — 111, 133~134
베네딕Benedick — 85~87, 89, 95, 97, 99~103, 105, 108~109, 112
『베니스의 상인』*The Merchant of Venice* — 13~15, 45, 79, 115~116
베리Ralph Berry — 147
베아트리스Beatrice — 85~86, 99~103, 105, 108, 112
벤처venture — 15, 81
벨레트A. F. Bellette — 229
벨몬트Belmont — 57, 60, 62, 76
벨지Catherine Belsey — 122, 135, 218
『변신 이야기』*The Metamorphoses* — 25
보라치오Borachio — 89, 98, 107
보이지 않는 손 — 50, 81
보텀Bottom — 20~21, 23~26, 28~31, 33~37, 39~43
보트Jennifer C. Vaught — 211
본드bond — 15, 81
봉건적인 쌍무관계 — 122
부재지주 — 131~132
브레인포드Brainford — 188
브룩스Brooks — 180~182
브리스톨Michael Bristol — 206
블룸Harold Bloom — 164, 199, 208

- ㅅ -

사랑의 변덕 — 10~11
사생아 — 95~96, 107, 211
사회적 타자 — 96
상명하복 — 84
상상계 — 161, 169, 171
상실의 상실 — 94
상징계 — 169, 171
상징적 거세 — 146, 154, 157~158, 161, 163, 170~171
상징적 죽음 — 106~107, 174
상호수혜의 교환 — 117, 121, 124, 128, 138~139
샤리바리charivari — 144, 152, 164~165, 169
샤일록 재판 — 15, 51, 62, 67, 69, 73, 75, 78, 80
샤일록Shylock — 13, 46~56, 59, 62~80, 167

선의의 기만 — 12, 86, 112
성 규범 — 84~85, 88, 92~93, 109, 111
성 담론 — 109
세바스찬Sevastian — 165
세상 이야기 — 14~16
셔만Anita Gilman Sherman — 64~65
셔만Donovan Sherman — 214~215
셸Marc Shell — 75
속물근성 — 106, 178, 197
쉘로우Shallow — 176
슈퍼 유대인 — 56
스타블링Starveling — 30, 36
슬렌더Slender — 176, 193, 195
시걸Janna Segal — 125
신역사주의 — 46
신흥 시민계급 — 17, 174
실리어Celia — 124~125, 131, 134~136, 141
『심판』*Der Prozess* — 170
십상시 — 143
『십이야』*The Twelfth Night* — 12~13, 15~16, 143~144, 169~171

– ㅇ –

아담Adam — 118, 120~121, 127, 129
아든Arden 숲 — 116~118, 121~126, 131, 133, 135, 137, 139, 140~141
아방가르드Avant-Garde — 15, 20~21, 29~30, 42~43
아우슈비츠Auschwitz — 46
아키다무스Archidamus — 206
아폴로의 신탁 — 205, 209~213
안토니오Antonio — 49~52, 54~55, 57~59, 62~74, 76~80
알튀세Louise Althusser — 104
앤티고너스Antigonus — 216~218
야곱과 라반의 이야기 — 50
야흐닌Paul Yachnin — 161
에미언즈Amiens — 126~128
에반스Evans — 176, 186, 191, 194
에토스ethos — 86, 100, 107, 127, 131
엘리자베스 여왕Elizabeth I — 173
여성 혐오 — 87, 90, 96
여성의 섹슈얼리티 — 84, 91, 93, 95
여성적 보살핌과 연대 — 231, 233
역사극 — 173, 177
연대보증제도 — 47, 56, 69, 74, 79
오베론Oberon — 24~26, 28
오비드Ovid — 25
오스본Laurie Osborne — 159

오시노Orsino — 148, 153~154, 158, 162, 165, 168
올랜도Orlando — 116, 118~123, 127, 129~136, 139~141
올리버Oliver — 116, 118, 120, 123~124, 126, 135~136
올리비아Olivia — 145~149, 152~153, 155~158, 161~163, 165~167
외국인법 — 72
우드브리지Linda Woodbridge — 129
우상 파괴적인 전망 — 133
원초적 장면 — 90
『윈저의 즐거운 아내들』*The Merry Wives of Windsor* — 13~15, 17, 173, 199
윌슨Richard Wilson — 116, 123
유유자적함otium — 125
유쾌한 즐거움mirth — 38
윤리 문제 — 51~52, 62, 74~75, 80
윤리반점식 — 56, 69, 80
윤리의 문제 — 15, 46, 79
인간의 솜씨art — 220, 226, 230
인식론적 곤경 — 27
인육 계약 — 15, 47, 51, 62, 72, 80
인정 욕망 — 101, 189
인클로저enclosure 운동 — 16, 116, 131~132, 140
일방적 증여 — 121, 127, 138~139

– ㅈ –

장자상속제도 — 116, 120
정조 — 25, 84~85, 92, 111, 179, 184, 189, 191
정체성 오인 — 11~12, 165
제니퍼Rich Jeniffer — 56
제시카Jessica — 55, 64~65
제이퀴즈Jaques — 128, 138~139
제임스 1세James I — 143
젠더 구분 — 99, 102~103, 186
젠더gender 갈등 — 16, 84
『좋으실 대로』*As You Like It* — 12, 14, 16, 115
증여와 보답 — 16, 117, 124, 139, 142
지젝Slavoje Zizek — 9, 94

– ㅊ –

첫눈에 반하는 사랑 — 10~11
청교도 — 16, 143~145, 148, 151~152, 154, 160~161, 163~165, 168~169, 171
초현실적 비전 — 20, 28

- ㅋ -

카밀로Camillo — 206, 208, 213, 219, 223, 230
카이어스Caius — 191, 193, 195
카프카Franz Kafka — 170
캘러한Dympna Callaghan — 157
코린Corin — 131~132
코트Jan Kott — 25, 47
쿡Carol Cook — 100
퀵클리Quickly — 187
클로디오Claudio — 85~92, 94~102, 105~107, 111~112
킬링타임용 — 31, 41, 43

- ㅌ -

타락한 관료 — 143, 158, 170~171
타자화 — 45~46, 48, 62, 67, 75, 95
터치스톤Touchstone — 131
테세우스Theseus — 19, 21~22, 25, 30~41, 43
토비 경Sir Toby — 146~147, 149~150, 152~154, 156, 158, 161, 163~165
토파스Thopas — 163
퇴행성 욕망 — 88, 93
투사 — 13, 98
튜발Tubal — 65
티타니어Titania — 20, 24~26

- ㅍ -

파스토랄pastoral, 전원극 — 116, 125, 129
파커Patricia Parker — 39
퍼디타Perdita — 216, 218~220, 222~223, 227~228, 230, 233
퍽Puck — 20~21, 24, 28, 39~43
페스티Feste — 146~147, 161, 163~164, 166~168
페이비언Fabian — 163, 166
페이지Page — 175, 178~179, 188, 195~196, 198
펜튼Fenton — 175, 178, 193, 195~198
펠페린Howard Felperin — 212
포드Ford — 175, 179~182, 185~188, 190, 193~194, 197
포샤Portia — 47, 51, 54, 57, 59~62, 67, 69~74, 76~78, 80
포틀래치potlatch — 206, 230
폴리나Paulina — 209~211, 215~216, 218~219, 221~233
폴릭세네스Polixenes — 206~208, 213, 217, 219~220, 223

폴스타프Falstaff — 13, 17, 173~185, 187~201
프레데릭 공Duke Frederick — 124~125, 137, 139
프레임 전환 — 217
프렌치Marilyn French — 174
프로이트Sigmund Freud — 90
프로테스탄트Protestant — 223
플라톤Plato — 36
플로리젤Florizel — 218~219
플루트Flute — 30, 37
『피라무스와 디스비』*Pyramus and Thisbe* — 23
피스톨Pistol — 179
필로스트레이트Philostrate — 31~32

– ㅎ –

하우저Arnold Hauser — 8
하워드Jean E. Howard — 84, 104
하워드Skiles Howard — 41
하이 리스크, 하이 리턴 — 50, 76, 78~79
하이먼Hymen — 136
『한여름 밤의 꿈』*A Midsummer Night's Dream* — 14, 19, 42
해저드hazard — 15, 81
허마이어니Hermione — 205, 207, 211~213, 215~218, 221~223, 225~226, 228~233
허무주의 — 16, 86, 110, 112, 164, 208
『헛소동』*Much Ado About Nothing* — 12~14, 16, 83
헤이즈Janice Hays — 90
헤픈prodigal — 55, 59
헨리 8세Henry VIII — 52, 117
현명한 바보짓 — 28
현현제 — 144
홀린데일Peter Hollindale — 92
환관 — 16, 143~146, 151, 154, 156, 158, 161~162, 165, 169~171
희생양 — 96, 107, 111, 145, 175, 178, 193~194, 199, 201
히로Hero — 85~102, 104~107, 111~112, 134
히폴리타Hippolyta — 21~22, 32, 35

지은이 **김문규**

현재 덕성여자대학교 교수
경북대학교 학사, 서울대학교 석사 · 박사
저서 『셰익스피어의 역사극 연구: 왕조에서 제국으로』(도서출판 동인), 『영미희곡 연구』(민음사, 공저)
논문 「『베니스의 상인』에 나타난 경제논리와 윤리의 문제」 외 수십 편

셰익스피어 희극
로맨스 너머 세상 이야기

초판 1쇄 발행일 2021년 12월 30일

김문규 지음

발 행 인 이성모
발 행 처 도서출판 동인 / 서울특별시 종로구 혜화로3길 5, 118호
등록번호 제1-1599호
대표전화 (02) 765-7145 / FAX (02) 765-7165
홈페이지 www.donginbook.co.kr
이 메 일 dongin60@chol.com
ISBN 978-89-5506-852-8 (93840)
정 가 16,000원

※ 잘못 만들어진 책은 바꾸어 드립니다.